YUNUS EMRE
Yaşamı ve Bütün Şiirleri

Yayın Yönetmeni: Refik Ulu

Dördüncü Baskı
İstanbul, Kasım 1992

Kapak: Reha Yalnızcık
Kapak Filmi: Ebru Grafik
Dizgi, Baskı, Cilt: Özgün Ajans

CAHİT ÖZTELLİ

YUNUS EMRE

YAŞAMI VE
BÜTÜN ŞİİRLERİ

ÖZGÜR
YAYIN DAĞITIM
Ankara Caddesi 31 / 2
Cağaloğlu – İstanbul
Tel: 526 25 13 / 519 14 49

İÇİNDEKİLER

YAŞAMI

Cahit Öztelli 1910 yılı, Erzincan doğumlu.

1924'te Tokat Yeşilırmak İlkokulu'nu, 1928'de Gümüşhane Ortaokulu'nu, 1936'da Trabzon Lisesi'ni bitirdikten sonra, eğilimine uygun olarak Ankara DTCF Türk Dili ve Edebiyatı bölümüne giriyor. 1937 yılında evleniyor. Fakülteyi 1939'da tamamlayınca Denizli Lisesi'nde öğretmenliğe başlıyor. 1941 - 1944 yılları arasındaki askerlik görevinden sonra Samsun'da öğretmenliğe devam ediyor Daha sonra Mersin, Konya liselerinde çalışan Öztelli 1959 yılında Ankara'ya atanıyor, Atatürk İlköğretmen Okulu'nda öğretmenliğini sürdürüyor.

1961'de MEB Yayınları ve Basılı Eğitim Malzemeleri Genel Müdürlüğü Ansiklopediler Şubesi'nde redaktör olarak çalışıyor. 1966 yılında Milli Folklor Enstitüsü müdürlüğüne geçiyor.

1970'te atandığı Çankaya Lisesi Edebiyat öğretmenliğinden 1972 yılında emekli oluyor. Ölümüne değin Ankara DTCF'nde Halk Edebiyatı dersleri veriyor.

26 Şubat 1978'de Ankara Karşıyaka Mezarlığı'nda toprağa verildiğinde, geriye yapıtlarının dışında, üç çocuk ve özellikle cönkler ve yazmalar bölümü ile çok değerli olan, zengin bir özel kitaplık bırakmıştır.

ÇALIŞMA VE YAPITLARI

Ülkemizin başta gelen Türk halk bilimi, edebiyatı araştırmacısı ve yazarlarından olan Öztelli'nin çalışma ve yapıtlarını üç bölümde toplayabiliriz:

1 — Ansiklopedi, Sözlük ve Kurumlardaki Çalışmaları

- Türk Ansiklopedisi'nde birçok maddenin yazılmasında,
- Halkevleri, Türk Folklor ve Etnoğrafya Derneği folklor çalışmalarında,
- Meydan Larousse Ansiklopedisi'nde folklorla ilgili maddelerinin yazılmasında,
- Mustafa Kemal Atatürk'ün Söylevi'ni bugünkü dile çeviren kurulda,
- 1962-1963 yıllarında Ankara Radyosu'nda «Halk Şairleri» programını hazırlamada,
- Türk Dil Kurumu 1963-1969 yılları arasında Yönetim Kurulu üyeliği ve Sözlük Kolu Başkanlığı'nda,
- Milli Folklor Enstitüsü'nün kuruluşunda ve burada bir uzmanlık kitaplığı ile arşiv oluşturulmasında çalışmıştır.

2 — Bildiri Sunduğu Seminer ve Kurultaylar

Uluslararası Yunus Emre Semineri - 1. Uluslararası Türk Dili Bilimsel Kurultayı - 1. Uluslararası Türk Folklor Semineri - Uluslararası Karacaoğlan Semineri - 1. Uluslararası Türk Folklor Kongresi - Uluslararası Folklor ve Halk Edebiyatı Semineri - Geleneksel Türk Sporları Semineri - Türk Tarih Kongresi - Çukurova ve Taşeli Folkloru Semineri - Uluslararası Yunus Emre, Nasreddin Hoca, Karamanoğlu Mehmet Bey ve Türk Dili Semineri - Seyyit Battal Gazi Semineri gibi önemli seminer ve kurultaylara katılarak bildiri sunmuştur.

Ayrıca Konya Âşıklar Bayramı ve çeşitli illerde düzenlenen Şenlik ve Festivallerin Seçici Kurul üyeliğinde bulunmuştur.

3 — Yapıtları

Cahit Öztelli'nin çeşitli yayın organlarında yayımlanmış dört yüz yirmi bir araştırma, inceleme yazısının yanında, durmadan yeni baskıları yapılan yirmi iki Kitabı vardır. 'İlk basım' tarihine göre kitapları şunlardır:

Zileli Şairler (1944), Karacaoğlan (1952), Halk Türküleri (1953), Dertli, Seyrani (1953), Köroğlu ve Dadaloğlu (1954), Halk Şiiri 14-17. Yüzyıllar (1955), Halk Şiiri 18. Yüzyıl (1955), Küçük Folklor Çalışma Planı (Ali Çiçekçi ile) (1958), Nasreddin Hoca (M. Şakir Ülkütaşır'la) (1964), Resmi Yazışmalar Sözlüğü (1965), Kul Nesimi (1969), Karacaoğlan, Bütün Şiirleri (1970), Pir Sultan Abdal, Bütün Şiirleri (1971), Yunus Emre, Bütün Şiirleri (1971), Yunus Emre, Yeni Belgeler - Bilgiler (1971), Evlerinin Önü (1972), Bektaşi Gülleri (Antoloji) (1973), Üç Kahraman Şair: Köroğlu, Dadaloğlu, Kuloğlu (1974), Uyan Padişahım (1976), Şehzade Bayezit'in Babası Kanuni'ye İran'dan Gönderdiği Son Mektup (1976), Sahte Şöhret Bir Ozan Erzurumlu Emrah (1976), Belgelerle Yunus Emre (1977).

KAYNAKÇA

1 — Çağdaş Dünya Edebiyatı Antolojisi: MSD eki
2 — Edebiyatımızda İsimler Sözlüğü - Behçet Necatigil (1983)
3 — H. Cahit Öztelli Kaynakçası - Nail Tan, İrfan Üner Nasrattınoğlu (1978).
4 — Kim Kimdir Ansiklopedisi - Nebioğlu Yayınevi
5 — Meydan Larousse: C. 9
6 — Şairler ve Yazarlar Sözlüğü - Şükran Kurdakul (1971)
7 — Türk Edebiyatı Ansiklopedisi - Atilla Özkırımlı: C. 4
8 — Yurt Ansiklopedisi: C. 4

ÖNSÖZ

Büyük Türk şair ve düşünürü Yunus Emre, aşağı yukarı yedi yüz yıldan beri, Türk ulusunun duygu birliğini, ülkü birliğini sağlamış büyük bir sanatçıdır. Tekke edebiyatının kurucusu olmuş, yeni bir sanat ve düşünce çığırı açmıştır. O, kendini bütün toplumlara kabul ettirmiştir. Çünkü, insanlığın ortak duygu ve düşüncelerini dile getirmiştir. Bütün tarikatler onu ulu tanımışlar, mânevî kişiliğini saygı ile anmışlardır. Yüzyıllar boyunca gönüllere teselli ve umut vermiştir. Ne yazık ki, böyle bir değeri ne divancılar, ne de medreseliler tanımak istemişler; küçük görmüşler, alay etmişler ve tekkede onun nefeslerini terennüm edenler için ölüm fetvaları vermişlerdir. Her şeye rağmen Yunus Emre, halkın adamı, toplumun sanatçısı, sevgilisi olmuştur.

Yunus Emre üzerine ilk çalışmalar 1913 yılında başlar. Rıza Tevfik ve Fuat Köprülü aynı yıl içinde birkaç makale yayınladılar. Daha sonra Köprülü, eseri «Türk Edebiyatında İLK MUTASAVVIFLAR»ı verdi (1918). Bu eser Yunus için pek değerli bilgilerle dünya çapında ün kazandı. Bugün için ana kaynak niteliğindedir.

1933'te Burhan Toprak ilk kez üç cilt halinde divanını yayımladı. Böylece Yunus, Türk aydınınca daha yakından tanındı. Daha sonra yine Toprak, bir cilde indirdiği eserini birkaç kez bastırdı. İlk olduğu için bu eser de değerlidir.

1936'da Abdülbâki Gölpınarlı «Yunus Emre - Hayatı» eseri ile Yunus'un çevresini, yaşantısını, tarikat silsilesini

11

büyük bir araştırma ve çalışma ile bilim dünyasına verdi. Birkaç kez de divanını bastırdı. Onun eserleri de kaynak durumundadır.

Bu çalışmalar sonunda Yunus Emre'nin değeri ve eseri iyice aydınlığa çıktı. Son on onbeş yıl içinde de başka yönden çalışmalar oldu. O zamana kadar bilinmeyen belgeler ortaya getirildi. Bu işte de tarih bilgini İbrahim Hakkı Konyalı'nın büyük emeği geçti. Bu çalışmalar, Yunus Emre'nin Karamanlı olduğunu saptamaya yaradı. Öteden beri zayıf söylenti ve kaynaklara dayanarak, mezarının Sarıköy'de olduğu görüşü böylece değişti. Burada Yunus Emir Bey'in bir zaviyesi olduğu için ve ad benzerliğinden ötürü Yunus'un sanıldığı anlaşıldı. Yunus Emir Bey'in de başka yerde mezarı bulundu.

Ama, eski bilgilere göre Sarıköy'ü savunanlar ile yeni bulunmuş resmî belgelere göre Karamanlı olduğunu savunanlar arasında bilimsel bir tartışma açıldı. Şimdiye dek hiçbir sanatçı için böyle tartışma açılmış değildir. Bu tartışma her yıl belli zamanlar yenilenerek kamuoyuna da duyuruldu, ilgi çekici bir konu durumuna geldi.

Bu arada her iki tarafın savundukları tezleri birleştirmeye çalışanlar da olmadı değil. Bunlardan biri de bu satırların yazarıdır. Fakat, aradan geçen zaman içinde bulunan yeni belgeler ve ortaya çıkan bilgiler ışığında gerçek görülmüştür. Bu, Yunus'un soyunun Horasan'dan gelerek Karaman'da yerleştiğidir. Yunus, Karaman'da doğmuş, orada yetişmiş, dedesinden kalan, ayrıca kendisinin edindiği toprakları olmuş, varlıklı bir kişi olarak, yine doğduğu yerde ölmüştür. Mezarı bugün Karaman'da camisi bitişiğindedir.

Yunus Emre ile ilgili son kitabı 1966'da merhum Halim Baki Kunter (öl. 1971 Nisan) çıkardı. Birçok belge, resim, rapor v.b. yayımladı. O da eski bilgilerin etkisinde kaldı. Uzun yıllar uğraşarak Sarıköy'de Yunus'a lâyık bir anıt - kabir yapılmasında birinci derecede öncü oldu.

Bu kitapta okurlar Yunus'un üç yüze yakın şiirini de bulacaklardır. Bunlar elden geldikçe öteki Yunus'larınkinden arınmış olarak seçilmiştir. Ayrıca bir sözlük ile bibliyoğrafya eklendi.

Kitabın hazırlanışında tarafsız kalındı. Yalnız belgelere ve onlardan çıkan sonuçlara değer verildi. Ön yargıdan, taraf tutmaktan uzak duruldu. Bir kez de Yunus'un gerçek yaşayışı sunuldu. Ama, yine tartışmalar sürecektir. Burada yapılacak iş, üniversitelerimize ve bilim kurumlarına düşer. Kurulacak bir tarafsız bilim kurulu konuyu her yönü ile inceleyip kesin sonuca varmalıdır.

Konuyla ilgili bir başka sevinilecek haber de şudur: UNESCO'nun Paris'teki genel merkezi, Türk komisyonunun teklifi üzerine 1971 yılında anılacak Dünya Büyükleri arasına, Yunus Emre'yi de büyük bir anlayış ve sempati ile kabul etmiştir.

CAHİT ÖZTELLİ

HAYATI

ON ÜÇÜNCÜ yüzyıl, Anadolu'nun büyük siyasal kavgalarla sarsıldığı bir dönemdir. Bu dönemde Konya Selçuk devleti iyice gücünü kaybetmiştir. 1243 yılında Selçuk ordusu Kösedağ'da Moğollar tarafından korkunç bir bozguna uğratılmıştır. Savaştan üstün çıkan Moğollar Anadolu içlerine yürümüşler; Sıvas ve Kayseri'yi almışlar, halka büyük acılar çektirmişlerdir. Selçuk devleti bu istilâ ordusuyla başa çıkamayınca anlaşmak zorunda kalmış, ağır vergiye bağlanmıştır.

Bundan sonra her yanda büyük karışıklıklar çıkmış, valiler, beyler ayaklanmış, bağımsızlık sevdasına düşmüşlerdir. Bu sırada Moğol ordusu yeniden Anadolu'ya girmiş (1256), Selçuk ordusunu bir kere daha yenmiştir. Selçuklular artık Moğollar'ın her dediğini yapan, onlara bağlı bir gölge devlet olmaktan kurtulamamıştır.

Konya'da taht kavgaları sürerken Moğollar yine geldi. Çarpışmalar uzadı, sonunda çekilip gittiler. Karaman Beyi Mehmet Bey Konya'yı aldı, Selçuk şehzadesi olduğunu iddia eden Cimri'yi tahta oturttu, kendisi de vezir oldu. Bu da çok sürmedi. Karışıklıklar artık halkta bıkkınlık yarattı, can, mal güvenliği kalmadı. Herkeste büyük bir yılgınlık, maddî, mânevî çöküntü başlamıştı.

Anadolu'da birçok beylikler ortaya çıktı, birbirleriyle uğraşır oldular. Osmanoğulları bu beylikleri ortadan kaldırdı.

Karamanoğulları içlerinde en güçlüsü olarak on beşinci yüzyıla kadar ayakta kaldı, Osmanlıları çok uğraştırdı.

İşte, bu çok karışık dönem içinde Yunus Emre de yaşadı. Şiirleriyle halkın tesellisi oldu, mânevî yönde umut kaynağı oldu. Onun şiirlerinde zaman zaman dünyadan tiksintisi bu karışıklıklardan izler de taşır.

YAŞADIĞI ZAMAN

YUNUS'un yaşadığı zamanı eski kaynaklar değişik değişik vermektedirler. On beşinci yüzyıl tarihçisi Âşıkpaşa-zade Yunus Emre'nin Sultan Orhan (1326 - 1362) ya da onun oğlu Birinci Murat (1362 - 1389); on altıncı yüzyıl bilginlerinden Taşköprü-zade (öl. 1561), Yıldırım Bayezit (1389 - 1402) zamanlarında yaşadığını bildirmektedirler.

Bazı hal tercümesi yazan kaynaklar da 1425 ve 1439 tarihlerini ölüm yılı olarak kabul etmişlerdir. Batılı tarihçilerden, Kanunî devrine kadar getirmiş olanlar da vardır. *Risalet-ün Nushiyye*'deki bir beyte bakarak E.J.W. Gibb ile Fuat Köprülü on üçüncü yüzyılın ikinci yarısı ile on dördüncü yüzyılın ilk yıllarında yaşadığını ileri sürmüşlerdir. (1) Gölpınarlı da önce, ölüm yılı için 1329 - 1334 yıllarını, daha sonra, bir mecmuadaki bir kayda dayanarak 1320 yılını kabul etmiştir. Bu kaydın yanında ömür süresi olarak 82 yıl gösterilmiştir. (2)

Şurasını belirtmek gerekir ki, bu kaydın bulunduğu mecmuayı (Bayezit Kütüphanesi 1912 sayıda) eleştirme süzgecinden geçirmeden almak doğru değildir. Bir kere mecmuada Ebussu'ut Efendinin (öl. 1574) Mekke Şerifine yazdığı mektuplar da bulunduğuna göre, Yunus'un ölümünden en az 250 yıl sonra yazılmıştır. Yazanı belli olmadığı gibi, yazılış tarihi de yoktur. Mecmua her zaman, her kitaplıkta bulunan

(1) Bakz. : Prof. Ş. Tekindağ, **Yunus Emre Hakkında Araştırma**, Belleten, no: 117, Ocak 1966.
(2) Adnan Erzi, **Belleten**, Türk Tarih K., sayı 53, s. 85 , 89.

16

çeşitten bir derlemeler defteridir. Bu bakımdan burada görülen ölüm tarihini de şüphe ile karşılamak yerinde olur. Bizce, Şikârî'nin verdiği bilgiyi gözönünde tutarak Yunus'un ölüm tarihini H. 720/M. 1320 yılından sonralarda aramak gereklidir.

YUNUS EMRE'NİN SOYU - SOPU

YUNUS EMRE'nin soy ve sopunu daha önce verdiğimiz belgeler ve kendi şiirlerinden çıkarmaya çalışacağız.

Ankara Eski Eserler Belgeliğinde, Karaman eyaleti vakıflarını içine alan defterde Lârende (Karaman ilçesi) bölümünde (yaprak 39 B) «Vakf-ı zaviye-i Yunus Emre İbn-i İsmail-il meşhur bi- Kirişçi Baba der Lârende» başlığı vardır. Buna göre Yunus'un babasının adının İsmail, kendisinin Kirişçi Baba olarak tanındığını, zaviyesinin Lârende'de bulunduğunu öğreniyoruz. Bu yazı Arap dili kurallarına göre yazıldığı için Kirişçi Baba zaviyenin değil, vakfı yapanın şöhretini göstermektedir.

ÇOCUKLARI

BAŞBAKANLIK Belgeliğindeki 871 sayılı Konya defterinde (h. 924/1518) yazılı bir belgede Yunus'un oğlunun adı da İsmail olarak geçiyor. Bu belge şöyle diyor: «Amma Yerce nam yeri bu cemaatten Yunus Emre, Karamanoğlu İbrahim Beyden satın almış, elinde mülk-nâmesi vardır. Yunus Emre fevt olup evlâdına intikal eylemiştir. Ve bunlardan gayrı Kıraçlar Kuyusu ve Dede Kuyusu ve iki sulu kuyu, bunlar İsmail bin Yunus Emre, Şehzade'den tapulayıp alup kendüye yurt eylemiştir. Elinde temesüğü vardır.»

Bu belge, Yunus'un İsmail adında bir oğlu olduğunu göstermektedir. Ayrıca oğulları, kızları olduğunu, iki karısı bulunduğunu kendi şiirinden öğreniyoruz. Bu konuyu aydınlatan şiiri şudur:

Uçmak uçmak dediğin, müminlerin dediğin
Bir evile birkaç huri, hevesim yok koçmağıçün

Bunda dahi verdin bize oğul-u kız-u çift halâl
Andan dahi geçti arzum, benim âhım dîdâriçün

Sofulara ver sen anı, bana seni gerek seni
Ben nice terk edem seni şol bir ev çardağıçün (1)

Konuya göre uygun yeri gelince ozan, kendi durumundan, daha doğrusu, ailesinden söz açmıştır. Aşağıdaki sayım yazımızda da Yunus'un babası belki de dedesini, oğlu Musa, onun oğlu Kevki Çelebi'yi öğreniyoruz. (Başbakanlık Arşivi, 871 sayılı Konya defteri.)

Belgenin gerekli yerlerini sadeleştirerek aşağıya alıyorum:

«........ *Adı geçen Şeyh Hacı İsmail, cemaatinin dervişleri ile Horasan diyarından gelmiş aziz imiş. Buraya gelerek yurt, daha sonra oğlu Musa Paşa ile* (burada paşa bugünkü anlamında değildir. Ailenin büyük çocuğu anlamındadır. Bu gün de Doğu illerimizde bu anlamda kullanılır.) *burada birer zaviye yaptırmışlar. Daha sonra onun oğlu Kevki Çelebi de bir zaviye yaptırarak kendisine uyanlarla burada oturmuşlar...»*

Belgenin, Yunus ile ilgili bölümü de şöyle:

«*Yerce denilen yeri bu topluluktan* (Hacı İsmail Topluluğu.) *Yunus Emre, Karaman oğlu İbrahim Beyden satın almış. Elinde tapusu vardır. Yunus Emre ölünce çocuklarına geçmiştir.»*

Bu belgelerden anlaşılıyor ki (yazılışı 1518), Yunus Emre ailesi Horasan'dan göçerek Karaman'a gelmiş, orada kendi adlarına bir köy kurmuşlardır. Aile topluluğunun adı «*Hacı İsmail Cemaati*»dir. Yunus göçten sonra doğmuştur. O çağlar (XIII ve XIV. yüzyıllar) Türkistan diyarından Anadolu'ya göçenlerin çok arttığı bir çağdır. Yunus Emre, İbra-

---

(1) **Fatih** nüshasında eksiktir. **Raif Yelkenci** nüshası.

18

him Bey (Beyliği 1315 - 1333) zamanında yani on dördüncü yüzyılın birinci yarısında sağdır. Bundan, göçten çok sonra Karaman'da dünyaya gelmiştir. Şiirlerindeki ağzı bunun açık tanığıdır.

YUNUS'UN TARİKAT ZİNCİRİ

YUNUS, şeyhi Taptuk Baba'yı birçok şiirinde saygı ile anmaktadır. Şu örnekte olduğu gibi, şeyhini anarken onunla birlikte Barak Baba ve Sarı Saltuk'u da şeyhinin şeyhleri olarak bildirir:

Yunus'a Taptuk'tan oldu, hem Barak'tan Saltuk'a
Bu nasib çün cûş kıldı, ben nice pinhan olam

Bu beyitten de anlaşılıyor ki, Yunus'un şeyhi Taptuk, onun şeyhi Barak, Barak'ın da şeyhi Saltuk'tur.

Taptuk Emre

Taptuk'tan, Yunus dolayısıyla Hacı Bektaş Vilâyet-nâmesi bir iki yerde söz eder. Mezarı Ankara'nın ilçesi Nallı-han'ın Emrem Sultan köyündedir. Türbe, bir zaviye niteli-ğindedir. Bir odasında ailesinden kimselerle yatmaktadır. Köydekilerin söylediğine göre Taptuk Horasan'dan gelmiştir. Türbede başka bir oda daha vardır. Bu odaların önünde on iki metre kare büyüklüğünde bir sofa vardır. Yapı çok ba-kımlı ve temizdir. Köyden iki yüz metre kadar uzakta olup, yüksekçe bir yamaçtadır. Mezarların bulunduğu odanın ka-pısı üstünde çok yıpranmış yazılı bir taş vardır. Düzensiz birkaç satırlık yazıyı okumak mümkün olamıyor.

Bu köyün başından H. 1196/M. 1781 tarihinde büyük bir facia geçmiştir. Şer'iye sicillerinden çıkarılan bu olayın özeti şöyledir:

Afyonkarahisar'a bağlı Çay ilçesinden Ali Dede adlı kişi, Emre (Emrem Sultan) köyü ahalisinden bazı evbaşı (serseri, hane - berdûş) kendine uydurup, bazı zavallıları öldürmüş (belgedeki bu öldürme, kötü valinin kendini haklı çıkarmak için uydurduğu bahane olacak) ve güpegündüz *«âyin-i dâlâlete»* kalkıştığı için, zalim vali Emre köyünden önce on kişiyi idam ettirmiş. Başlarını İstanbul'a göndermiş. Daha sonra, belki de köyün karşı gelmesi yüzünden ve köylülerin ellerindeki çok sayıda sürüleri almak için, halkı çoluk çocuğu ile birlikte köydeki Emre Sultan tekkesine doldurup köyle birlikte hepsini yakmışlardır. Vali bütün sürülere el koymuştur. Halkın pek azı kaçabilmiştir. Suçları *«Kızılbaş»* olmaktır.

İşte, Taptuk Emre'nin soyundan gelenlerin ve kendi tarikat yoluna bağlı olanların, yüzyıllar sonrası böyle acıklı bir maceraları olmuştur. Bu gün Ankara'ya bağlı olan bu köyün ilçesi ve kendisi o zamanlar Afyon'a bağlı imiş.

Köylüler, kendilerinin Alevî ya da Kızılbaş olmadıklarını söylerler. Demek ki, o faciadan sonra köye pek az kişi dönebilmiştir. Daha sonra başka yerden göçenler de artık *«Kızılbaş»* değildir. [1]

Nallıhan'ın Tekke köyünde yatan kadın, Taptuk Emre'nin kızı Bacım Sultan'dır. Bacım Sultan, Tekke köylü Hamza Sultan'ın oğlu Hulbiye Sultan'ın karısı imiş. Yine halk rivayetlerine göre Ömer Şeyh ve Şeyh Cafer adlı iki kişi Taptuk'un müritleridir. [2] Bu gün Anadolu'da Taptuk insan adı olarak kullanılıyor. (Bak T.F. Araştırmaları, sayı 74.)

Barak Baba

Konya Selçuk hükümdarlarından İkinci Keykâvus'un oğludur. Keykâvus, siyasî olaylar zoruyla Bizans'a kaçarken yanında iki oğlunu da götürdü. Çocuklar orada Hıristiyan olarak yetiştirildiler. İkinci oğlunu Bizans Patriki evlât edin-

---

(1) Bkz.: Edip Ali Bakı, **Şer'iye Sicillerine göre Afyonkarahisar'da XVII., XVIII. asırlarda Meçhul Halk Tarihi,** Yeni Matbaa, Afyon 1951, sayfa 20 - 24 ve Cahit Öztelli, **Yunus Emre Dolayısıyla Barak Baba - Taptuk Emre,** Türk Dili, sayı 167, 1965.

(2) Naki Tezel, **Nallıhan ve Yunus Emre,** Ülkü, yeni seri, sayı 63, Mayıs 1944.

di. Sarı Saltuk ile Patrikin arası iyi idi. Çocuğu istedi, o da hatırını kıramadı, gönderdi. Sarı Saltuk onu Müslüman etti, yetiştirdi. Adını da Barak koydular. Saltuk'un ölümünden sonra Anadolu'ya geçti. Barak sözü Kıpçakça köpek demektir. Tanınmaya başladı, çevresinde müritleri toplandı. Tatar hükümdarı Gazan Han'ın saygısını kazandı. Barak, olağanüstü işler başarıyordu. Bir süre sonra Gazan, Baba'yı Giylân iline Kutlu Şah'a göndermiş, Giylânlılar Baba'yı yakalayıp «Sen dervişlere şeyh olduğun halde Müslümanlarla savaşmak için nasıl oluyor da din düşmanlarına uyuyor, onlarla bize karşı geliyorsun?» diyerek, kaynar su ile dolu bir kazanın içine atarak öldürmüşlerdir. (1308) (1)

Anadolu'da Barak adlı aşiretler vardır. Bunların en büyüğü *Barak* kabilesidir. Urfa, Gaziantep illerinde bulunurlar.

Barak Türkmenleri için şu bilgiyi veriyorlar:

«Baraklar, Türkmenlerden ayrı bir aşiret olarak mütelaa edilmektedir. Muhtelif kaynaklardan aldığımız örneklere göre, uzun tüylü bir av köpeğine Barak denmektedir. Çok eski ve yaygın bir efsaneye göre de gerçek Barak, bir kuş yumurtasından çıkarmış; Akbaba kocayınca, sonunda, iki yumurta yumurtlar, bunlardan birisinden Barak çıkarmış. Orta Anadolu'nun bazı yerlerinde uzun tüylü bir cins köpeğe Barak dendiği gibi 'Kıl Barak' dendiği de olur.» (2)

Barakların tarih içinde eski bir aşiret olduğunu gösteren kayıtlar da var. Ebulgazi'nin bildirdiğine göre, Oğuz Han Güney Denizi kıyılarının yüksek dağlarında yaşayan kabilelerin lideri *«İt - Barak Han»*a önce yeniliyor. On yedi yıl sonra onu yenip öldürüyor.

Moğol tarihçisi Reşidüddin, bu kabileye *«Kıl Barak»* diye ad veriyor. Oğuz Han'ın Kılbarak'ların karanlıklar diya-

---

(1) Daha geniş bilgi için bakınız: A. Gölpınarlı, **Yunus Emre ve Tasavvuf**, s. 17-26.

(2) Ömer Özbaş, **Gaziantep Dolaylarında Türkmenler ve Baraklar**, Gaziantep Kültür Derneği, 1958. Aynı yazarın, **İlbeyli Türkmenleri Arasında**, Gaziantep 1940.

21

rındaki yurtlarına gittiğini söyleyerek bunların Kuzey ülke-
lerinde yaşadıklarını bildirmiş oluyor.

Barak Baba Tokat'lıdır. Yakın zamanlara kadar To-
kat'tan Alevî dedeleri Gaziantep Barakları arasına gelerek
tekkeleri için kurban ve para toplarlardı. Baraklar, bu dede-
lere çok saygı gösterirlerdi. Baraklar'dan bir bölük de Sel-
çuklarla birlikte gelerek Tokat ve Yozgat dolaylarına yerleş-
mişlerdi. Barak Baba'nın Tokat Barakları'ndan olması bun-
dandır. Bu bakımdan Tokat ve Gaziantep Barakları arasın-
da dedeler aracılığı ile ilişki kurulmuştu. Ancak Tokat ve
Yozgat bölgesinde oturan Baraklar XVIII. ve XIX. yüzyıllar-
da hükümet zoru ile Gaziantep ve Suriye dolaylarına iskân
edilmişlerdir.

Bugün Anadolu'da Barak adlı şu köylere raslanıyor: Ba-
rak (Nizip ilçesine bağlı bucak), Barak (Ankara, Niğde, Ço-
rum illerine bağlı üç köy), Baraklı (Bursa, Kırşehir, Afyon,
Yozgat illerine bağlı beş köy), Barak Muslu (Konya), Ba-
raklar (Kırşehir), Barak Obası (Ankara - Keskin), Barak
Çiftlik (Gaziantep), bir de dağ: Barak Dağı (Adana - Karai-
salı).

Sayın Gölpınarlı, Yunus Emre - Hayatı (s. 270) ve Yu-
nus Emre ve Tasavvuf (s. 26) eserlerinde, yalnız Bursa'ya
bağlı Barak Fakıyh köyünü vermektedir. Bugün bu köyün
adı Barak Fakı'dır.

Bunlardan başka Kırşehir'in Avanos ilçesine bağlı Köy-
lü Barak, Kıllı Barak, Tülü Barak, Çuha Kıl Barak adlı köy-
ler dikkat çekicidir.

Barak efsanesine en eski çağlarda raslanmaktadır. Bu-
gün de değişik biçimde izleri görülmektedir. Bunlardan biri
Azerbaycan - Karabağ'ından gelip Iğdır ve Emirdağ (Afyon)
da yerleşen Azeri Türkmen aşiretleri arasında söylenmekte-
dir.

Son olarak diyeceğiz ki, Sarı Saltuk'un kusmuğunu yedi-
ği için Barak adını almak bir yakıştırma, bir menâkıp uydur-
ması olabilir. Bazı tarih kitapları da söylenti ve
menâkıplardan almışlardır. Bize göre, Barak Baba Selçuklu-

lar zamanında Asya'dan gelip Orta Anadolu'ya yerleşen Barak Türkmenleri'ndendir.

Barak Baba çevresinde toplanan topluluğa Baraklılar denmesi, tarikat ilgisinden değil, Baba'nın Barak aşiretinden olmasındandır. Baraklar bu gün hâlâ eski yerlerinde yaşamaktadırlar. Ancak, aşiret adını korumakta olanlar Gaziantep dolaylarındadır.

SARI SALTUK BABA

YUNUS EMRE'nin şeyhinin şeyhi olan Sarı Saltuk ermişlerin büyüklerindendir. Bektaşi geleneğine göre Hacı Bektaş tarafından uyandırılmıştır. Onun emri ile Rumeli'ye geçip kâfirleri Müslüman ediyor.

Hakkında türlü menkabeler söylenen Sarı Saltuk'un Silistre'de, Karadeniz kıyısındaki tekkesini ziyaret eden Evliya Çelebi onun için şu bilgileri vermektedir:

«Ahmed Yesevî, Hacı Bektaş'tan sonra Sarı Saltık lâkabı ile maruf Mehmed Buharî'ye Horasan erenlerinden yedi yüz kişi ile ona imdada gönderir. Ve meşhur tahta kılıcını Sarı Saltık'ın beline kuşatarak şu nasihati verir: 'Saltık Muhammed'im, Bektaşın seni Rum'a (Trakya'ya) göndersin. Leh diyarında dalâlet âyin olan Sarı Saltık suretine girip ol melunu bu tahta kılınçla katleyle. Makedonya, Dobruca'da yedi kırallık yerde nam ve şan sahibi ol.' Sarı, Anadolu'ya gelince Hacı Bektaş Veli, şeyhinin emrine uyarak onu Dobruca'ya gönderiyor. O da oralara giderek birçok kerametler gösteriyor, birçok yerleri zabt ve ahalisini İslâm eyliyor.» (2)

---

(1) **Halk Bilgisi Haberleri,** sayı 102; **Türk Folklor Araştırmaları,** sayı 74 ve 75; **Cevdet Paşa Tarihi,** C. 2, s. 17; Hüseyin Namık, **Türk Dünyası,** İstanbul 1932.
(2) **Evliya Çelebi Seyahat - nâmesi,** C. 1. s. 659; C. 2, s. 133. Daha geniş ve bilimsel bilgi için bakınız: F. Köprülü, **İlk Mutasavvıflar.** s. 63 , 65. Notları ile; ayrıca yeni bilgiler için: A. Gölpınarlı **Yunus Emre - Hayatı,** s. 29 - 35 ve 253.

Evliya Çelebi, Sarı Saltuk'un makamlarını şöyle sıralar:

1. Diyar-ı Moskov'da, 2. Danıska iskelesi şehrinde, 3. Proniçe'de, 4. Diyar-ı İsfeç'te Bivançe'de, 5. Edirne yakınında Baturya şehrinin manastırında (Babaeski'de), 6. Babadağ'da, 7. Dobruca'da.

Evliya Çelebi'nin saymadığı bir mezar da Yugoslavya'nın Blagay kasabasındadır. Sarı Saltuk'un mezarı Yugoslavya'nın Blagay kasabasında dağ yamacında, türbe, tekke, konak olmak üzere üç yapıdır. Konak müze yapılmış, eski haliyle bakımlı bir durumdadır. Yerlilerden alınan bilgiye göre, Sarı Saltuk buraya gelmiş, tekkesini kurmuş ve burada ölmüştür. Yanında yatan ise Başı Açık adıyla maruf Ömer Paşa'dır. Burada şehit olmuştur.

Kitaplarım arasında bulunan yazma bir «Saatnâme»nin sonunda uzun bir dua var. Bu dua, melekler ve Âdem Peygamberden başlayarak birçok peygamberler ve dört yüz on iki tabakat erenler hürmeti için istimdat edildikten sonra «Horasan pirleri ve Rum Abdalları hürmetiçün uhruc ve Saru Salkık (Saltuk'un halk söylenişi) Baba evliyaları uhruc.» diye cinlerin çıkıp gitmesi için dua ediliyor.

1309 / 1893 yılı Edirne Salnâmesi'nde merkez kazaya bağlı Dimetoka ilçesinin Saltuk adlı bir bucağı vardır. (1)

Sarı Saltuk, Hacı Bektaş'ın çağdaşıdır, onun halifesidir. Müslüman ve Hıristiyanlarca saygı ile karşılanmıştır. Halk arasında büyük bir ermiş olarak tanınmış, hakkında birçok menkabeler çıkmıştır.

Sarı Saltuk'un yalnız Trakya'da değil, Anadolu'da Tunceli'de, Mazgirt, Ovacık, Pertek'te mezarı vardır.

---

(1) **Salnâme-i Vilâyet-i Edirne** 1309.

BİRÇOK erenler için olduğu gibi Yunus için de halk arasında birtakım efsaneler, menkabeler söylenir. Halk hayalinde bunlar çeşitli nedenlerle doğar. Bazen bir şiirinden çıkarılır, bazen başka bir ereninki Yunus'a da yakıştırılır. Ama, bunlar onun için hiçbir zaman tarih değeri taşımaz, saf halk ruhunun sevgisini belirtmekten öteye geçemez. Bunlardan pek yaygın olan birkaçını verelim:

«Emrem Sultan (Taptuk Emre) isminde büyük bir ulema, Yunus Emre'yi yanına alıyor ve ona dinî dersler veriyor, kendi evlâdı gibi bakıyor.

Emrem Sultan'ın da bir kızı varmış. Yunus Emre ile kızını her gün dağa oduna gönderirmiş. Bunu duyan Hacı Bayram Veli hazretleri *«Nasıl olur, ateş ile saman bir arada nasıl durur. Gelinlik kızla erkek her gün dağa oduna nasıl gidebilir?»* diye söylenmiş.

Bu söz Emrem Sultan'a malum olmuş. Hemen bir tutam pamuk içine korlu bir kömür parçası sarıp Ankara'da duran Hacı Bayram Veli Hazretlerine göndermiş. Yani, benim kızımla Yunus senin bildiğin gibi değil, demek istemiş.

●

Günlerden bir gün Yunus Emre, hocası Emrem Sultan'a darılır evden ayrılarak diyar diyar gezmeye başlar. Gezerken iki dervişe raslar ve onlarla Şam'a gitmek ister. Yolda giderlerken çöl gibi bir yere varınca bir lokma ekmekleri kalmaz. Hemen yanındaki arkadaşları diz çökerek Allah'a: *«Emrem Sultan Hazretleri hatırına bize yemek ihsan eyle Yarabbi.»* diye yalvarırlar. Allah tarafından önlerine birkaç türlü yemek gelir. Akşam olunca bu kez Yunus dua eder, aynı onların dualarını tekrar eder. Daha çok yemek gelir.

Şimdi, Yunus Emre derin derin düşünür: *«Demek ki, benim hocam büyük bir ulema; niçin darılttım ki onu? Geriye dönüp mutlaka onunla barışıp özür dileyim.»* der.

Hemen «*Arkadaş, siz yolunuza devam edin, ben geriye döneceğim.*» deyip onların yanından ayrılır. Doğru Emrem Sultan'ın yanına gelir. Emrem Sultan'ın kadınına yalvarır, beni hocamla barıştır, diye. Emrem Sultan'ın karısı da «*Peki, sen kapının yanına yat, abdest almaya çıkarken ayağı sana takılır. O zaman ben, Yunus gelmiş, derim. Eğer, 'bu hangi Yunus' derse durma kaç. 'Şu bizim Yunus mu' derse kalk elini, ayağını öp.*» der.

Artık Emrem Sultan'ın da kirpikleri büyümüş, önünü hiç göremezmiş. Abdest almaya çıkarken ayağı Yunus'a takılır. Kadınına «*Bu kim?*» diye sorar. Kadını «*Yunus gelmiş.*» der. «*Ha şu bizim Yunus mu?*» diye sorunca, kadını da «*Evet, o.*» cevabını verir. Hemen Yunus kalkıp elini, ayağını öper, Emrem Sultan da Yunus Emre'yi affeder. Sonra da Yunus Emre'ye «*Oğlum, çok acele ettin,*» deyip elindeki bastonunu pencereden fırlatır ve der ki «*Hadi oğlum, bunu bulduğun yerde yat.*»

Bir rivayete göre, tam yedi sene, dağ taş demeden ilâhîler söyleyerek bu bastonu aramış. Fakat, bir türlü bulamamış. Artık, Emrem Sultan'ın yanına «*Bulamadım.*» demek için geriye dönüyormuş. Sarıköy'ün yanına gelip oturmuş, dinleniyormuş. Bir de görmüş ki, kavak gibi bir nur havaya doğru uzanıyor. Bu olsa gerektir, diyerek yanına gitmiş. Bakmış ki, o baston. Tutup eline alıyor ve orada ölüyor. Türbesini de oraya yapıyorlar. Hatta mezar taşına «*Ola bir gün gele de beni buradan kaldırsalar gerektir.*» diye yazdırıyor. (1)

Yunus, şeyhine sırtında kırk yıl odun çekmiş. Ama, odunlar hep dümdüzmüş, içinde hiç eğrisi yokmuş. Bir gün

---

(1) Tahsin Aytaç'ın Çayırhan'ın Atça köyünden derlediği söylentiler. Naki Tezel de Nallıhan'da derlemişti. (Ülkü, yeni seri, sayı 63. Mayıs 1944). Ondan sonra araştırıcılar hep bunu kitaplarına almışlardır. Sarıköy'de yattığı söylentisi yaygın olduğu için çevre halkı Yunus'u hep oraya bağlar. Bundan bir gerçek çıkarılamaz. Bu rivayeti ilk önce Ali Gündüz eski Ülkü'de sandıklı - Çayköy rivayeti olarak yayımlamıştı.

şeyhi sormuş: «*Yunus, dağda hiç eğri odun yok mu?*» Yunus cevap vermiş: «*Senin kapından odunun bile eğrisi girmez.*»

●

Yunus Emre öldüğü zaman şeyhinin yattığı yerin kapı eşiğine gömülmüş. Çünkü, şeyhine karşı sevgi ve saygısından dolayı vasiyet etmiş «*Şeyhimi görmeğe gelenler, beni çiğnesin de öyle geçsin.*» demiş.

●

Bir yıl çok kıtlık olmuş... Millet açlıktan kırılıyormuş... Yunus fakir bir aile reisi... Ne yapsın, buğday bulamazsa hepten kırılacaklar, günü gelmeden kara toprağa girecekler. Duyar ki, Suluca Karaöyük'te Hacı Bektaş adında bir ermişin, kerametiyle anbarları tıkabasa buğday dolu ve fakir fukaraya dağıtıyormuş...

O da gidip istemeye davranır, ama eli boş gitmeye utanır... Dağdan bir çuval aluç toplar, öküzüne yükler, yollanır... Kapıya dayanır, alucu verir, buğday ister... Hacı Bektaş, bu gelenin arı gönüllü bir Tanrı kişisi olduğunu anlar, yanında alıkoymak ister... Haber yollar «Dilerse buğday yerine nasip verelim...» Yunus ne bilsin nasibi... İlle de buğday diye tutturur... Hacı Bektaş ne yaptıysa, Yunus dönmez... Buğdayını alır, yola düşer...

Yolda aklı başına gelir... Bir nedametlik duyar ki, o kadar olur... Geri döner, ben ettim sen etme, der... Ama, iş işten geçmiştir. Hacı Bektaş: «*Biz o nasib'in anahtarını Taptuk'a verdik, gitsin ondan alsın.*» der, başka bir şey demez.. Eli böğründe döner Yunus yüz geri.. Gider Taptuk'un kapısına kul olur... Yıllar yılı onun kapısına odun taşır...

●

... Ol vakıtlar Emre derler bir kuvvetli er var idi... Dervişlerden bir gürüh Hacı Bektaş katına varmak dilediler... Emre'ye de dediler: «*Biz cümlemiz Hacı Bektaş katına varı-*

rız, sen dahi bizimle gel.» Gelmedi. Dediler: «Niye gelmezsin?» Emre dedi: «Cümle erenlerin dost divanında nasip bağışlandığında Hacı Bektaş Hünkâr adlı kimse görmedik ve de işitmedik...» Vardılar Hünkâr'a bunu haber verdiler... Bu iş daha önce Hünkâr'a malum olmuşıdı... Anda Sarı İsmail derler bir er var idi... Hünkâr, onu gönderip katına okudu... Emre geldi. Hazret-i Hünkâr sordu: «Ya Emre, siz bu sözü demişsiniz... Dost divanında erenlere nasip bağışlayan erin nişanı nedir?»

Emre dedi: «Yeşil perde ardından bir el çıkıp cümle erenlere nasip bağışlar ve kısmet verirdi. O elin ayasında gördüm, bir lâtif nûranî yeşil ben var idi.»

Hazret-i Hünkâr dedi: «Görücek bilir misin?»
Emre dedi: «Niçin bilmeyeyim?»

O zaman Hacı Bektaş Veli, kendi mübarek elini açıp Emre'ye gösterdi. Emre, Hünkârın elinin içine baktı. O dediği nûranî yeşil beni gördü. Emre bunu görünce: «Taptuk Hünkâr'ım taptuk.» deyü üç kere ikrar eyledi. Yani taptuk demek, aradığımı buldum demektir... Ondan sonra adı Taptuk Emre oldu. Hünkâr'dan özür niyaz etti, başından börkünü çıkarıp Hünkâr'ın önüne koydu. Hazret-i Hünkâr dahi onun börkünü tekbir getirip başına geydirdi. Dua ve gülbenk eyledi. Taptuk Emre dahi onun şerefli elini öptü... Döndü kendi makam ve meskenine geldi... (1)

İşte, Yunus Emre'nin şeyhi Taptuk Emre erenlerden bu kişidir...

●

Yunus'un manzumelerinin toplamı üç bin imiş. Bunları bir kitap yapmış... Günün birinde bu kitap Molla Kasım adında mutaassıp bir hocanın eline geçer... Molla Kasım bir akarsu kıyısına oturup okumaya başlar... Şeriata uygun gör-

(1) **Hacı Bektaş Vilâyet - namesi**'nden sadeleştirerek ve özetlenerek alındı.

mediklerini okuyup okuyup yakar... Böyle böyle bin tanesini yakar... Ama, yakmaktan yorulur... Bu kez suya atmaya başlar... Bin tanesini de suya atar... Bin birinciye gelince şunları okur:

Derviş Yunus bu sözü eğri büğrü söyleme
Seni sigaya çeker bir Molla Kasım gelür

Bunu okuyunca Yunus'un keramet sahibi olduğunu anlar. Pişman olur, ama elden ne gelir, iki bin manzume yok olmuştur... Şimdi, yakılan bin manzumeyi gökte melekler, suya atılanları da balıklar (Molla Murad'a göre kuşlar), geri kalan binini de insanlar okuyorlar. [1]

«Büyük mutasavvıf Ahmed Yesevî'nin yetiştirdiği talebelerinden Düzgün Baba adıyla maruf Sarı Saltuk Anadolu'ya geçerek Malatya civarına yerleşti. Burada bir mektep açarak üstadının fikirlerini propaganda edecek elemanları yetiştirmeye başladı. Mazgird'in Muhundu nahiyesinde yatan Hallac-ı Mansur [2], Hozat'ın Derviş Cemaller köyünde

---

(1) Bu rivayeti Sadettin Nüzhet merhum anlatmış. Bkz. **Yunus Emre - Hayatı**, s. 79. Aslında bu şiiri birçok kişi Yunus'un sanmışlarsa da onun olmayıp, gerçekten yaşamış Molla Kasım adlı şairindir. Başka şiirleri de bulunarak yanlışlık düzeltilmiştir. Bu şiir Yunus'un bir şiirine naziredir. Görülüyor ki, yanlış anlaşılan bu şiir bir efsanenin doğmasına yol açıyor.

(2) Rivayete göre, Hallac-ı Mansur doğramacılık ve duvarcılık yaparmış. Muhundu karşı kıyılarında bir kulübe yapmak için duvar örmekle uğraşırken azılı rakiplerinden Seyit Mahmut, boz bir ayının sırtına binmiş olarak çıkagelmiş. Hallac, bundan ürkmüş. Yapmakta olduğu duvarın üstüne binerek «Hut» diye haykırmış, duvar yürüyerek derenin karşı yanına geçmiş. Bu duvar «Muhundu duvarı» diye çok ünlüymüş. Vaktiyle seyyitler bundan, halkı soymak için çok yararlanmışlar. Şimdi ortada yoktur. (Yerli Söylenti.)

türbesi bulunan Derviş Cemal ve Yunus Emre bu zatın ilk yetiştirdiği mutasavvıflar arasında yer almıştır.» (1)

«Söylendiğine göre Derviş Cemal'le Yunus Emre, hocalarından izin aldıktan sonra bir müddet birlikte dolaşmışlar, sonra ayrılarak biri Ankara bölgesine yürümüş, öteki Hozat'a gelerek kendi adıyla anılan Derviş Cemaller köyünü kurmuştur.» (2) Seyyit Mustafa'nın verdiği bir şiirde de bu olaya dokunulmaktadır. Şiir şu:

>Allah adın zikretmeyen
>Kullar da azapta gerek
>Adın dilden terk etmeyen
>Gönül de azapta gerek
>
>Hazret Muhammed Eminin
>Yoluna veren yeminin
>Ana kul olan müminin
>Yüzü de mihrabta gerek
>
>Gelmez geri, kalır göçen
>Ecel şerbetini içen
>Hak yolunda sefer açan
>Yiğitler de anda gerek
>
>Başta teberler yelense
>Beden nâr ile belense
>Gönül vuslat ile yansa
>Lebleri de abda gerek
>
>Tanrı komaz yüzün kara
>Belî, Allah diyenlerin
>Dili Allah diyenlerin
>Desti bula lâm'da gerek

---

(1) Tunceli'nin Seyitli köyünden Cemal Yıldırım'dan alınmıştır.
(2) Derviş Cemaller köyünden Mustafa Doğan'dan alınmıştır.

DERVİŞ CEMAL *der, varam da*
Kül olam Hakkın yolunda
YUNUS *Engürü kırında*
Cemal da Hozat'ta gerek

YUNUS'UN GÖMÜLÜ OLDUĞU YER NERESİ

YUNUS EMRE'NİN gömülü olduğu yer olarak çeşitli yerler gösterilmektedir. Bunlar halk söylentilerine ve Yunus'tan yüzyıllar sonra yazılmış bazı kitaplara –bunlar da yine halk söylentileri ve menkabelere dayanılarak yazılmıştır– bir iki ufak tefek yanlış kayıtlardır.

Aşağıda yerlerini bildirip üzerinde kısaca durulacak bu mezarların bir kısmı bizim Yunus'tan sonra gelmiş Yunus'ların mezarı olabileceği gibi, bir kısmı da Yunus makamları olabilir. Bunların zamanla büyük Yunus'a bağlanması onun ününden ötürü ötekileri unutturmuş olmasındandır.

Bursa'daki Mezar

Ünlü mutasavvıf şair Niyazi-i Mısrî'nin gördüğü bir rüya ile Yunus'un mezarını bulduğu 'rivayet'i vardır ki, bunun bir yakıştırmadan başka şey olmadığı anlaşılmıştır. Bu mezar Bursa'da Emir Sultan çevresinde Kara Abdürrezzak mahallesindeki Sadî Tekkesinde idi. Türbede üç mezar vardır. Türbe 1731 - 1735 tarihinde bir tamir görmüştür. Yunus'un «Çıktım erik dalına...» şiirini şerh eden Niyazi-i Mısrî şerhinde bu mezardan söz etmez. Ayrıca Yunus'un aynı ilâhisini şerh eden Bursalı Şeyh İsmail Hakkı (öl. 1725) bu mezarın Yunus'un olmadığını bildirmektedir. İsmail Hakkı'nın şerhindeki bu kayıt, başta F. Köprülü olmak üzere birçok araştırmacının dikkatinden kaçmış, ancak buna ilk dokunan Prof. Ş. Tekindağ olmuştur.

Burhan Toprak'ın ilk bastırdığı Yunus divanının üçüncü cildinin 101. sayfasında, İsmail Hakkı'nın şerhinin sonlarına doğru «Ve Bursa'da Şibli mahallesi mescidi hariminde medfun olup Şeyh Yunus itlâk olunan kimesneye dahi Yunus Emre'dir diyen isabet eylemedi.» demesinden burada yatanın Yunus Emre olmadığını ve o zamanlar bile Yunus'un «Şeyh» olarak anıldığını öğreniyoruz.

Bursa'daki bu Yunus, başka bir Yunus olacaktır. Nitekim, divan şairleriyle, ünlü bazı halk şairlerinin de (Âşık Ömer, Gevherî gibi.) şiirleri bulunan ve usta ellerden çıktığı yazısından anlaşılan mecmuada yüzlerce şiir vardır. Bu mecmuada Yunus Emre'nin Fatih divanında da bulunan bir şiirinin üstünde «Yunus-i kadim» kaydı vardır. Bundan XVII. ve nihayet XVIII. yüzyılın başlarında yaşamış başka bir Yunus'un bulunduğu anlaşılıyor. Bu, şiirleri bulunan şairlerin (Nedîm gibi) adlarından çıkarılmaktadır. Yunus'un şiirinin üzerine «Eski Yunus» kaydını koymak zorunluğu daha yakın zamanlarda böyle bir Yunus'un yaşamış olmasından doğmuştur. Bursa'daki mezarda yatan kişinin bu Yunus olması mümkündür. Gölpınarlı, bu Yunus'un Halvetî Yunus olduğunu bildirmektedir. [1]

Kula - Emre Sultan Köyündeki Mezar

Böyle bir mezar bulunduğu söylentileri vardır. Yapılan araştırmalarda bunun doğru olmadığını, başka bir Horasanlı Yunus'un olduğu, ününden dolayı Yunus Emre ile karıştırıldığı sanılmaktadır. [2] Bu köyün muhtarı İzzet Uğurlu, kendisinin Yunus soyundan olduğunu, Yunus Emre'nin buraya Karaman'dan geldiğini söylemektedir. [3] Bu rivayet, Yunus Emre'nin Karaman'la ilgisine bir işarettir.

---

(1) **Yunus Emre ve Tasavvuf**, s. 76.
(2) Yunus'un burada yattığını ileri sürenlerin görüşleri için bakınız: **Türk Yurdu** - Yunus Emre Özel sayısı, s. 33. Buna karşı olanlar için bakınız: **Yunus Emre ve Tasavvuf**, s. 79.
(3) Halim Baki Kunter, **Yunus Emre**, s. 75.

Erzurum - Tuzcu Köyü

Bu köyün adını kaynaklar başka başka veriyor. (1) Erzurum'un kuzeyinde Palandöken eteklerindeki bu köyde iki mezar vardır. Birisi Taptuk Emre'nin, öteki Yunus Emre'nin... İkisinin de taşı var. Ölüm tarihleri ikisinin de aynı: 797-1395.

Bu taşları «Marifet-nâme» eseriyle tanınan Erzurumlu Şeyh İbrahim Hakkı (öl. 1772) dikmiştir. Neye dayanarak bu işi yapmış ve tarihi nasıl bulmuş, bilinmiyor. Bu mezarlar için başka hiçbir bilgi yoktur.

Niğde - Aksaray'da Bir Tepe Üzerinde

Halk buradaki mezarı ziyaret eder. Rivayete göre, oradan bazan bir top atılırmış. Buna «Yunus'un bâtın topu» derlermiş. Her top atıldıkça önemli bir olayın meydana geleceğine inanılırmış. Bura ile ilgili hiçbir belge yoktur. Buranın bir Yunus makamı olduğu söylenebilir.

Ünye, Sıvas'a Giden Yol Üzerinde ve Bandırma'da

Bunlar halk rivayetleri de değildir. Dr. Fethi Erden «Yunus Emre - Özel Sayısı»nda adı geçen yerlerin Belediye Başkanlarına başvurmuş. Aldığı karşılıkta Yunus'a ait bir mezarın bulunmadığı bildirilmiştir (s. 187).

Isparta - Keçiborlu ve Bolu'da

Burşalı Şeyh İsmail Hakkı, şerhinde, Keçiborlu'da şairimizin mezarı bulunduğunu bildirmişse de, Belediyesine sorulduğunda böyle bir mezarın bulunmadığı cevabı alınmıştır. (Türk Yurdu, s. 187).

---

(1) Tuzcu: Ziyaeddin Fahri, **Erzurum Şairleri**, s. 18. Tuzluca - Tuzlu: Dr. Fethi Erden, **Türk Yurdu**, Özel sayı, s. 185. Düzcü: **Y. Emre ve Tasavvuf**, 82. Dutçu: **İlk Mutasavvıflar**, s. 310.

Kâtip Çelebi «Sullem-ül Vusul» eserinde (yaprak 270) Şeyh Yunus Emre'nin Bolu'lu olduğunu, 843/1439 yılında Isparta'da ölüp Keçiborlu köyüne gömüldüğünü, kabrinin hâlâ ziyaretgâh olduğunu bildirmektedir. Yine Müstakim-zade «Mecellet-ün Nisab» eserinde Kâtip Çelebi'nin verdiği bilgiyi tekrarladıktan sonra Taptuk Emre'nin Yunus'un Şeyhi olduğunu ve Yunus'un 833/1429'da öldüğünü bildirmektedir. (1)

Şakayık Tercümesinde, Yunus Emre'nin Bolu Sancağı'ndan olduğunu söylemesi, her halde Kâtip Çelebi'ye dayanmaktadır. Şakayık'ın Arapça aslında Bolu'dan söz edilmeyip, Yunus'un Sakarya Nehri yakınındaki bir köyde tavattun eden Taptuk Emre ashabından olduğu, yer söylenmeksizin bildirilmektedir. Bütün bunlara Âşık Çelebi'nin (öl. 1572) tezkeresinin kaynak olduğu bilinmektedir. Bu kayıtlardan çıkarılan sonuca göre, XV ya da XVI. yüzyılda bir başka Yunus'un yaşadığını düşünmek yersiz değildir.

Sandıklı'daki Mezar

Afyonkarahisar'a bağlı Sandıklı'nın Yeniçay köyünün tepesindedir. Başında bir söğüt ağacı bulunan, harçsız taşlar yığılı olan bu mezarı vaktiyle merhum Sadettin Nüzhet ziyaret etmiş imiş. Eski, yeni kaynaklarda burası üzerine hiçbir şey yok. Bir Yunus makamı olduğu düşünülebilir. (2)

Eğridir Geleneği

Yunus'un burada öldüğüne dair kaydı ilk bulan ve haber veren Prof. Dr. Ş. Tekindağ olmuştur. Önemli olması dolayısıyla olduğu gibi aşağıya alındı:

«XV. asırda Eğridir'de büyük bir tekkesi olan eş-Şeyh Muhyüddin Çelebi (Şeyh Sultan Mehemmed Çelebi B. eş-Şeyh Pîrî Mehemmed-i Hoyî) Hızır-nâme'sinde (yazılışı: 880/1475):

(1) H. B. Kunter, **Y. Emre, Bilgiler - Belgeler**, s. 61 - 66.
(2) Bu mezarın resimleri için bakınız: **Türk Yurdu**, Özel Sayı, sayfa 178.

Geldi erenler cem'ile gösterdiler uçtan uca
Tabdık Saru Saltık bile gösterdi heb uçtan uca
Hem Yunus Emrem geldiler çün bir yere ilettiler
Bir akdenize atdılar gösterdi heb uçtan uca

Âşık Beşe Tabdık Beşe hem geldi abdal da bile
Hem Yunus Emre'de bile bir gine görsem yüzlerin

beyitleriyle olduğu gibi, bunun evlâdından es-Seyyid Burhâneddin'in menâkıb'inde de Yunus Emre'nin Eğridir'de merhum olduğuna dair kayıtlar vardır. Mühim olan bu kaydı aynen naklediyorum:

«Mukaddemâ halvetiyyeden gelüp merhum olan bizim malumumuzdur, ana Şeyh Yunus derler idi ve bir miktarca mübâhî-meşreb (dinî, ahlâkî her türlü kayıttan azâde) idi ve haric-i tarikten (ehl-i sünnet harici) olmakla e'ezze (e'izze)-i kirâm ânı kabul eylememişler idi.» [1]

Bu kayıt gerçekten önemlidir. Seyyid Burhaneddin eserini ne zaman yazmıştır? Bunun bilinmesi gerçeği biraz daha aydınlatır. Sayın Tekindağ bu konuda daha çok bilgi vermiyorlar. Yunus Emre'nin ölümü kesin olarak on dördüncü yüzyılın birinci yarısında olduğuna ve Seyyid Burhaneddin on altıncı yüzyılda sağ olduğuna göre Yunus Emre'yi görmesi olamaz. O halde başka bir Yunus söz konusudur.

SARIKÖY EFSANESİ

BUGÜN üzerinde en çok tartışılan yer Sarıköy'dür. Sarıköy, eski kaynaklarda hep Sivrihisar'a bağlı bir köy olarak bildirilir. Sonradan Eskişehir iline bağlanmış bir ilçe olduğundan Eskişehir'liler Sivrihisar'ı bir kenara itmişler, kendileri sahip çıkmışlardır.

---

(1) **Belleten** sayı 117, Ocak 1966. Sayfa 66.

1 — Sarıköy'deki mezar, adına büyük bir anıt dikilmeden önce, son derece fakir, sade bir taş ve toprak yığınından başka birşey değildi. Oysa, Yunus gibi daha yaşarken her fânîye nasip olmayan bir üne kavuşmuş kimse için küçük de olsa bir türbe yapılır, başına bir taş dikilirdi. Dinî geleneklere son derecede dikkat ve itibar edilen bir devirde meçhul bir kimse gibi naşı bir köy yolu kenarına bırakılmazdı.

Araştırıcıların dikkatinden kaçan şu perişan mezar bile Yunus'un orada yatmadığını göstermeye yeter de artar.

2 — Sarıköy'ü savunanların dayandıkları bir kaynak da Bektaşi vilâyet-nâmeleridir. Baştan başa gerçek dışı hikâyelerle dolu olan bu eserlere hiçbir zaman inanılmaz.

«Otman Baba vilâyet-nâmesi müstesna, bütün bu kitaplarda zaman ve mekân kaydı yoktur. Çeşitli zamanlarda yaşayan, birbirlerini görmelerine imkân bulunmayan kişiler, aynı zamanda, aynı mekânda haşir neşir olurlar... Çünkü, dediğimiz gibi düşünce müsbet değildir, inanç fizik üstündür, dilek çocukçadır; elbette sonuç aynı olacaktır.»
«...İptidaî inanca dayanan vilâyet-nâmede... masal unsuru, aslî unsurlardan biridir.» (1)

Bektaşi vilâyet-nâmeleri *«tarihî vakalarla taban tabana zıt olan Bektaşi ananesinde»* *«Edirne'de babasına vekâlet eden Giyaseddin Cem Çelebi'nin emri ile hareket edip belli başlı Bektaşi vilâyet-nâmelerini (menâkıb-nâme)... ihtimal bazı anonim tarihleri ve bu arada şifahî malumatı toplayan Ebul-Hayr-ı Rûmî, vilâyet-nâmelerde adı geçen büyük sôfileri, Mevlevî ve Kalenderî zümrelerinin kurucularını, Hacı Bektaş-ı Veli, Karaca Ahmed, Seyyid Mahmud Hayrânî, Ahmed Fakıh, hatta Taptuk Emre'yi andığı halde Yunus Emre'den bahsetmemiştir; menâkıb-nâmelerde Yunus'un adı bulunsa idi mutlaka yazardı.»* (2)

Daha sonraki Vilâyet-nâme Uzun Firdevs diye tanınan biri tarafından on altıncı yüzyılın başında yazılmıştır. O za-

---

(1) Abdülbaki Gölpınarlı, **Menâkîb-i Hacı Bektaş-ı Veli,** s. V.-XII.
(2) Prof. Dr. Şehabeddin Tekindağ, **Belleten,** sayı 117, s. 63.

mana kadar Hacı Bektaş'ı uçuran Bektaşi gelenekleri iyice gelişmiş, yerleşmişti. Uzun Firdevs bunları toplamıştır. Uzun Firdevs, o denli hurafeye, efsaneye düşkündür ki, İkinci Bayezid'e sunduğu 380 ciltlik Süleyman-nâme adlı eseri padişahın emriyle yakılmıştır. Daha sonra Osmanlı ülkesinde barınamayarak İran'a kaçmıştır. İşte, böyle bir kişinin yazdığı ve muhakkak ki, kendinden de uydurmalar kattığı Bektaşi vilâyet-nâmelerini kaynak ve dayanak gösterenlere ne diyelim, bilemiyoruz. (1)

XVI. yüzyıl yazarlarından Lâmiî'nin (öl. 1532), *Nefahat-ül Üns* çevirisindeki «Ve kendisi Kütahya suyunun üzerinde Sakarya suyuna karıştığı yerin kurbunda yatur, meşhurdur, ziyaret ederler.» sözleri, adı geçen menâkıbleri kaynak almasındandır.

Yine Sarıköy'ü savunanların ileri sürdükleri Sivrihisarlı Baba Yusuf (öl. 1511) *Mevhub-ı Mahbub* adlı eserinde:

Azizlermiş hususa Yunus Emre
Edermiş zühd-ü uzlet uyup emre
Bu yerdedir bu zümrenin mezarı
Müşerref eylemişlerdir diyarı

beyitlerini, gördüğü bir rüyaya dayanarak söylemiştir. Yusuf Baba'nın, memleket gayreti ile bilerek bilmeyerek yaptığı yanlışlara bir örnek daha verelim:

629. Milâd yılında Mut'ta şehit olup yine oraya gömülen Hazret-i Muhammed'in amcası oğlu Cafer'i de:

Bu şehirde yatur Cafer-i Tayyar

sözleriyle Sivrihisar'da yatıyor, diye göstermektedir. (2) Yusuf Baba'nın yanlışları bu kadarla da bitmez. Kaygusuz Abdal'ın bir şiirini de Yunus'un sanmıştır. (3)

Bu kadar önemli yanlışlar yapan ve gördüğü bir rüyaya dayanarak, memleket gayreti ile Yunus'u Sivrihisar'lı yapan

---

(1) Bektaşi Vilâyet-nâme'si ve Uzun Firdevs için bakınız: A. Gölpınarlı, **Manakıb-ı Hacı Bektaş-ı Veli,** 1958 İstanbul, s. XIX ve devamı.
(2) Prof. Ş. Tekindağ'ın adı geçen yazısı, s. 64.
(3) A. Gölpınarlı, **Yunus Emre ve Tasavvuf,** s. 119-121.

Şeyh Yusuf Baba'nın sözlerine önem vermenin gereksizliği ortadadır.

Sarıköy'ü savunanların dayandıkları belgelerden birisi de Kanunî Sultan Süleyman (1520 - 1566) devrine ait ve Ankara Kuyudat-ı Kadime Arşivi'nde bulunan (No: 580, sayfa 191) bir vakıf kaydıdır.

Bu belgede, *Yunus Emir Bey'*in, Sarıköy'deki çiftliğini, yine o köyde bulunan zaviyeye vakfettiği bildiriliyor.

Bu en eski ve resmî belge Sarıköy düğümünü çözmektedir. Burada adı geçen *Yunus Emir Bey*'dir (Emir ve Bey'e dikkat.) Bu Yunus Emir Bey'in mezarı da sayın tarih bilgini İbrahim Hakkı Konyalı tarafından Akşehir'e bağlı *Koçaç* köyünde, yazılı taşı ile bulunmuştur. [1]

Buraya kadar verilen bilgi ve açıklamalardan çıkan sonuç:

1 — Sarıköy'le ilgili en eski ve resmî belge Kanunî devrine ait belgedir. Bunda herhangi bir yanlışlık olmadığını gösteren daha sonraki biri aslı, öteki sureti olmak üzere iki örneği daha vardır. Bu belge ortada iken şurada burada bulunan değersiz kayıtların hiçbir önemi yoktur. Tarih inceleme ve araştırmalarındaki usule göre, en eski ve sağlam belgeler varken ötekiler üzerinde durulmaz.

2 — Sarıköy'deki çiftlik *Yunus Emir Bey*'indir.

3 — Yunus Emir Bey'in mezarı başka yerde bulunduğuna göre, Sarıköy'deki mezar da onun değildir.

4 — Aradan yüzyıllar geçtikçe Sarıköy dervişleri ve *Emir Bey*'in torunları, ad benzerliğinden yararlanarak Yunus Emre adını yaymışlar, bunun sonucunda bazı kaynaklara bu yolda geçmiştir.

5 — Yukarıdan beri verilen açıklamadan sonra artık Sarıköy efsanesinin aslı bütün çıplaklığı ile ortaya çıkmış oluyor.

---

(1) Belgeyi ilk bulan İ. H. Konyalı'dır. **Yedi Gün,** 4 Mart 1945, s. 626. Yunus Emir Bey'in mezarı için: İ.H. Konyalı, **Karaman Tarihi,** s. 394.

SON on beş, yirmi yıldan bu yana yapılan sürekli çalışmalar, yeni belgeler ve bilgiler ortaya koydu. Bu çalışmalarda Karaman'lı aydınlar yanında, tarih bilgini İbrahim Hakkı Konyalı'nın büyük emeği geçmiş, Yunus'u karanlıklardan çekip gün ışığına çıkarmış, bilim âlemine sunmuştur.

BELGELERİN SAĞLAMLIĞI VE DEĞERİ

İ.H. KONYALI, arşivlerde Yunus Emre ile ilgili belgelerin ciddiliği konusunda şöyle diyor:

> *«Yunus Emre, soyu sopu belli bir aziz kişinin neslinden indiğini Topkapı Sarayı Defterhane Hazine-i Hümayun'unda, padişahın sadrazamdaki mührü ile mühürlenerek bize kadar gelen bir İlyazıcı defterinden öğreniyoruz. İlyazıcı Defteri, Defterhane Hazinesi Defteri denilen köhne, Cedid, Tapu, Zeamet ve Tımar, Evkaf, Emlâk Mücmel ve Mufassal gibi çeşitlere ayrılan bu defterler âyet gibi, Nas gibi yüzde yüz hakikati söyleyen, şaşmayan, yanlışsız vesikalardır. Bunların üzerlerinde silinti, kazıntı, kısaltma, ekleme ve değiştirme yapılamaz. Oğuz boyundan indikleri iddia olunan Osmanlı Hükümdarları bu defterlere bir çeşit muhteremlik ve kutsallık verirlerdi. Kanunnâmelerine göre bu defterlerin doğruluğunu bozanlar ölüm cezasına çarptırılırlardı. Osmanlı Kanunnâmelerine göre bu defterler 25 senede bir değiştirilir. Padişah herhangi bir yurt parçasının yazılışından şüphe ederse istediği zaman derhal yazımı yenileyebilirdi. Devletin askerî, iktisadî ve toplu bir ifade ile siyasî varlığı bu defterlere bağlıdır.»* (1)

---

(1) **Karaman Tarihi,** s. 389.

Resmî belgelerin ve genellikle devletin bütün işlemlerinin böylece saklandığını söyleyen İ.H. Konyalı, Yunus Emre ile ilgili belgeleri buradan aldığını bildiriyor.

Bugün Topkapı Müzesi'nden Başbakanlık Arşivi'ne getirilen 63 sayıda kayıtlı ve H. 924/M. 1518 yılında Yavuz Sultan Selim adına Karaman Eyaleti vakıflarını içine alan defterin 335. sayfasında, Yunus'un bağlı bulunduğu aile reisi İsmail Hacı'nın Horasan'dan cemaati ile Lârende'ye (Karaman) gelerek burada yerleşip yurt edindiğinin kayıtlı olduğu öğrenilmiştir. Belge şudur:

«Kerye-i Şeyh Hacı İsmail an kaza-i Lârende: Mezbur Şeyh Hacı İsmail an cemaat-in dervişleri ile diyar-ı Horasan'dan gelmiş aziz imiş. Bunda tavattun edip badehû oğlu Musa Paşa bunda bir zaviye bina edip badehû anın oğlu Güvegi Çelebi dahi bir zaviye bina edip etbaı ile sakin olup ellerinde ber vech-i vakfiyyet tasarruf yerleri vardır. Haricten ziraat edenler öşürlerin vakfa verip zaviyede sarfolunup kendüleri ve dervişleri avarızdan ve resm-i ganemden ve resm-i çiftten muafdırlar.»

Bu belgede adı geçen «Şeyh Hacı İsmail Köyü»nü yine adı geçen Şeyh Hacı İsmail kurmuştur. Karaman'a 29 km. uzaklıktadır.

Bu belgeden anlaşılıyor ki, Hacı İsmail'in oğlu Musa Beşe ve onun oğlu Güveği Çelebi bu köyde birer zaviye kurmuşlardır. Burada kendilerine uyanlarla oturmaktadırlar. Her türlü vergiden affedilmişlerdir. Bu belgenin hemen altında şu kayıt vardır:

«Cemaat-i dervişan an nesl-i İsmail Hacı»

İsmail Hacı neslinden gelen dervişlerin adları da yazılı. Elli kişidir. Hepsi İsmail Hacı'nın torunlarıdır. İçlerinde dedelerinin ve Musa Beşe'nin adını taşıyanlar da vardır.

Bu belge şöyle sürmektedir:

«Ve cemaat-i evlâd-ı İsmail Hacı'nın Obruk kuyu ve Akça Kenise ve Bey Kuyusu ve Güvegi ve Şuayb Hacı ve Çukur Köy ve ömer Hacı ve Güvenç Obruğu ve Sungur Burun ve Çukur Kuyu ve Göllü Kuyusu ve Biniş Ağıl ve Öksüz Ömer Obruğu ve zikr olan mevazi bilâ niza kadimden yurtlarıdır ve Kızık Üyük kadimden suvatlarıdır. Ama, cemaat-i Kuştemür'dan Esed oğlanları dahi bunlarınla oturagelmiştir. Şeyh Zadeler dahi nizâ etmeyip ve mevz-i Karaca kârbansaray dahi müşarünileyh İsmail Hacı'nın kadimden yurtlarıdır. Amma, Sülemişlü cemaatinden Kara Turgut ve Kara Mehmet dahi bunlara hemsâye olup kışlak bile olup amma, yazlak oturmayıp göçüp giderler deyü tarafeyndan müsaleha olunmuştur. Bunlardan gayrı Turudhan ve Selman nam kimesneler dahi mezkûrlar ile bile sâkinolur, men olunmaz ve Kulaca ve Şakirlü nam mahaller dahi cemaat-i İsmail Hacı'nın suvatlarıdır. İbrahim Bey Kadıaskerlerinden hüccetleri vardır. Amma, Yerce nam yeri bu cemaatden YUNUS EMRE Karaman oğlu İbrahim Bey'den satın almış imiş, elinde mülk-nâmesi vardır. YUNUS EMRE fevt oldukta evlâdına intikal etmiştir. Ve bunlardan gayrı Karacalar Kuyusu ve Deve Kuyusu ve iki sulu kuyu, bunları İsmail ibn-i YUSUF EMRE şehzadeden tapulayup alup kendüye yurt eylemiştir, elinde temessükü vardır.»

Şu belge de açık olarak gösteriyor ki, YUNUS EMRE Karamanoğlu İbrahim Bey'den Yerce adındaki yeri satın almıştır. Kendisi ölünce de mülkü çocuklarına geçmiştir. Bunlardan YUNUS Emre'nin oğlu İsmail de şehzadeden (her halde Karaman şehzadelerinden olacak. Çünkü, İsmail, Yunus'un oğludur. Osmanlı şehzadesi olamaz. İbrahim Bey'den sonra Karaman Devleti daha uzun süre ayakta durmuştur.

41

İsmail'in de Karaman, Osmanlı idaresine geçinceye kadar yaşayacağı düşünülemez.) bazı yerler alarak tapulamıştır. Bu, şunu gösterir, Yunus ve ailesi varlıklıdır. İsteseler devlet, zaviye ve tekkelerine bağışta bulunabilirler. Yunus, Karaman sarayında sözü geçen ve sayılan kişidir. Bu, şunu da gösteriyor ki, Yunus devlete sanki yardım etmektedir.

Daha İsmail Hacı topluluğunun vakıf-nâmelere, mülknâmelere geçmeyen otlak ve benzeri yerlerini, Kemal Paşazade (1468-1534) bulmuş, defterine geçirmiştir.

Yunus Emre'nin İsmail Hacı soyundan olduğunu gösteren bu belgede geçen yerleri, İbrahim Hakkı Konyalı uzun süre çalışarak bulmuş, belgelere uygunluğunu saptamıştır.

KARAMAN'DA YUNUS'UN ZAVİYESİ

YİNE başka bir belge (Tapu Kadastro Genel M. eski kayıtlar arşivi, yeni 584, eski 254.) Konya Evkafı'nın H. 992/M. 1584 tarihli yazımında Lârende'deki Yunus Emre'nin zaviyesinden söz eden bölümünde Yunus Emre'nin babasının adının İsmail olduğu bildirilmiştir. Kayıt şöyledir:

«Vakf-ı Zaviye-i Yunus Emre İbn-i İsmail-il meşhur bi Kirişçi Baba der nefs-i Lârende.»

Başka kayıtlardan da öğrenildiğine göre Kirişçi Baba Yunus Emre'nin halk arasındaki tanınan adıdır. Karaman'da Yunus Emre Zaviyesi'nin hemen arkasındaki Dabaklar çarşısında bir kirişhane vardı.

Adı geçen arşivde (No: 104) bulunan H. 996/M. 1587 tarihli Konya Vilâyeti Evkafı'nı gösteren defterde İsmail Hacı Zaviyesi şöyle yazılmıştır.

«Vakf-ı Zaviye-i Hacı İsmail Horasanî der karye-i evlâd-ı Hacı İsmail der tasarruf-i evlâd-ı mezkûr. Hariçten ekenlerden dahi öşrü zaviye-i mezbureye deyü İbrahim Bey'den mektup var, an karye-i Hacı İsmail tabi-i Lârende.»

KİRİŞÇİ BABA ZAVİYESİ

YİNE aynı arşivde 255 sayıda kayıtlı ve H. 906/1500 tarihli İkinci Bayezit adına yapılmış bir Karaman Eyaleti evkafı yazım defterinde Kirişçi *Baba Zaviyesi* ve torunu *Nureddin emre* hakkında şunlar görülmektedir:

> *«Vakf-ı Zaviye-i Kirişçi Baba, der nefs-i Lârende, der tasarruf-i Emre bi hükm-i Şahî»*
> *«Vakf-ı ecza-i Nureddin Emre der tasarruf-i muarrif bi hükm-i Şahî.» (yaprak 67 A.).*

KİRİŞÇİ BABA AYRI, TIRAŞÇI BABA AYRI

KİMİ araştırıcıları şaşırtan bu iki *Baba* ayrı ayrı kişilerdir. Yukarıda söylendiği gibi Kirişçi Baba Yunus Emre'nin halk arasındaki lâkabıdır. Tıraşçı Baba ise 1512 yılında sağdır. Bu tarihte (H. 918) düzenlenmiş Nasuh Bey Zade Pîr Ahmed Bey'in vakfiyesinde tanıklar arasında imzası şöyledir:

> *«Şeyh Yunus Baba el-maruf Post-nişin-i Tıraşçı Baba»*

Bugün Karaman'da Tıraşçı Baba zaviyesi yoktur. Bu Yunus'un da Yunus Emre'nin torunlarından olduğu sanılmaktadır. Bu Tıraşçı Baba'yı Arapça yazıdaki benzerlik dolayısıyla, Kirişçi Baba ile karıştırmak doğru değildir. (Bu konuda geniş bilgi için bakınız: İbrahim Hakkı Konyalı, «Yenikonya» 9 Haziran 1966 ve aynı yazar, «Karaman'ın Koyunu», gazete 12 Haziran 1966).

EVLİYA ÇELEBİ KARAMAN'DA

ÜNLÜ gezginimiz Evliya Çelebi 1648 yılında Karaman'a da gelmiş, her zaman yaptığı gibi camileri, türbeleri, sözü edilmeğe değer yerleri dolaşmış, bunlara ait tarihsel bilgileri, varsa yapıtların kitabelerini yazmış, sonra kitabına koymuştur. İşte, Evliya Çelebi'nin Karaman'da gördüğü yerlerden biri de Yunus Emre türbesidir. Evliya Çelebi şöyle diyor:

«Kirişçi Baba Camiinde Yunus Emre Hazretleri merkadı. Türkîce tasavvufâne ebyat-u eş'arı, ilâhiyâtı meşhur-i âfaktır» (C. 9, s. 315).

Evliya'nın, şiirleri dünyaya yayılmıştır, anlamında söylediği sözler herhalde başka bir Yunus olamaz.

Buraya kadar verilen bilgi ve açıklamalardan çıkan sonuç:

1 — Yunus'un Karaman'lı olduğunu gösteren belgelerin hemen hepsi resmî ve sağlam belgelerdir.
2 — Yunus Emre Karaman Devleti içinde doğmuş ve yaşamıştır.
3 — Yunus Emre serserî bir derviş değil, bilgin bir Şeyh'tir.
4 — O, Karaman Sarayı'nda sözü geçen bir Türkmen Kocası'dır.
5 — Karaman şehzadelerinin de şeyhidir, onlara *el vermiştir.*
6 — Toroslarda, özellikle Bulgar Dağı'nda yaşayan Türkmenlerin Şeyhidir.
7 — Devlet bağışlarına avuç açmayacak kadar gönlü ve kesesi zengin bir İNSAN'dır.
8 — Siyasî olaylara karışmıştır. Bir hükümet devirme olayına katılmış ve idam edilmiştir.
9 — Belgelerde Yunus soyunun ve kendisinin olarak bildirilen köy ve başka yerlerin hepsi Karaman topraklarında bulunmaktadır.
10 — Yunus'un soyu Horasan'dan gelmiştir. Büyük dedesinin adı Hacı İsmail'dir.
11 — Yunus Karaman'da yatmaktadır.
12 — Karaman'da camisi ve zaviyesi, tekkesi vardır.

1330/1915 tarihli Konya Salnâmesi şunları yazmaktadır.

> «Karaman'da Kirişçi Baba mahallesinde vâki Kirişçi, nam-ı diğer YUNUS EMRE Cami-i Şerifi ve Zaviyesi olup evkaf-ı mülhakadan cami ve zaviye mevcut ve mamurdur. Cami-i şerifin, inşa tarzı kârgir, zaviye ise ahşaptır. Mahalline yılda 400 kuruşa yakın varidat getirir akarı vardır. Evkaf hazinesinden yılda keza 400 kuruş ki, cem'an 800 kuruş varidatı olup, imam, hatip, hâfız-ı Kur'an, vâiz, müezzin zaviyedârı, sair hademeleri vazife ifa ederek işbu 800 kuruş vazifelilere sarfedilmektedir.»

> «Cami-i şerifin içinde mübarek eşyadan Sakal-ı Şerif bulunduğu gibi, bitişiğindeki ufacık bir hücre içerisinde dahi YUNUS EMRE ile Taptuk EMRE'nin mübarek kabirleri müslümanlar tarafından ziyaret edilmekte ve şifa elde olunmaktadır. Cami içindeki avlusunda bir de sarnıç ve sayfiye olup, zaviye içerisinde ayrıca mevcut olan havuz ile yeşillik görülmektedir. İnşa tarihi 750 (M. 1349 - 50) senesindedir.»

Devletin resmî kayıtlarına dayanılarak çıkarılan elli yedi yıl önceki resmî Konya Salnâmesi'nden, Yunus'un kendi vakfı ve Evkaf İdaresi'nce verilen vakıf gelirleri devam etmektedir. Eskiden beri sürüp gelen adı ile caminin adı bu tarihte de YUNUS EMRE Camisi'dir. Zaviye de yine aynı adla anılmaktadır.

Karaman'da o zaman da Kirişçi Mahallesi vardır. Yine bu resmî ifadeye göre YUNUS EMRE, Kirişçi Baba olarak da anılmaktadır.

YUNUS ŞEYH'TİR

ŞEYH'in kısaca tarifi: *«Bir tekke ya da zaviye kuran ve burada halkı uyaran ve müritleri olan her bakımdan yetişkin kişi»*dir. Yunus'un Karaman'da tekkesi, zaviyesi vardır. Müritleri vardır. Hele Toroslar'ın Türkmen'leri onu sayarlar, *«Türkmen Kocası»* Yunus'a bağlıdırlar.

Yunus, bu olgunluğa ermiş, şeyh olarak anılmıştır. Şeyh olduğunu kendisi de şiirlerinde söyler:

> *Takındım Şeyhlik adın*
> *Kodum mâşuk tâatın*
> *Verdim nefsin muradın*
> *Kanı Hakk'ile pazar*

yine başka bir şiirinde kendi kendine *«şeyh»* olarak hitabeder:

> *Şeyh YUNUS gelgil salâ*
> *Gidelim doğru yola*
> *Lâyık isen gel bile*
> *Vallah dîdâr göresi*

Yunus için şeyhlik olağandır. Daha yaşarken geniş ün kazanmış, büyük saygı ve sevgi çemberi içine girmiştir.

Şikârî Tarihinde de her anılışında şeyhliği belirtilir, *«Şeyh Yunus»* diye anılır. Bu değerli tarih kitabında iki Yunus daha vardır. Biri *«Hoca Yunus»* öteki *«Müftü Yunus»* diye anılır. Hatta, bazan bunlarla bir arada da anılır.

YUNUS DİVANINI GÖRDÜ

ŞİİRLERİNİ bir araya toplayıp *«Divan»* meydana getirdiğini kendisi de söylemektedir.

> *Yunus oldu ise adım ne acep*
> *Okuyalar bu benim divanımı*

ve yine başka bir şiirinde

Yunus miskin anı görmüş eline bir divan almış
Âlimler okuyamamış bu mâniden duyan gelsin

Şiirlerini toplayıp divan yapması olağandır. Çünkü, daha yaşarken her yana yayılmış, elden ele dolaşmış bir şeyhin şiirleri bir araya getirip yayması gereklidir.

Şimdi de Şikârî'de Şeyh Yunus yani Yunus Emre'yi görelim:

«Karaman mektup yazıp Kaya Beyi ve Şeyh Yunus'u Konya'ya gönderdi. Divana girip mektubu sultana sundular.» (s. 25).

«Ezincanib: Karaman, Süleyman Şah'ın karındaşı ile bir olup tahta geçtiğin deyip heman Hacı Kutlu Şah ve Kasım ve Sadettin ve Şeyh Yunus ve Halil İbni Hacı Beyler ve Taceddin'i cem edüp kimin vezir, kimin kethüda edüp ve on yedi bin er toplayıp etraf-ı vilâyeti zabt etmeğe başladı.» (s. 62).

«Râvî eydür: Hainler Karaman'la yirmi sekiz bin âdem ile Lârende'yi zabt eyledikleri zamanda Alâeddin (Bey) gelüp Karaman'ı tutup habseylemiş idi. Bunlar bir araya gelüp, mektup yazıp Hacı Beyler oğlu Halil ile İbn-i Kürd'e gönderdiler. Halil, üç bin er ile Lârende'den mahfi firar edip İbn-i Kürd'e gelip, Konya'da buluşup mektubu verdi. Demiş ki, Karaman ve Sadettin ve Şeyh Yunus ve Kasım, Karaman oğlu Süleyman Bey vezirleri fırsat gözedir. Siz oradan zuhur ettiğiniz gibi biz Lârende'yi zabt ederiz, demiş.» (s. 75).

«Ezincanib: Ertana bin Mehmet, Veled-i Esen, Bahşayiş ve Bahtiyar; Babuk Han oğluna adam gönderip, dediler ki «Bize yardım edesin. Alâeddin Haleb'te iken oğullarından Lârende'yi alalım.» Mogol bu sözü işidip yirmi bin er ile Tarsus'a geldi. Andan sonra Şeyh Yunus ve Bozdoğanlı ve Hoca Yunus

47

Tarsus'a geldiler. Cümle otuz bin adam olup Lârende'ye azm kıldılar.» (153)

«Ezincanib: Hainler Kasım'ı tahta geçirdiler, Sadettin ve Hacı Beyler oğlu vezir olup herbiri bir mansıb zabt edip muradlarına erdiler...« (s. 90)

«Alâeddin Şah eydür: Bire zalim, Süleyman Şah'ın her gün ekmeğin yedin, sana ne eyledi ki, helâk eyledin. Cevap vermedi. Emreyledi, pâre pâre eylediler. Andan sonra Hacı Beyler oğlu Halil'i helâk eylediler. Andan sonra Şeyh Yunus'u götürüp helâk eylediler. Bu Süleyman Beyin şeyhi idi.» (s. 99)

Şikârî'nin yukarıda verdiğimiz bölümlerinden de anlaşılacağı üzere bir hükümet devirmesi olmuştur. Bununla ilgili başka sayfalar da var, ama biz burada özelikle Şeyh Yunus'un yani Yunus Emre'nin adının geçtiği bölümleri aldık. Eserin bu hükümet devirmesi olayının topunu gözönüne alarak şöyle özetleyelim:

Alâeddin Ali Bey saltanatının ilk yıllarında Karaman sarayında bir kısım devlet adamları ile bazı şehzadeler birleşerek Devlet Başkanı Alâeddin dışarda seferde iken başkan vekili Süleyman Şah'ı öldürüp hükümeti ellerine geçirirler. Bu işlere Şeyh Yunus da karışmıştır. Alâeddin dönünce yeniden hükümetin başına geçer, suçluları yakalar. Hepsini siyaset meydanında idam ettirir. Bu arada Şeyh Yunus da idam edilir. Bu Şeyh Yunus, öldürdükleri Süleyman Şah'ın da şeyhi idi.

Şikârî'nin verdiği bu bilgiler yalnız kalsa idi, belki önem taşımaz idi. Fakat, Hazine-i Evrakta ve sayım defterlerinde (kuyudat-ı kadime defterleri) Yunus ile ilgili belgeler elde olmasa idi. Bu eski tarihî belgelerin ışığında Şikârî Tarihinin verdiği bilgiler değer taşımakta, Yunus bakımından ayrı bir önem kazanmaktadır.

O halde Yunus Emre, on dördüncü yüzyılın ortalarına kadar sağdır. Karamanoğulları sarayında sözü geçen bir kişidir. Türkmen topluluğundan olduğu için Şeyhliği dolayısıyla, Bulgardağı yörükleri üzerinde nüfuzu vardır. Karamanoğulları onun bu nüfuzundan her zaman, asker toplamak için yararlanmaktadır. Yunus, zengin bir kişidir. İbrahim Bey'den otlaklar satın almaktadır. Bu bir çeşit hükümete yardım demektir. İşte, bütün bunlar bir araya toplanınca Yunus'un sarayda ve çevresinde sözü geçen bir adam oluşunun anlamı kendiliğinden ortaya çıkar.

YUNUS EMRE'NİN FELSEFESİ

BU konuda büyük yetki sahibi sayın bilgin Cemil Sena'nın Türk Yurdu Özel Yunus sayısındaki yazılarından bazı bölümleri alarak vermeye çalışacağız.

«...Yunus, bütün mistikler gibi varlığın birliğine kavuşmak için ermişler mertebesine yücelmek ve yetkin insan (kâmil insan) olmak için, dervişin aksiyonlarını şu üç evreden geçirmiştir: a. – *Arınma evresi* ki, bunda mürit, her türlü dünya haz ve tutkularından soyunmaya çalışır; sükût, inziva, sabır ve teslimiyetle bir mürşide, yani pîre bağlanır, çile çeker. b. – *Nurlanma evresi*. Bunda mürit, Tanrısal inâyeti kazanmak için dua, ibadet, zikir ve tesbih gibi kutsal işlere daha içten ve aralıksız devam eder. c. – *Birleşme evresi*'nde ise mürit, cenneti, cehennemi, melekleri ve bütün varlıkları ve nihayet Tanrı'yı kendi içinde ve kendi nefsiyle özdeşmiş gibi algılar (idrak). Bu üçüncü evrede mürit veya derviş, dalınç, esrime, cezbe, mistik sanrılar ve rüyalara dalar. Bireysel iradeye bağlı olan bu haller, kendi başlarına varlıkta birlik şuuruna ulaşmak için yetmez; müridin, mutlak birliğe karşı duyacağı aşkın yeğinliği ile orantılı olarak Tanrı'nın lütuf, inâyet ve ihsanına da nail olması gerekir. Bu itibarla Yunus, mutlak birlik konusunda, mensup olduğu okul gibi, relatifciliğe veya ülkücülüğe düşmeksizin tinselci (spiritualiste) ve birci sezgicilerden olmuştur.

Zira Yunus da, *O* ve *Ben, Ben* ve *Öteki, Ben* ve *Başkası* gibi ikilikleri reddeder. Kendini ve bütün evreni, tekmil olay varlıklarıyla mutlak birliğin, yani Tanrı'nın nesnel görüntülerinden ibaret sayar. O da, biri dış (zâhirî), diğeri iç (bâtınî) olmak üzere iki âlem kabul eder. Ve asıl hakikatin görünmeyen iç âlemde bulunduğuna inanır.

Yunus da bütün kendi mânevi halinde olanlar gibi yaşamış ve hareket etmiştir. Bu pratikler sayesindedir ki, herkesin seviyesini aşan bu yüksek bilgiyi elde edebilmiştir.»

Yunus'un Bilgi ve Bilim Görüşü

«Bir manzumesinde şeriat, tarikat, mârifet ve hakikat gibi dört bilgi derecesinden söz eden Yunus, hakikatın kolayca elde edilemeyeceğine emindir; şüphesiz ki, o bir bilgi teorisi ile uğraşmamıştır. Felsefede bu teori bilginin kaynak ve değeri gibi iki ana konuyu kapsar. Akılcılarla görgücüler arasında türlü tartışmalara sebep olan bu konu mistikler ve dolayısıyla şairimiz için dış âlemin olay ve varlıklarından daha derine inemez. Gerçek bilim ise, bâtın bilimidir ve hakikat bu bilimde saklıdır.»

«En yüce hakikat olan Tanrı'yı kavramak için bütün lâik bilimlerden, hatta şeriat bilimlerinden vazgeçmek lâzımdır. Yunus, bunların Tanrı ile kulun arasını açacağına, birliği ikiliğe çevireceklerine inanır. Zira, o bilimler dış âlemdeki çoklukla uğraşırlar. Çokluktaki birliği görebilmek için ise, evvelâ bireysel ve teorik aklı terk etmelidir. Zira, insan aklı yalancı bir fakültedir. Mutlakı kavramaya engel olur. Ve tümel (küllî) aklın bildiğini ve bildirdiğini elde edemez.»

> *Nereye vardın ey akıl, bir ağızdan cümle dil*
> *Cüz'iyyat-ı müselsil haber verir akl-ı kül*

Bilime gelince:

> *İlim hod göz hicabıdır; dünya ahret hasabıdır*
> *Kitap hod ışık kitabıdır, bu okunan varak nedir*

Yunus, dervişi hakikata ulaştıran bu aşk kitabının kâğıtlarda değil, gönüllerde yazılı olduğunu bildirir:

Âlimler kitap düzer, karayı aka yazar
Gönüllerde yazılı bu kitabın sûresi

Esasen bilimden ve okumaktan maksat bir taraftan ibret almak, bir taraftan da kendini bilmektir. Nitekim Yunus:

İlim okumaktan gerek, kişi kendin bilmektir
Pes kendini bilmezsen, bir hayvandan betersin

demektedir. Şairimize göre ilimlerin mutlak hakikati kavrayamamasının sebebi yalnız çoklukla uğraşmaları değildir. Bilginlerin mistik aşktan mahrum olmaları, aşk kitabından habersiz bulunmalarıdır.

Ey çok kitaplar okuyan, çünkim tutarsın bana dak
Okur isen sırrı ıyan, gel aşktan oku bir varak

Yüce hakikatin açıklanmasında ona göre yorumlamalara ve diğer düşünce oyunlarına (tevillere) ihtiyaç olmadığından kutsal kitaplar ve onlara uygulanan metotların hiçbir değeri yoktur:

Dört kitabı şerh eden hakikatte âsidir
Zira tefsir okuyup mânisin bilmediler

Yunus'un kendisi de dört kutsal kitabı okumuştur. Ama, onların aradıkları yüce hakikati medresede değil, harâbatta (meyhane-tekke) ve varlıkta bulmuştur.

Tevrat ile İncili, Furkan ile Zebur'u
Bunlardaki beyanı, cümle vücutta bulduk

Şu halde mutlak birliği algılamak için din ve dünya bilimlerine değil, başka ve daha derin ve geniş bir bilgiye yani aşk bilgisine ihtiyaç vardır: *«İlm-i hikmet okuyanların da aşktan mahrum»* olduklarını *«Işkın ise bir uzunca hece»* olduğunu söyleyen Yunus:

Hak bir gönül verdi bana, ha demeden hayran olur
Bir dem gelir şâdî kılur, bir dem gelir giryan olur

beytiyle başlayan manzumesinde âşıkın geçirdiği ve yaşadığı

türlü ruh hallerini tasvir eder ve ondan daha üstün bir yüce-lik ve hazzın bulunmadığına inanır:

Nice yüksek yürür isem aşk başımdan aşagelir

zira bu aşk yalnız yüce değil, aynı zamanda büyük ve geniş bir hayat kaynağıdır ve kendisi onsuz yaşayamaz:

Senin ışkın deniz, ben bir balıcak
Balık sudan çıksa hemen ölüdür

Esasen ona göre, âşık olmayanlar «*bir kuru ağaca ben-zerler.*» Böylece ağaçlar ise, kesilip yakılmadan başka bir işe yaramazlar. Demek, mutlak hakikat olan mutlak birlik akılla pratik veya teori bilimlerle nesnel olarak elde edilebilen bir ürün değil, aşkın kudreti kazanılabilen ve yaşanılan bir dinsel haldir. Bunun içindir ki, mistiklere hâl ehli de denilir. Zira, aşkın kendisi de bir bilimdir. Hem de okunması güç bir bilimdir:

Bildin ise ilmi tamam, gel ışktan oku bir sabak

Şairimiz,

İlim ilim bilmektir, ilim kendin bilmektir
Sen kendini bilmezsin, ya nice okumaktır

beytiyle başlayan manzumesinde okumaktan maksadın yal-nız kendini bilmek değil, Hakk'ı bilmek olduğunu anlatır-ken, başka bir manzumesinde de:

Kendi miktarın bilen, bildi kendi halini

der. Ancak, bu bilgiye ulaşan insanın gözünde din, mezhep, millet farklarıyla iyi ve kötünün kaybolacağına inanır. Zira, bütün bunlar Tanrı'dandır ve Tanrı'dır. Yunus'a göre bilim-lerin gerçek ödevi insanın ahlâkî aksiyonlarını düzenlemeye hizmet etmektir. Bunu anlatan şu ihtarları ayrı bir değer ta-şır:

Okuma bu ilmin yüzün, ilmiyle amel eyle güzin

ve bilimin insanı böbürlenmeye değil, alçak gönüllülüğe hizmet etmesi gerekir:

İlmin var diye mağrur olmagıl

zira, Tanrı kefen soyanı bile bağışlamaktadır.

Okudum yedi mushafı, taat gösterir ol şôfı
Çünkü amel eylemedin gerekse var yüz yıl oku

GERÇEĞİ ARAYAN YUNUS

AKIL ve bilimleri bir tarafa atarak, bir mürşide bağlanmak ve çileler çekmek suretiyle kazanılan aşkın şiddeti sayesinde ulaşılan hakikat nedir? Bütün mistikler gibi Yunus'un da kavradığına inandığı bu yüce hakikat *varlığın birliği* ve dolayısıyla her şeyin *Tanrı* oluşudur. Kendisinin daha varlık var olmadan evvel yaratanda içkin (mündemiç) olduğunu söyleyen şairimiz, bütün varlıklardan mistik hayal gücünün İslâmî mitlerinde cennet, cehennem, melek vb. nin hepsinde var olanın kendisi olduğunu iddia eder. Kendisi, *«ete kemiğe bürünüp Yunus»* diye görünmeden evvel de (O) idi, (O) da Yunus'tu. Hatta *«Bulut olup göğe ağan - Yağmur olup yağan»* da şairin kendisidir. Kar yağdırıp yeri donduran, hayvanların rızkını veren, yaratıklara acıyan *«Muhammed'le miraca giden»*, Sina'da Tanrı ile konuşan da kendisi olduğu gibi, İsâ Peygamber'le göklerde kalan kendisidir.

Yunus, daha ileri giderek: *«Evvel benim, âhir benim - Canlara can benim»* demekle kalmaz, aynı zamanda:

Halk içinde dirlik düzen
Dört kitabı-doğru yazan
Ak üstüne kara dizen
Ol yazdığı Kur'an benim

diyecek kadar kutsal ve dış kutsal her şeyin kendi nefsinden ibaret olduğunu ilân eder. Zira:

> *Bu âlem-i kesrette sen Yusuf-ü ben Ken'an*
> *Ol âlem-i vahdette ne Yusuf'u ne Ken'an*

Görülüyor ki, bu bircilik genel manzarası ile ve bir bakıma mistik bir şuurculuk, yani tek benciliktir. Yunus, her çeşit ikinciliği reddeder:

> *Senlik benlik olucak iş ikilikte kalır*
> *İkilik tutan kişi nite birike birle*

Bu itibarla «*Bir isen birliğe gel, ikiyi elden bırak*» diyen şairimiz, bu birliğe kavuşan bahtyarlardan biri olacaktır ki:

> *Ben de baktım, ben de gördüm, benim ile ben olanı*
> *Bu sûrete can verenin kim idüğün bildim ahî*

diyor ve:

> *Nereye bakarsam dopdolusun*
> *Seni nere koyam benden içerü*

diyecek kadar yüce varlığı bütün evrene ve kendine sığdırmış görünür. Sonsuzluğun kendi sonlu varlığında boş bir yer bırakmayacak kadar yerleşmiş olmasına rağmen:

> *Işkın aldı benden beni*
> *Bana seni gerek seni*
> *Ben yanarım dünü günü*
> *Bana seni gerek seni*

beytiyle başlayan manzumesinde sevgilinin vuslatına kanmamış görünür. Yunus bazı manzumelerinde de ay olur, güneş olur, Dâvud olur, Mûsâ olur, yağmur olur, nûr olur.. Bu suretle her şeyin kendisi olduğunu ve mutlak birliğin kendinde tecelli ettiğini ve ona karşı duyduğu aşkın kendini ne hallere soktuğunu anlatır:

> *Ben yürürüm yana yana*
> *Aşk boyadı beni kana*
> *Ne âkılem ne divane*
> *Gel gör beni aşk neyledi*

Bununla beraber Yunus'un bu yüce varlığın kendini hiç de görmediği fakat onu görme özlemi içinde kavrulduğu anlaşılmaktadır:

İşbu vücut şehrine her dem giresim gelir
İçindeki sultanın yüzün göresim gelir
İşitirim sözünü, göremezem yüzünü
Yüzünü görmekliğe canım veresim gelir

O bunun çaresini ve sebebini pek iyi bilmektedir.

Yunus nefsini öldür, bir yola geldin ise
Nefsini öldürmeyenler, bu demi bulmadılar

Aynı zamanda Yunus, öteki mistikler gibi bu birliğe âşık olmayı kendi tekeline almış değildir. Bütün varlıklar bu aşk ile coşmuştur. Bu, yüce Tanrı'nın kendi kendine âşık olması demektir.

Benim adım dertli dolap
Suyum akar yalap yalap

beytiyle başlayan ilâhisinde saklı olan hakikatlerden biri de budur.

AHLÂKÇI YUNUS

YUNUS'un öğütlediği ahlâka gelince, bu mistik ve pratik hayatın zorunlu kıldığı çilecilikle aşka bağlanabilir. Bilindiği gibi mistiklerin hemen her çeşidi *yetkin insan* olma amacını güder. Yetkin insan, Tanrı olmayan ne varsa hepsinden vazgeçebilendir. Büyük ve çetin bir irade eğitimine dayanan bu vazgeçişin ahlâkî prensipleri, yalnız dervişler için değil, bütün halk için de geçerli fazilet toplamıdır. Şairimiz *Risalet-ün Nushiyye* adlı manzum kitapçığında, bu konuyu âdeta sembolik ve romantik bir tarzda açıklamıştır.

Ona göre, insan, *ateş, su, toprak* ve *hava* (yel) gibi dört unsurla *can*'ın birleşmesinden yaratılmış bir varlıktır. İnsanda bu dört unsurun nitelikleri, onun savunduğu faziletlerin esasını teşkil eder. *Toprak,* sabrın, iyi huyun, Tanrı'ya güvenmenin, halka iyilik yapma ve kişisel izzet ve şerefi korumanın sembol ve kaynağıdır.

Su, arılık, cömertlik, âlicenaplık ve Tanrı ile buluşma niteliklerinin sembol ve kaynağıdır. *Yel* ise, sahtekârlığın, gösterişin, aceleciliğin, *ateş* de, kibrin, şehvetin ve hasedin kaynak ve sembolleridir.

Bu dört unsurla sonradan birleşmiş olan *can* ise, izzet, birlik, utanma ve hâl edeplerinin kaynağıdır. Demek ki, ona göre, insanın ahlâklılığına ait nitelikler, organik yapıyı oluşturan maddelerin nitelikleriyle *can'*ın ürünüdürler.

Yunus, adı geçen kitapçığındaki *Ruh Ve Nefis Destanı'*nda, insana hükmeden iki hükümdardan bahseder. Bunun biri Rahmanî'dir ki, toprak, su bu türdendir. Kendilerinde bu unsurların nitelikleri üstün gelenler cennete giderler; *Şeytânî* olan ateşle *yel'*dir ki, bunların hükmü altında olanlar cehenneme maliktirler.

Nefis, genel olarak münafıklığın ve Tanrı'ya ortak koşarak birlikten kaçmanın ve tamahın egemenliğinin altındadır. Bunlardan kurtuluşun çaresi de aklın çağırdığı kanaattır. Fakat akıl da kibirlidir ve onun arkadaşı alçaklıktır.

Yine aynı kitapçıkta bulunan *Öfke Destanı'*nda da Yunus, öfkeyi yerer, Tanrı vergisi olan sabrın cömertliğini över; haset ve cimriliğin aleyhinde bulunur.

Yine bu kitapçıktaki *Akıl Destanı'*nda şairimiz, bir kimseyi arkasından yermenin (gıybet) ve kinin kötülüğünü anlatır ve doğruluğu savunur. Divan'ında ise, Yunus, en yüce ahlâk prensibi olarak gönül kırmamak ve gönül almaktan söz eder ve bunların dinsel ödevlerden daha üstün iyilikler olduğunu telkin etmeye çalışır:

> *Yunus Emre der, Hoca, gerekse bin var hacca*
> *Hepisinden iyice, bir gönüle girmektir*

Bunun nedeni ve yaptırımı da şudur:

> *Gönül, Çalab'ın tahtı, Çalab gönüle baktı*
> *İki cihan bedbahtı, kim gönül yıkar ise*

Ona göre insan, kazanmaya çalışmalı, yemeli, yedirmeli ve ele bir gönül geçirmelidir. Çünkü, bir gönül ziyareti, yüz kâbe ziyaretinden daha iyidir. Tanrı'ya kulluk etmenin amacı, ona kendimizi beğendirmek ise, bu ancak gönülleri onarmakla gerçekleşebilir:

> Bir kez gönül yıktın ise, bu kıldığın namaz değil
> Yetmiş iki millet dahi elin yüzün yumaz değil

Yunus'a göre «Hakkı gerçek sevenlere cümle âlem kardeş gelür.» Onun bu geniş sevgi ve hoşgörüsünün bir sebebi de, bütün varlıkların Tanrı eseri olduğundandır. Bunun içindir ki o, «yaratandan ötürü» yaratıkların kusurlarını görmemeli, bağışlamalıdır der. Denebilir ki, o, yüce yaratana insanda saygı göstermektedir. Fakat, şairimiz yine fazileti korumak için, dervişin halka uymasına pek de taraftar değildir:

> Derviş gönülsüz gerektir
> Sövene dilsiz gerektir
> Dövene elsiz gerektir
> Halka beraber gerekmez

> Halka benzetmeye işin
> Süre gönülden teşvişin
> Yüzbini birdir dervişin
> Arada agyar gerekmez

Yunus, bir insanın doğuşundan ölümüne kadar geçirdiği serüvenleri birer birer saydıktan sonra, dünyadaki en esaslı ve kutsal ödevin iyilik yapmaktan ibaret olduğunu türlü vesilelerle tekrar eder:

> Yunus anlayıver halin, şuna uğrayısar yolun
> Burda elin erer iken hayır işlere düşgil gönül

O, âşık kişilerin kibirle kini terk etmelerini telkin ederken, yüce Tanrı'nın kayrasından, inâyet ve âlicenaplığından emin olduğu için:

57

Yunus eksikliğini Allah'a arzeyle
Anın keremi çoktur, sen ettiğin ol etmez

diyerek İslâm din ve ahlâkındaki ümit, yargılama ve merhamet kapılarını açık tutmaktan hoşlanır. Görülüyor ki o, insanların mânevî saadetlerini sağlamak için, dervişe bir sükûn, tevazu ve kanaatle, kimseyi kışkırtmayan, tepkilere meydan vermeyen, başa gelen haklı haksız bir olay karşısında yalnız Tanrı'ya sığınan ve ona yaranmak için sabır ve rıza gösteren bir tahammül ahlâkını, bir eyvallah ahlâkını savunmuştur.

YUNUS'UN DÜNYA GÖRÜŞÜ

YUNUS'un *Dünya* hakkındaki görüşü, onun yukardan beri açıkladığımız ahlâk doktrinine temel ve kaynak vazifesini görmüştür.

Değişmeler, bozulmalar ve ölümler alanı olan dünya, bütün mistiklerde olduğu gibi, şairimiz için de zâhirî âlemin bir parçasıdır; burada her şey bir görünüşten ibarettir. O, kötümser bir duyarlıkla dünya hayatının değersizliği üzerinde fazla durur ve bu konuyu ölüm olayına bitişik olarak açıklar; acı acı sızlanır. Ona göre, dünyaya bel bağlayanlar kendilerini aldatmış olurlar, hakikatten uzaklaşır ve ikilik bataklığına düşerler. Zira, dünya nimetlerinin hepsi insanı baştan çıkaran zalim bir çekime maliktir; oysa, vefadan mahrum olan bu çekici dünya, insanı her türlü didinmeler ve uğraşmalarla ve fâni tutkularla yıprattıktan sonra ölüme mahkûm eder:

Vücudun çünkü fânidir, yürü ey bivefa dünya
Fena yokluk nişanıdır, yürü ey bivefa dünya

Zira bu dünyada:

İpek donları soyarlar, nazik tenleri yuyarlar
İletip toprağa koyarlar, yürü ey bivefa dünya

Yatur kafiyeli iki manzumesi de gerçekçi ve nesnel bir hayat tablosunu çizer. Kız, kadın, genç, ihtiyar, çocuk, zengin, ana baba, ata... sıra, yaş, cins farkı gözetmeden ölümün herkesi alıp götürdüğünü anlatırken kefen, teneşir, mezar, cenaze namazı... vb. gibi dinî törenlerin korkunç ve acı manzaralarını anlatır ve mezarlara gömülen bedenlerin acıklı halini tasvir eder. Bu itibarla:

> Yüzyıllara hoşluğula ömrün geçerse Yunus
> Son ucu bir nefestir sen onu unuttun tut

Bunun içindir ki, şairimiz:

> Bize dîdâr gerek, dünya gerekmez
> Bize mâni gerek, dâva gerekmez

Yani o, dünya kaygı, tutku, zevk ve savaşlarının hepsinden vazgeçmeyi tavsiye eder. Bu dünyaya bağlanan insan, birliğin kutsal dostluğundan yoksun kalır. Onun için:

> Bu dünyaya kalmayalım
> Fânidir aldanmayalım
> Bir iken ayrılmayalım
> Gel dosta gidelim gönül

Zira:

> Bu dünyanın misali benzer bir değirmene
> Gaflet onun sepeti, bu halk onda öğüne

İşte böyle anlaşılan bu dünya değirmeninin ununu öğütene de Azrail derler. Ona göre, dünya ve ölüm birbirine ayrılmaz bir surette bağlı olduğu için *«zenginler köşkü, sarayı beğenmeyerek, mal hırsından kurtulamayanlar, şirin yüzlüler kapılarını bekçilere bekleten beyler ve kullar hep öleceklerdir.»* ve bu dünya *«içinde suretlerin dükkân olduğu bir pazardır.»* Böyle bir dünyada imrenilecek hiç birşey yoktur, hatta buradaki hayat iğrençtir:

Bu dünyanın meseli benzer murdar gövdeye
İtler murdara düştü, hak dostu kodu, kaçtı

Şairimiz insanları bu dünyadan soğutmak için gereken motiflerin hemen hepsini kullanmış, yalnız âşıklar için ölümsüzlüğü savunmuştur:

Âşık öldü diye salâ verirler
Ölen hayvan olur, âşıklar ölmez

Esasen:

Âşık bir kişidir, bu dünya malin
Ahret korkusun bir çöpe saymaz

Yunus'a göre asıl fâni olan bedendir:

Ten fânidir, can ölmez, çün gitti geri gelmez
Ölür ise ten ölür, canlar ölesi değil

Canın bu mutlu ölümsüzlüğü, onun âşık olmasından ve bedeni terk edişi de sevgiliye kavuşmak istemesindendir. Bu itibarla ona göre, ölmek, mutlak birliğe kavuşmak için bir suret değiştirmektir.

«Özet olarak, Yunus, dünya hayatının aldatıcı zevklerini, kutsal aşkla, yetkinliğe, ermişliğe engel saymış, dünyaya bağlanmanın nafileliğini ispat için sızlanarak ölümden bahsetmiştir. Bu onun ölümü hor görecek kadar hayata bağlı oluşunun da bir delili gibi görünür.»

YUNUS'UN DİN GÖRÜŞÜ

BU konu bütün mistiklerde, ham sofulara ve şeriat bilgilerine karşı gösterilen tepki ve protestolarla önemli bir özellik gösterir. Yıllarca tarikat adamlarıyla şeriat adamları birbiriyle anlaşamamışlar, birincilerin daha hür, geniş ve esnek düşüncelerine karşı, ikinciler, hoşgörüden yoksun bir kin ve nefretle bu gönül adamlarını kâfirlikle suçlamışlardır.

Oysa, bütün mistikler mensup oldukları dinin esaslarına bağlıdırlar. Fakat onlar, dini dar anlamında ve sadece ibadetten ibaret saymazlar. Hatta bu formalitelere fazla değer vermezler. Varlığın birliğine inandıklarından, kendilerinin de kutsallığına inanan mistiklerce din, yetkin insandan ziyade halk için mânevî disiplinden başka şey değildir. Bu yüzden, Yunus Tanrı'yı görmek için dinin ve kutsal kitapların yetersizliğine inanmaktadır:

> Gökten inen dört kitabı günde bin kez okursan
> Erenlere münkir isen, dîdâr ırak senden yana

Yetkinliğin yolu ona göre, din ya da şeriat değil aşktır. Bu itibarla:

> Aşkı olmayana din ve iman gerekmez

fakat, o hakikatte din düşmanı değildir:

> Kimse dinine biz hilâf etmeziz
> Din tamam olıcak doğar muhabbet

Din formalitelerine anlamadan bağlanmış olan sofuların ham imanları yerine Aşk imanını savunan şairimizin nazarında:

> Din ve millet sorarisen, âşıklara din ne hacet
> Âşık kişi harap olur, âşık bilmez din diyanet

Zira onlar, dost yüzün görür görmez «şirk yağmalanmıştır»; o, cennete kavuşmak, cehennemden korunmak için ibadette kusur etmeyenlerin dininden şüphe eder:

> Başında aklı olan ücretle amel etmez
> Hurilere aldanmaz, göz ile kaştan geçer

61

Bu itibarla din adamları:

Erenler nazarında sofuluk satmayalar
İhlâs ile bu aşka riyayı katmayalar

Zaten Yunus'a göre «kimin müslüman veya kâfir olduğunu ancak Hak bilir.»

Bütün bu kuşbakışı açıklamalardan, büyük şairimizin nasıl bilgece bir cesaretle, mensup olduğu tarikatın duygu ve inançlarını savunduğu ve bunlara kendi kişiliğinden neler katmış olduğu fark edilmiştir, umudundayız.»

YUNUS ÜMMÎ DEĞİLDİR

KİMİ kaynaklarda Yunus'un ümmî olduğu yazılıdır. Şekayik Tercümesi onun, alfabeyi okumaya dili varmadığını; Âşık Çelebi, okumak istediği halde alfabeyi tamamlamaya dilinin dönmediğini, söylerler. Bunlar doğru değildir. Yunus'un şiirlerinde:

Yunus Emrem oldu fakir
Ecel ensesini dokur
Gönül kitabından okur
Eline kalem almadı

Yerde gökte bu aşk ile
Aşktan gelir bu söz dile
Biçare Yunus ne bile
Ne kara okudu ne ak

Ümmî benim, Yunus benim
Dörttür anam, dokuz babam
Aşk oduna düşüp yanam
Sûk pazar nemdir benim

gibi sözleri, onun ümmî olduğuna, yani okur-yazar olmadığına delil sayılmıştır. Halk arasında Yunus'un iç varlığını bir kat daha yücelemek için söylenmekte olan «ümmî»liğini, hemen kitaplara geçirenler olmuştur. Yunus'un okur-yazar olmadığı, yani cahil bir kimse olduğu, öğrenim görmediği doğru değildir. Bununla birlikte yüksek medrese kültürü aldığı da söylenemez.

Eserlerinde görüldüğü gibi, peygamberler, ermişler (enbiya, evliya) menkabelerini, eski İran mitolojisini, zamanının bilim ve felsefe anlayışını, İslâmlığın kurallarını pek iyi bildiği anlaşılmaktadır. *Risâlet-ün Nushiyye*'si İslâmlığın ahlâk ve tasavvuf kurallarını ustalıkla nazma dökecek kadar kuvvetli bilgisi olduğunu göstermektedir.

Eski tasavvuf anlayışına göre, tarikat yolcularının âlim olsalar bile, içte ümmî olmaları gereklidir. Onlar, görünüşte şeriata uymak, içte yani görünmeyen yanları ile (bâtın) ümmî olarak Tanrı'dan doğrudan doğruya bilgi alırlar. İşte, bu kavrayış, Yunus'a o sözleri söyletmiştir. Bu anlayış, birçok mutasavvıf şairlere adlarını bile ümmî olarak almalarına yol açmıştır: Kemal Ümmî, Sinan Ümmî gibi..

YUNUS'UN ESERİ : RİSÂLET-ÜN NUSHİYYE

YUNUS'un Divan'ından başka bir de bu adda bir eseri vardır. H. 700/M. 1300 tarihinde yazılmıştır. Manzum olup mesnevî tarzında düzenlenmiştir. On üç beyitlik bir başlangıçtan sonra (1) kısa bir düzyazı gelir. Baştaki on üç beytin vezni 'Fâilâtün fâilâtün fâilat'tır.

Ruh, nefis, kanaat, öfke, sabır, cimrilik, akıl gibi öğretici ve tasavvuf ile ilgili konular anlatılmaktadır. Bu risaleyi Yunus her halde olgunluk çağında yazmıştır. İkinci bölüm

---

(1) F. Köprülü bu bölümün manzum olmadığını, secili nesir olduğunu söylemektedir. Bakınız: **İlk Mutasavvıflar,** s. 328'deki not.

'Mefâîlün mefâîlün feûlün' veznine uyuyorsa da her mısrada birkaç tane uzatma vardır. Her ne kadar bu devir şairlerinde bu uzatmalar sık görülürse de biz, 6 + 5 = 11 hece vezninde yazıldığını kabul etmek istiyoruz. Bu ikinci bölüm beş yüz altmış iki beyittir. (1)

Bu risaleyi kitabımıza almakta okurlar için bir yarar görmedik. Daha çok uzmanları ilgilendiren risaleyi, isteyenler yazma ve basmalarda kolaylıkla bulabilirler. (2)

Yunus'un asıl değerli eseri şairliğini ve düşünürlüğünü gösteren, Divan'ıdır. Bundan da ayrıca söz açıldığı için burada yeniden üzerinde durmadık.

YUNUS'TA MİLLÎ NAZIM BİÇİMLERİ, ÖLÇÜLER

YUNUS halk şairi değildir, ama halkın şairidir. Onun için olacak, millî nazım ölçüsü olarak heceyi ve onun hemen her türlüsünü kullanmıştır. O kadar ki, gazel biçiminde yazdıklarında da çok zaman heceyi üstün tutmuştur. Gazel biçiminde yani çift mısralı şiirlerinde 7 + 7 = 14 ve 8 + 8 = 16 ölçülerini kullanmıştır. Bu tutum onun şekil olarak aldığı divan gazelini bile millî ölçü olan heceye uygulamasıdır. Bu yeni bir çığırdır. Kendisinden sonra gelen tekke şairlerinde de, Yunus kadar olmamakla birlikte, bu çığıra uyanlar vardır.

Halk şiiri biçiminde yani dörtlüklerle yazdıklarında da hecenin hemen her kalıbını kullanmıştır. Bu kalıplar sıra ile '5, 7, 8, 10, 11, 12, 14, 16'lık ölçülerdir. Bunlar içinde en çok kullandıkları sekiz hece, on dört hece (7 + 7), on altı (8 + 8) ve yedi hecelilerdir.

Aruz ölçüsünde de basit ölçüleri kullanmaktadır. Bunların sayısı çok azdır. Oldukça da hatalıdır. Verdiğimiz şiirle-

---

(1) A. Gölpınarlı iki ayrı yerde beyit sayısı olarak iki ayrı sayı söylemektedir. Bizim verdiğimiz doğrusudur.

(2) Eskişehir baskısı, kitabın adını Risâlat al Nushayya koyduğu halde içerde hemen hiç bu eserden söz yoktur.

rin altında bunları belirttik. Hece ile yazılanların büyük sayıda olanlarını ve gerektikçe daha küçüklerini gösterdik.

KAFİYE

Genellikle yarım kafiye kullanmaktadır ki, bu halk nazmının genel karakteridir. Ses azlığını redif örtmekte olduğundan çoğu zaman kafiyelerden sonra redife başvurulmaktadır. Bir de halk şiirini müzikten ayırma olanağı olmadığından, beste yarım kafiyeyi örtmektedir.

Biçim olarak çok zaman eski Türk nazmının ilki olan mâni biçimi kullanılıyor. Bilindiği gibi mânilerde birinci, ikinci ve dördüncü mısralar kendi aralarında kafiyeli olup üçüncü mısralar serbesttir. Mâni bir dörtlük olduğu halde, Yunus'un şiirlerinde, semaî ve koşmalarında bu durum, bütün dörtlüklerde olmamakla birlikte, sık sık görülmektedir.

On dört ve on altı heceli ölçüler kullanıldığında, bunlar gazel biçiminde yani çift mısralı dizeler halinde dizilmektedirler. Aruz ölçüsü kullanıldığında da aynı biçim görülmektedir.

Yunus Divanı'nı hazırlayan çoğu araştırıcılar, onun şiirlerini genellikle musammat olarak yazmışlardır. Gerçek bu değildir. Bu biçim divan edebiyatında bile pek az kullanılmıştır. Hatırlatmak için musammat biçimini aşağıda gösterelim:

————————————		a
————————————		a
—————— b ———————		b
—————— b ———————		a
—————— c ———————		c
—————— c ———————		a
—————— d ———————		d
—————— d ———————		a

Bunların çoğu hece ölçüsüyle yazılmış olup gerçekte birer dörtlüğün ikişer mısralarının alt alta değil, yan yana yazılmış olmasından meydana gelmiştir. Eski yazmalarda bu biçimde görülmesinin iki nedeni olabilir. O da, ya yazıcıların medrese kültürü almış olmaları dolayısıyla dörtlükleri gazel biçimine sokmak hevesi ya da eskiden çok değer taşıyan kâğıtta yerden kazanmak çabası yüzünden olmuştur. Bunun başka örnekleri başka şairlerin divanlarında da görülmektedir.

Bir şairin hemen bütün şiirlerini musammat biçiminde yazmış olması düşünülemez. Genellikle beste ile okunacakları için, tekke şiirinin karakteri mısraların kısa olmasıdır. Yoksa topluca okunmaya hiç elverişli olamaz. Bu bakımdan biz bu gibi şiirleri asılları gibi, yani dörtlükler biçiminde yazdık. Bununla birlikte Yunus'ta musammat hiç yok değildir. Onları da oldukları gibi bıraktık.

YUNUS'UN KULLANDIĞI ARUZ ÖLÇÜLERİ

YUNUS'un yazdığı dört yüz kadar şiir içinde aruz ölçüsünü pek az kullandığını söylemiştik. Bunların sayılarını ölçüleri ile birlikte aşağıda gösterdik. Başka araştırıcılar daha çok olduğunu tespit etmişlerse de bizce onlar, yukarıda açıkladığımız gibi, dörtlükler yerine çift mısra düzenine baktıkları için bunları da aruz sanmışlardır. Ama, kalıplara uydurmak için çok çaba göstermişlerdir. Öyle ki, hemen her kelimede bir, hatta birkaç uzatma (imâle) yapmak zorunda kalmışlar, bunu da şiirlerin ağızdan yazıldığı için bozulmasına yormuşlardır. Bizce bu yargı bir dereceye kadar doğru olabilir. Ama, bu kadar uzatma ile Karacaoğlan'ın koşmalarını da aruz kalıplarına uydurmak olağandır. Bununla birlikte, Yunus'un kimi şiirleri hem hece, hem aruz ölçüsüne uymaktadır. Bu, bir raslantı da olabilir.

1 — Mefâîlün mefaîlün Feûlün (4)

2 — Fâilâtün fâilâtün fâilün (3)

3 — Feûlün feûlün feûlün (1)

4 — Mef'ûlü mefâîlün mef'ûlü mefâîlün (1)

5 — Mefâîlün mefâîlün mefâîlün mefâîlün (1)

6 — Fâilâtün fâilatün fâilâtün fâilün (8)

7 — Müstef ilün müstef ilün müstef ilün müstef ilün (3)

YUNUS'UN DİLİ

YUNUS'un dili, yaşadığı çağın, yani XIII ve XIV. yüzyılın dilidir. Bu dil Oğuzca'dır. Oldukça eski yazma divanlarında, bugün unutulmuş eski kelimelere sıkça raslanır. Çağdaşlarının eserlerinde de bu gibi kelimelere raslanır. Birkaç örnek: *Kanda* (nerede), *assı* (fayda), *kancaru* (nereye), *key* (pek), *keleci* (söz), *ıs* (sahip), *durmak* (kalkmak), *Çalap* (Tanrı), *kamu* (hep, bütün)...

Arapça, Farsça gibi yabancı kelimeleri halkın söylediği gibi kullanmaktadır: *danışman* (dânişmend), *eşkere* (âşikâre), *kabala* (kıbâle)...

Kimi kelimeleri hem eski, hem bugün kullanıldığı gibi yeni söylenişi ile kullanıyor ki, bu, Oğuzca'nın Anadolu Türkçesi dediğimiz bugünkü duruma dönüşüm çağının gereğidir. Ildız - yıldız, ılan - yılan, ıldırım - yıldırım...

Yine bunun gibi eski Oğuzca'nın yenileşme çağını gösteren fiil ve başka takıları da hem eski, hem yeni söylenişi ile görmekteyiz. - *gil* eki (takıldığı sözcüğün anlamını kuvvetlendirir), *-ven, -vem* (-im, -yim şahıs zamirlerinde birinci şahıs tekil eki), *-ben, -ban* (-rek, -rak,) *-durur* (-dur, -dır), *-sar, -ser* (-cek, -cak. Gelecek zaman eki), *-avuz, -evüz* (dilek şart ya da istek kipi, çoğul birinci şahıs); *kılavuz* (kılalım), *yiyevüz* (yiyelim), *-uban, -üben,* (Bağlaç; -arak, erek. Örnek: aluban «alarak», gelüben ya da geliben «gelerek» gibi), *kim* (ilgi zamiri; ki yerine. Örnek: diledi kim «diledi ki»)...

Bu eski kelime ve takılar, zaman geçtikçe değişen dile göre kopya edilmiş, çağın diline uygun değişmeler yapılarak sadeleşmeye doğru gidilmiştir. Eski yazmalarda görülen eksiklikler, yeni yazmalarda vezin ve kafiyeye zarar vermiyorsa, günün diline çevrilmiştir. Yunus'u okurken bu ikilik hemen göze çarpar. Bu yüzden kimi araştırıcılar, aykırı gördükleri için, bu yenileri başka Yunus'ların olarak ayırma denemelerine girişmişlerdir.

Ama bunlar, yalnız dil özelliklerine değil, daha başka niteliklere göre de yapılmıştır. Fakat, yine de sadeleşmiş Yunus şiirlerini sonrakiler arasına katmışlardır.

YUNUS EMRE'NİN SANATI

YUNUS EMRE'nin sanatı baştan başa millî bir sanattır. Bunun başlıca iki kaynağı vardır. Birincisi ahlâkî - sofîyâne temelleri veren İslâm kültürü; ikincisi dil, biçim, söyleyiş ve ölçü (vezin) özelliği veren millî niteliktir. Yunus bu iki kaynağı öyle kaynaştırmıştır ki, yeni bir çığır açan sanatı tümden millî'dir. Yunus'un sanatçı ruhunun dehasıyla birleşmesinden doğan ve kendi kişiliğinin damgasını vurduğu bu millî sanatın niteliği şöyledir:

«Saflık ve samimiyet, sadelik, açıklık... Onu okurken karşımızda, sade, masum, ruhu şefkat dolu bir dervişin ilâhi bir dille terennümünü duyarız. Ruhunu pek eski bir dost gibi bize açan bu derviş, Tanrı'ya karşı feryatlarında, hitaplarında da daima en tabi bir saflık ve sadelikle bağırır, ağlar, itiraz eder. Onda yapmacık, tören ve töreye uymaklık yoktur. Engin ruhunun sadeliği, ilâhîlerinde berrak bir surette akseder. En derin ve zor felsefe meselelerinin, onun elinde şaşılacak bir açıklık ve sadelik kazandığı görülür ki, hatta İran'ın en büyük sôfi şairlerinde bile bunun benzeri yoktur.» [1]

---

(1) F. Köprülü, **Türk Edebiyat Tarihi.**

Gerek biçim bakımından millî oluşu, gerek halk zevkine uygunluğu, yüzyıllarca sürüp gelen derin lirizmi onu unutturmamış, aksine değerinin daha iyi kavranmasını sağlamıştır. Her türlü halk çevrelerine cevap veren Yunus'un sanat ve dehası yirminci yüzyılda gerçek bilim çevrelerinde ve aydınlar arasında daha başka değer kazanmıştır.

Tekke şiirinin kurucusu olan Yunus'un yolunu izleyen pek çok şair yetişmiştir. Ama, onun üstünlüğüne erişebilen olmamıştır. Yunus'un, insan ruhunu derinden sarsan ilâhîleri tekkelerde, din törenlerinde, halk topluluklarında olduğu gibi, yüksek zümre arasında da birçok besteleri yapılarak okunmuştur. Denebilir ki, Süleyman Çelebi'nin Mevlid'inden sonra en çok okunan dinî değerdeki eserler Yunus'undur. Bütün tarikatler onu benimsemiş, toplantılarında ilâhîlerine yer vermiştir. O, hiçbir zaman bir tarikat propagandacısı olmamış, bütün insanlığı saran ve sarsan duygu ve düşünceleri sade ve anlamlı ölçüde başarılı olarak işlemesini bilmiştir.

FETVALARDA YUNUS

Kanunî ve İkinci Selim'in saltanatı sıralarında otuz yıl şeyhülislâmlık yapan büyük bilginlerden Ebussuud Efendi (öl. 1574) fetvaları ile de ün yapmıştır.

İstanbul Millet K., Şeriye No: 80'de kayıtlı *«Fetâvâ-yi Ebussuud»* eserinin 271 b ve 272 a'da bulunan bir fetva dikkate değer. Ebussuud Efendi'ye bir «Mes'ele» sorulmuş, o da çok ağır bir cevap vermiştir:

> *Mes'ele: «Bir zâviyenin mescidinde eşhas-ı muhtelife ile oğlanlar muhtelit olup envâı teganniyat ile tevhit ederler iken kelime-i Tevhidi tagyir edip kâh «dil men», kâh «can men» deyüp ve kâh «Sen bir ulu sultansın, canlar içinde cansın - Çün ayan gördüm seni, pinhan kayusu değil» deyüp ve kâh «Cennet cennet dedikleri bir ev ile birkaç hûri -*

69

İsteyene ver sen anı, bana seni gerek seni» *deyü göğüslerini döğüp evza-i garibe ettiklerinde ahali-i mahalleden bazı kimesneler zâviye-i mezburede şeyh olan Zeyd'e «Bu makule evzaa niçün razı olursun?» dediklerinde Zeyd: «Ne lâzım gelür? Ve mâ halekat-el cin vel ins ilâ liya' budûn» demekle cevap verse şer'an Zeyd'e ne lâzım gelür?»*

El cevab: Evza' ve akval-i mezbure kemal mertebe fuhuş olduğundan gayrı, cennet hakkında söyledikleri kelime-i şenia küfr-i sarihtir. Katilleri mübahtır. Şeyhleri olan bî-din, «hikâyet olan ef'al ve ekval men'e mübaşeret olunmazsa dahi ne lâzım gelür» demekle kâfir olduğundan gayrı, ol kabâyihi ibaret kabilinden addedüp âyet-i kerimeyi ana delil getirmekle tekrar kâfir olur. Ve bu itikattan rücu etmezse katilleri vâcib olur.» (1)

Öyle anlaşılıyor ki, on altıncı yüzyılda çok yaygın bir duruma gelen Alevî - Bektaşî tekkelerinde yapılan âyinler medreseyi telâşa düşürmüştür. Alevî topluluklarının ayrıca siyasî ve gizli açık davranışları, hükümeti şiddetli tedbirler almaya zorlamaktadır. Bu yönleri *Pir Sultan Abdal* eserimizde genişçe ele almıştır. (2)

Bu fetva bize, Yunus'un ölümünden sonra ününün gittikçe daha yaygın bir hale geldiğini göstermektedir. Ayrıca, sonradan yetişen öteki Yunus'ların eserleriyle karışmamış iki nefesi kesinlikle büyük Yunus'un olduğunu gösteriyor.

Fetvada geçen ilâhilerin ilk parçalarını aşağıya alıyoruz. İkisi de kitabımızdadır.

---

(1) Daha geniş bilgi için bakınız: Cahit Öztelli, Şeyhülislâm Ebussuut Efendinin Fetvalarında YUNUS İLÂHİLERİ, Emre dergisi, sayı 16, Ağustos 1965.

(2) Bakınız: **Pir Sultan Abdal,** Türk Klasikleri Dizisi. Özgür Yayın Dağıtım, Kasım 1983, 475 sayfa.

Fetvada geçen yabancı sözlerin anlamı :

zaviye: küçük tekke - **mescid:** namaz kılınacak yer, küçük cami - **eşhas-ı muhtelife:** çeşitli kimseler - **oğlan:** erkek çocuk - **muhtelit olmak:** karış-

Canlar feda yoluna, bu can kayusu değil
Sen can gereksin bana, cihan kayusu değil

Aşkın aldı benden beni
Bana seni gerek seni
Ben yanarım dün-ü günü
Bana seni gerek seni

MOLLA MURAD'IN YUNUS'A METHİYESİ

Tekke musikisinde olduğu gibi, Tekke edebiyatı üzerinde de önemli etkisi olan Yunus'un şiirlerine pek çok nazireler yapılmış, kendisine methiyeler yazılmıştır. Bunlardan bulduğumuz bir tanesini örnek olarak veriyorum:

Bu methiyenin yazarı Molla Murad ilim ve irfan sahibi bir zat olup İstanbul'ludur. Nakşibend'î olup İstanbul'da kendi dergâhında irşat ve mesnevî okutmakla uğraşmıştır. Ölümü 1847'de İstanbul'dadır.

---

mak, birleşmek - **enva tegannniyat:** türlü müzik ve şarkı - **tevhit** etmek: birleşmek - **kelime-i tevhit:** Tanrı'nın birliğine ve Muhammed'in peygamberliğine şahadet sözü (lâilahe illallah, Muhammed-ün resulullah) - **tagyir:** değiştirme - **dil men:** gönlüm, benim gönlüm - **can men:** canım, benim canım - **ayan:** aşikâr - **pinhan:** gizli - **kayu:** kaygı - **evzâ:** haller, tavırlar, durumlar - **zaviye-i mezbure:** adı geçen zaviye - **Zeyd:** fetvalarda filan yerine kullanılır kelime - **makule:** çeşit - **akvâl-i mezbure:** daha önce söylenenler- **kemal mertebe:** son derece - **fuhuş:** haddini aşma - **kelime-i şenia:** fena, kötü söz - **küfr-i sarih:** açık dinsizlik, imansızlık - **mübah:** işlenmesinde günah ve sevap olmayan iş - **hikâyet olan:** anlatılan - **ef'al:** fiiller, işler - **akval:** sözler, lakırdılar - **mübâşeret:** işe başlama, girişme - **kabâyih:** yakışıksız, çirkin davranış, kabahatlar - **rücu:** dönme, geri dönme - **vâcib:** yapılması şeriatça lüzumlu olan, gerekli olan - **âyet-i kerime:** Kur'an'ın değerli sözü - «**Ve mâ halekat-el cin vel ins ilâ liya'budûn**» (Biz cin ve insanı kulluk «ibadet» etsinler diye yarattık.) Zâriyat Sûresi, 56. âyet.

Methiyenin üzerinde «Hazret-i Sultan-ül Âşıkîn» yazılıdır.

Ehl-i aşkın gülüdür Hazret-i Âşık Yunus
Bağ-ı Hak bülbülüdür Hazret-i Âşık Yunus

Mest-i lâ- ya'kıl eder dinleyeni nutku anın
Beli Hakk'ın mülidir Hazret-i Âşık Yunus

Bahr-i vahdette garîk-i ahadiyet oldu
Yemm-i vahdet selidir Hazret-i Âşık Yunus

Tuttu hep râyihası bağ-ı cihanı o gülün
Âşıkanın filidir Hazret-i Âşık Yunus

Dediler o habibin ilâhisi anın vardır hem
Filleri hep delidir Hazret-i Âşık Yunus

Binini gökte melekler, binini insan okur (1)
Böyle Hakk'ın kuludur Hazret-i Âşık Yunus

Binini kuşlar okur subh-ü mesâ zikr ederek (2)
Herkese sevgilidir Hazret-i Âşık Yunus

Nâmı âşıkla mülekkab dahi dervişle hem
Bağ-ı aşk sünbülüdür Hazret-i Âşık Yunus

Âşıkan cümle-i azâ gibidir bî-şüphe
Cümle uzvun dilidir Hazret-i Âşık Yunus

Yardım ister ki bilir böyle MURAD-ı nâşad
Âşıkanın elidir Hazret-i Âşık Yunus

(1x2) Molla Kasım'ın Yunus'un şiirlerini okurken yaktığı, suya attığına dokunuyor. Yunus'un şiirlerinden binini insanlar, binini melekler, binini de kuşlar okurmuş. Molla Kasım'ın:

Derviş Yunus bu sözü eğri büğrü söyleme
Seni sigaya çeker bir Molla Kasım gelür

beytiyle biten şiiri Yunus'un sanılarak bu rivayet uydurulmuştur. Ayrıca «Halkın Ermişi Yunus» bölümüne bakınız.

BU KİTAPTA tartışmalı konularda tarafsız kalarak yalnız belgelere ve gerçeklere değer verildi. En eski ve resmî belgeler birinci plânda tutuldu. O yolda değerlendirmeye çalışıldı. Bu arada çeşitli konularda yeni bilgiler de verildi.

Kitabın sonuna bir sözlük ile bir bibliyografya eklendi. Bunlar okurlara ve araştırma yapacaklara yardımcı olacaktır.

Bir de dil konusunda eski söylenişe değil, bugünkü söyleyişe yer verildi. Şöyle ki, geldüm yerine *geldim*, irdi yerine *erdi,* yir yerine *yer,* iy yerine *ey* demek daha uygun bulundu. Böyle yapılmasa okurlara alışkın olmadıkları bir metin verilmiş olunacaktı. Eski söyleyişin ancak dil bilginlerinin konusu olduğu düşünülerek böyle yapıldı.

Bunu yaparken eski sözlere dokunulmadı. Yalnız yeni yazmalarda eski metinlerden sadeleşmiş olarak görülenleri de almaktan çekinilmedi. Bunun okura daha yatkın geleceği bilinmektedir. Amaç, dil malzemesi vermek değil, daha iyi anlaşılır şiirler vermektir.

İLÂHİLER - NEFESLER

— 1 —

Gönül nice dolana mâşûkun bulmayınca
Kimse âşık mı olur gönülsüz kalmayınca

Boynu zencirli geldik, key katı yesir olduk
Er nazar eylemedi halimizi bilmeyince

Yedi nişan gerektir hakikata erene
Sevdiği girmez ele sevdikler vermeyince

Sözü YUNUS'tan işit kibir kılma tut öğüt
İmâret olmayasın tâ harab olmayınca

(7+7=14)

— 2 —

Zehî şirin huylu dilber ki bu dem durağı canda
Can evini ol almıştır çün dost sığar heman anda

Can içinde onu bilen ayrık yerde ne istesin
Onu taşra soranların ömrü geçti perâkende

Onu bana sorar isen benim yönüm ondan yana
Her ne hâle döner isem mihrim artadurur günde

Bu sûrette kim var dahi yönün ayrık yana döne
Benim varlığım dost aldı, eserimdir kalan bunda

Onu bana soranlara nice nişan eydiverem
Diliyle kim eydebile bu aşkın durağı kanda

Zehî ilâhî devlettir kime yoldaş olur ise
Kim dost ile sürdü aşkı bu arada bu mekânda

Dost yüzünü gören kişi kendözünü koyasıdır
Dünya tutagelen harif tutsak olur bu divanda

Gör nice şirindürür ki kocaları yiğit eyler
Ayılmadı esrikliği ne şur eyler bu meydanda

YUNUS gel gör âşıkları nice yavı varıpdurur
Dünya ahret elden koyup ne verende ne alanda
                                          (8+8=16)

— 3 —

Bî-mekânım bu cihanda
Menzil-ü durağım orda
Sultanım ki taht-u tacım
Hulle vü Burağ'ım orda

Eyyub'um, bu sabrı buldum
Circis'im ki bin kez öldüm
Ben bu mülke tenha geldim
Dükeli yarağım orda

Bülbülüm, uş öte geldim
Dilde menşûr tuta geldim
Burda miskim sata geldim
Geyiğim, otlağım orda

Kim ne bile ne kuşum ben
Şol ay yüze tutaşım ben
Ezelîden sarhoşum ben
İçmişim, ayağım orda

Deliyim, pendi tutmazam
Değme yere de gitmezem
İşbu sözü işitmezem
Velâkin kulağım orda

Sır sözü aşkâre denmez
Orda su oda göyünmez
Dün-ü gün yanar söyünmez
Bu benim çerağım orda

Ben bu mülke kıldım cevlân
Yedi kere vurdum seyrân
Muhammed nurunu gördüm
Benim de mekânım orda

Mansûr'um uş dâra geldim
Yûsuf'um pazara geldim
Arslanım, şikâra geldim
Velâkin yatağım orda

YUNUS çün bu fikre daldı
Cihanı ardına saldı
Vallahi hoş lezzet aldı
Dolmuştur damağım orda

— 4 —

Aşktan dâvâ kılan kişi hiç anmaya hırs-u hevâ
Aşk evine girenlere ayrık ne meyl-ü ne vefâ

İzzet-ü erkân, kamusu bunlardır dünya sevgisi
Benim cevabım sen eyit, aşka izzetimdir behâ

Dili ile aşk diyenler bilmezler aşk neydiğini
Aşktan haber eyitmesin kim dünya izzetin seve

Her kim izzetten geçmedi âşıklık bühtandır ona
Geçemez dost döşeğine at-u katır yahut deve

YUNUS'a âşık diyüben zinhâr özenip gelmegil
Çok bezirgân pişman olur varıcağız uzun yola

(8+8=16)

— 5 —

Kimin ne zehresi vardır sana kılınç yürütmeğe
Cümle âlem elindedir, kim ne bilir el katmağa

Veren alan sen olucak, kim cünbüş eyleye bile
Her kandasa kudret senin pîr-ü yiğit oynatmağa

Cümle hazneler senindir, kime dilersen veresin
Kimin ne zehresi vardır, destursuz adım atmağa

İki cihanın varlığın kudret eli tutupdurur
Yol yokturur kimseye sensiz bir adım atmağa

Cümle âlemin üstüne hayr u şerri saçan sensin
Hışm u rahmet havâledir kendi aslına katmağa

Tevfik inâyet olmasa kim sebep eyleyebile
Her kandasa kudret senin her işe el uzanmağa

İblis ü Âdem kim olur burda fodulluk eyleye
Yerli yerine sen kodun kul geldi kulluk kılmağa

Ey yârenler siz bu sözü dinlen gönül kulağıla
Can dudağı hâlis gerek aşk şarabını tatmağa

Bu dirliği duyan canın hiç fikri bunda değildir
YUNUS dilin yumuşdurur bu tevhidi ayıtmağa

(8+8=16)

— 6 —

Divâneler, divâneler
Durun durun, aşka salâ (1)
Aşk esriği mestâneler
Durun durun, aşka salâ (2)

Mest-i elestler kandaksız
Mestâne mestler kanatsız
Sâkî duruptur çanaksız (3)
Durun durun, aşka salâ

Merdâneler merdâneler
Erlik demi bu gündürür
Baş verüben can terkini
Vurun vurun, aşka salâ

_____
(1) Salâ: Buyur etme sözü, davet, çağırma, namaza çağırma duası.
(2) Durun: Kalkın. Durmak: Kalkmak.
(3) Çanak: Kadeh.

Ey nice hamle idelim
İşbu fenâdan gidelim (1)
Binin binin şevk atına
Sürün sürün, aşka salâ

Muhabbet yoluna girip
Aşktan dâvâ kılan kişi
Tân eylemiş âşıklara (2)
Görün görün, aşka salâ

Âkil ne bilir aşkı kim
Mağrur oluptur aklına
Aşkı bu gün bu *YUNUS*'a
Sorun sorun, aşka salâ

— 7 —

Anma mısın sen şol günü
Cümle âlem hayran ola
Nidesini bilmeyip
Bî-hôd-u ser-gerdân ola

İsrâfil sûrunu vura
Hep mahlûkat yerden dura
Derilüben haşre vara
Kadı anda Subhân ola

Zebânîler çeke tuta
İlete tamuya ata
Deri yana, süngük tüte
Katı ulu figan ola

---

(1) Fenâ: Dünya.
(2) Tân eylemek: Ayıplamak.

Mâlik çağıra tamuya
Çekip meydana getire
Tanrı korkusundan tamu
Zârı kılıp nâlân ola

Dağlar yerinden ayrıla
Gökler heybetten yarıla
Yıldızlar bağı kırıla
Düşe yere galtân ola

Yazıklarımız tartıla
Anca perdeler yırtıla
Bilmediğin günahların
orda sana ayan ola

YUNUS eydür işbu sözü
Erenlere toprak yüzü
Diler Hakk'ı göre gözü
İnâyet hem ondan ola

— 8 —

İki cihan zindan ise
Gerek bana bostan ola
İmdi bana ne gam gussa
Çün inâyet dosttan ola

Varam o dosta kul olam
Hem açılıban gül olam
Hem ötüben bülbül olam
Durağım gülistan ola

O dost yüzün gördü gözüm
Erenlere toprak yüzüm
Söz bilene benim sözüm
Gerek şekeristan ola

Her dâvâdan geçen kişi
Hak'tan yana uçan kişi
Aşk şarabın içen kişi
Geh esrik geh mestân ola

Henüz iki cihan benim
Zindanda görür bu gözüm
Senin aşkınla bilişem
Gerek hâsül hasdan ola

Kördür münâfığın gözü
Yarın kara kopar yüzü
Halkın bana acı sözü
Gerek şekeristan ola

Her dem yüzüm yere vuram
Allah'ıma şükür kılam
Ben benliğim dosta verem
Ne dâvâ-yi destan olam

Burda iken açgıl gözün
Der önüne kendi özün
YUNUS senin işbu sözün
Âlemlere destan ola

— 9 —

Bir şaha kul olmak gerek
Hergiz ma'zûl olmaz ola
Bir eşik yaslanmak gerek
Kimse elden almaz ola

Bir kuş olup uçmak gerek
Bir kenara geçmek gerek
Bir şerbetten içmek gerek
İçenler ayılmaz ola

Çevik bahri olmak gerek
Bir denize dalmak gerek
Bir gevher çıkarmak gerek
Hiç sarraflar bilmez ola

Bir bahçeye girmek gerek
Hoş teferrüç kılmak gerek
Bir gülü koklamak gerek
Hergiz ol gül solmaz ola

Kişi âşık olmak gerek
Ma'şûkayı bulmak gerek
Aşk oduna yanmak gerek
Ayrık oda yanmaz ola

YUNUS imdi var dek otur
Yüzünü hazrete götür
Özün gibi bir er getür
Hiç cihana gelmez ola

— 10 —

Anma mısın sen şol günü
Gözün nesne görmez ola
Düşe sûretin toprağa
Dilin haber vermez ola

Çün Azrâil ine tuta
Assı kılmaz ana, ata
Kimse doymaz o heybete
Halktan medet ermez ola

Oğlan gider danışmana
Salâdır dosta düşmana
Sonra gelmeyin pişmana
Sana assı kılmaz ola

Evvel gele şu yuyucu
Ardınca şu su koyucu
İletip kefen sarıcı
Bunlar halin bilmez ola

Ağaç ata bindireler
Sinden yana göndereler
Yer altına indireler
Kimse artık görmez ola

Üç güne dek oturalar
Hep işini bitireler
Ol dem dile getireler
Artık kimse anmaz ola

YUNUS miskin bu öğüdü
Sen sana versen yeğ idi
Bu şimdiki mahlûkata
Öğüt assı kılmaz ola

— 11 —

Acep acep ne nesnedir bu dert ile firak bana
Canımı sarhoş eyledi, aşk ağı vü tiryak bana

Kimin ki renci varısa derdine derman istesin
Kesti benim bu rencimi, derhan oldu bu dert bana

Aşk oduna yan der isen, gönüllere gir derisen
Karangılar aydın ola, ne kandil-ü çırak bana

Gökten inen dört kitabı günde bin kez okurısan
Erenlere münkir isen, dîdâr ırak senden yana

Miskin *YUNUS,* erenlere tekebbür olma, toprak ol
Topraktan biter küllisi, gülistandır toprak bana

(8+8=16)

— 12 —

Benem ol aşk bahrisi
Denizler hayran bana
Derya benim katremdir
Zerreler umman bana

Kaf Dağı zerrem değil
Ay-u güneş bana kul
Hak'tır aslım şek değil
Mürşittir Kur'an bana

Çün dosta gider yolum
Mülk-i ezeldir ilim
Aşktan söyler bu dilim
Aşk oldu seyran bana

Yok iken yol barigâh
Varidi ol padişah
Ah bu aşk elinden ah
Dert oldu derman bana

Âdem yaratılmadan
Can kalıba girmeden
Şeytan lânet olmadan
Arş idi seyran bana

Yaratıldı Mustafâ
Yüzü gül, gönlü safâ
Ol kıldı bize vefâ
Ondandır ihsan bana

Şeriat ehli ırak
Eremez bu menzile
Ben kuş dilin bilirim
Söyler Süleyman bana

YUNUS bu halk içinde
Eksiklidir, Hak bilir
Divâne olmuş çağırır
Dervişlik bühtan bana

— 13 —

Ey âşıklar, ey âşıklar
Aşk mezheb-ü dindir bana
Gördü gözüm dost yüzünü
Yas kamu düğündür bana

Ey padişah, ey padişah
Uş ben beni verdim sana
Genc-ü hazinem kamusu
Sensin benim önden sona

Evvel dahi bu akıl-u can
Senin ile asl-ı mekân
Âhir yine sensin mekân
Uş varuram senden yana

Senden sana varır yolum
Senden seni söyler dilim
İlle sana ermez elim
Bu hikmete kaldım tana

Artık bana ben demeyem
Kimseneye sen demeyem
Bu kul, o sultan demeyem
Varurem senden yana

Dost aşka ulaşalıdan
Dünya ahıret bir oldu
Ezel-ü ebed sorarsan
Dün ile bu gündür bana

Artık bize yas olmaya
Hiç gönlümüz pas olmaya
Zira Hak'tan gelen âvâz
Savulmaz düğündür bana

Ben aşkından ayrılmayam
Dergâhından ırılmayam
Eğer benden gider isem
Senin ile varam bana

Ol dost beni viribidi
Var dünyayı bir gör dedi
Geldim, gördüm hoş ârayiş
Seni seven kalmaz ana

Kullarına vâdeyledi
Yarın uçmak verem dedi
Ol dostların sevindiği
Yarınım bu gündür bana

Bu âhile, bu zârile
Bu hikmeti kim ne bile
Bilse dahi gelmez dile
Tuttum yüzüm senden yana

Sensin bana can-u cihan
Sensin bana genc-i nihan
Sendendürür assı ziyan
Ne işe gele benden bana

YUNUS sana tuttu yüzün
Unuttu cümle kendözün
Cümle sana söyler sözün
Söz söyleten sensin bana

— 14 —'

Hoştur eğer yürür isem aşk oduna yana yana
Bes yanmadan nice olam, çün aşk odu düştü cana

Bu işler tamam olıcak, halvet olur ma'şûk ile
Ma'şûk yüzün gören kişi gerek yana vü tükene

Her nesne çiğ olıcağız, od olmayınca pişmez ol
Benim dirliğim çiğ idi, aşk odu oldu bahane

Benim dost ile pazarım yaradılalıdan değil
Sever idik ma'şûkayı henüz gelmeden cihana

Aşk sultanı Taptuk'durur, YUNUS kuldur ol kapıda
Gedâlarına lütfetmek hem kaidedir sultana

(8+8=16)

— 15 —

Ben dost ile dost olmuşum
Kimseler dost olmaz bana
Münkirler bakıp gülüşür
Selâm dahi vermez bana

Ben dost ile dost olayım
Canımı fedâ kılayım
Ölmezden evvel öleyim
Dünya bâki kalmaz bana

Terk eyledim cümle işi
Hak yoluna kodum başı
Dost yüzünü göreliden
Sabr-ü karar olmaz bana

Ben âşık-ı bîçâreyim
Baştan ayağa yareyim
Ben bir deli dîvâneyim
Akıl da yâr olmaz bana

Aşk odu yaktı canımı
Kimseler bilmez halimi
Seçemem soldan sağımı
Gayret-ü âr olmaz bana

Sanmanız beni deliyim
Dost bahçesi bülbülüyüm
Mevlâ'nın kemter kuluyum
Kimse bahâ vermez bana

Ey bîçâre âşık, kimden
Korkar senin canın acep
Korktuğun da dost olıcak
Havf ile kâr olmaz bana

Bülbül oluban öterim
Dâyim oturup ağlarım
Dahi kime yalvarayım
Hemen derman sensin bana

Bülbül oluban öterim
Dost bahçesinde biterim
Gül alırım, gül satarım
Bağ-u bağban olmaz bana

Miskin *YUNUS* nice diyem
Fânî cihanı terk idem
Yana yana Hakka gidem
Perde hicab olmaz bana

— 16 —

Hey yârenler gelin görün
Ben yine oldum divâne
Ne dünüm dün, ne günüm gün
Bir oddurur düştü cana

Bu dünya dönmüş zindana
Koydular bizi zindana
Zindanda gülmek mi olur
Yürüyeyim yana yana

Dünyada dertsiz baş olmaz
Derd'olanın âhı dinmez (1)
Yanar yüreğim söyünmez
Yaram erişmiştir cana

Ben bir garipçe bülbülüm
Gülistana güle geldim
Dilerdim avunam gülem
İnlemem doldu cihana

---

(1) Derd'olanın: Doğrusu, «derdi olanın.» Vezin için böyle.

YUNUS EMREM bu dünyada
Kim güldü ki sen gülesin
Küllî hep ağlayı geçti
Kim geldi ise cihana

— 17 —

Gönlümü mekân eyledi
Dost elçisi kona kona
Bir dem dilim tutar isem
Söyletirler yana yana

Derdim kime söyler isem
Nicesi şerh eyleyeyim
Dosttan gelen âvaz, benim
Yakar içim döne döne

Aceplerim şol kimseyi
Acep gelir hem sözleri
Dervişim, der dâvâ kılar
Yatar uyur kana kana

Akşam olur, gün dolunur
Sabah olur yine doğar
Bu ikisi arasında
Geçer ömrüm dine dine (1)

Ey bîçâre miskin *YUNUS*
Gafil olma, dur gözün aç (2)
Ecel eli uzun olur
Bir gün erer suna suna (3)

_____

(1) Dine dine: Dinlene dinlene.
(2) Dur: Kalk. Durmak: Kalkmak.
(3) Suna suna: Uzana uzana. Sunmak: Uzanmak, uzatmak.

Dosttan haber kim getirir
Sorun seher yellerine
Vay bu ayrılık fırakı
Yetişmesin kullarına

Bu ayrılıklar fırakı
Dünya kime kalır bâkî
Ol padişah olup sâkî
Kadeh sunar kullarına

Ol kadehin içi dolu
İçen ondan olur deli
Ol şeyhimin tâlibleri
Bel bağlamış yollarına

Nefse karşı olan kişi
Durmaz akar gözü yaşı
Burda nefse uyan kişi
Dalmaz kevser sularına

Kevser havzuna dalanlar
Ölmezden öndün ölenler
Nefsini düşman bilenler
Konar Tûbâ dallarına

Tûba dalından uçanlar
Cennet kapısın açanlar
Şarabun tahur içenler
Banmaz dünya ballarına

Bîçâre YUNUS neylesin
Derdini kime söylesin
Bir dem tefekkür eylesin
Bu dünyanın hallerine

Sana derim ey velî
Dur erte namazına
Eğer değilsen ölü
Dur erte namazına

Ezan okur müezzin
Çağırır Allah adın
Yıkma dinin bünyâdın
Dur erte namazına

Ağar pervâza kuşlar
Tesbih okur ağaçlar
Himmet alan kardaşlar
Dur erte namazına

Namazı kıl zikreyle
Elin götür şükreyle
Öleceğin fikreyle
Dur erte namazına

Namaz kıl yarağ olsun
Ahrette gerek olsun
Sinlikte çerağ olsun
Dur erte namazına

Namaz kıl imâm ile
Yatmagıl güman ile
Gidesin îman ile
Dur erte namazına

Çıka gide can dahi
Şöyle kala ten dahi
Derviş *YUNUS* sen dahi
Dur erte namazına

Ol kişinin yoktur yeri, işbu cihan hayran ona
Demesin kim ben şâdiyem, ya şadilik kandan ona

Şeddad yaptı uçmağını, girmeden aldı canını
Bir dem aman verdirmedi, yedi iklim tutan ona

Demesin kim Müslümanım, Çalap emrine fermanım
Tutmaz ise Hak sözünü, fayda yoktur dinden ona

Ayıtmasın çün gün doğar, etim tenim üşütmeye
Çün vücudun delik değil şu'le ermez günden ona

Er donunu geyübeni doğru yola gelmez ise
Çıkarsın ol donun yoksa noksan erer dondan ona

Ol kişi kim sağırdurur, söyleme Hak sözün ona
Ger derisen zâyi olur, nasip yoktur sözden ona

Ol kişi kim yol eridir, garip gönüller yâridir
Bir söz diyem tutar ise, yeğdir şeker baldan ona

YUNUS senin kulundurur, belli bilesin sen onu
Ko söyleyenler söylesin, ya ne pişer dilden ona

— 21 —

Âlem düşman olur ise
Beni dosttan ırımaya
Dost kanda ise ben anda
Düşmanlık ayıramaya

Dost ehli bizim ile hem
Dost burdadır bize ne gam
Yüz bin cehd ederse düşman
Dost mahfili duramaya

Düşman bana nidebile
İşim gücüm dosttan yana
Dost makamı can içinde
Düşman eli eremeye

Sultanlar âcizdir anda
Ne gönüldedir ne canda
Mahrumdur iki cihanda
Ki dost yüzün göremeye

Kime kim dost kapı aça
Düşmanı elinden kaça
YUNUS ağzı güher saça
Değme ârif deremeye

— 22 —

Bir imâret göster bana kim sonu vîrân olmaya
Kazan şol malı kim senden dökülüp geri kalmaya

Dökülüp kalısar malın, ayrıklar ala helâlın
Senden geri kalan malın sana assısı olmaya

Ol malın ki Halil'indir, hayırlara yelter seni
Ol malın ki Karûn'undur, assı hiç rahat bilmeye

İsrâfil sûrunu vura, dağlar tepeler sürüle
Bir karınca cevabını bin Süleyman veremeye

Bu dünya hep ıssız kala, altını malı döküle
Sebil olubanı yata, hergiz issi bulunmaya

Hey *YUNUS EMRE*, ölünce var yürü doğru yolunca
Dünyasını terkedenler yarın hazrette ölmeye

— 23 —

Aşk eteğin tutmak gerek, âkibet zevâl olmaya
Aşktan okuyan bir elif, kimseden suâl olmaya

Aşk dediğin duyar isen, aşka candan uyar isen
Aşk yoluna candır fedâ, ona fedâ mal olmaya

Asilzâdeler nişanın eğer bilmek diler isen
Özü oğlan da olursa sözünde vebâl olmaya

Âriflerden nişan budur, her gönülde hâzır ola
Kendini teslim eyleye, sözde kıyl-ü kal olmaya

Görmez misin sen arıyı her bir çiçekten bal eder
Sinek ile pervânenin yuvasında bal olmaya

Dürr-ü gevher ister isen âriflere hizmet eyle
Cahil bin söz söyler ise mânâda miskal olmaya

Miskin *YUNUS* zehr-i katil aşk elinde tiryak olur
İlm-ü amel, züht-ü tâat bes aşksız helâl olmaya

— 24 —

Bir kez yüzünü gören ömrünce unutmaya
Tesbihi sen olasın, ol ayrık din tutmaya

Tâat eden zâhide nazarın erer ise
Unuta tesbihini, mihraba secdetmeye

Ağzına şeker alıp gözü sana tuş olan
Unuta şekerini, çiğneyüben yutmaya

Ben seni sevdiğime bahâ dilerler ise
İki cihan mülkünü verip bahâ yetmeye

İki cihan dopdolu bağ-u bostan olursa
Senin kokundan yahşi gül-ü reyhân bitmeye

Sekiz uçmak hûrisi bezenip gelir ise
Senin sevginden artık gönlüm kabul etmeye

Gül-ü reyhan kokusu âşık ile ma'şûktur
Âşıkın ma'şûkası hiç gözünden gitmeye

İsrâfil sûr vurucak, mahluk yerden durucak
Senin ününden artık kulağım işitmeye

Zühre gökten inüben sazın nevaht ederse
İşretim sen olasın, gözüm senden gitmeye

Niderler hânümânı, sensiz cân-u cihanı
Yeğsin iki cihandan, kimse güman tutmaya

YUNUS seni seveli beşâret oldu canı
Her dem yeni dirlikte ömrünü eksitmeye

(7+7=14)

— 25 —

Uş yine nazar oldu bu bizim canımıza
Muhammed bünyâd vurdu dîn-ü êmânımıza

99

Peygamberler serveri, din direği Muhammed
Gör ne gevherler komuş bu bizim kânımıza

Hey gel amel edelim elimiz erer iken
Ecel erer ansızın, ermeyiz sanımıza

Ey diriga nidelim, bizde amel olmazsa
Hışm edip yapışalar bu kefen donumuza

Sorucular geleler, soru hesap alalar
Karanu sin içinde otura yanımıza

Ölüm haktır bilirsin, niçin gafil olursun
Azrâil kasd ediser günahlı tenimize

Miskin *YUNUS* bu sözü kendözünden eyitmez
Hak Çalap viribidi sabakın dilimize

(7+7=14)

Gider idim ben yol sıra
Yavlak uzamış bir ağaç
Böyle lâtif, böyle şirin
Gönlüm eydür birkaç sır aç

Böyl'uzamak ne ma'nidir (1)
Çünkü bu dünya fânidir
Bu fodulluk nişanıdır
Gel beri miskinliğe geç

Böyle lâtif bezenüben
Böyle şirin düzenüben
Gönül Hakk'a özenüben
Dilek nedir, neye muhtaç

Ağaç karır, devrân döner
Kuş budağa bir kez konar
Dahi sana kuş konmamış
Ne güvercin, ne hod dürraç

---

(1) «Böyl'uzamak» vezin için böyle okunacak. Doğrusu «böyle uzamak» tır.

Bir gün sana zevâl ere
Yüce kaddin ine yere
Budakların oda gire
Kaynaya kazan, kıza saç

YUNUS imdi sen bir nice
Eksikliğin yüz bin onca
Kuru ağca yol sorunca
Teferrücle yoluna geç

Bir ay gördüm bu gece, kamu burçlardan yüce
Esritti gönlüm canım, bilmezem hâlim nice

O ayın şûlesinden âlem münevver olur
Gönlümdeki çerağı nûr etti ulu Hoca

Nûr Muhammed nûrudur, Halilullah sırrıdır
Sanasın kim açıldı uçmaktan bir derîçe

Müddeî bizi görmez, gözüne girersevüz
Gerekse yüz kez varsın Kâbe'ye ulu hacca

Âşıkların sözünden, kan yaş akar gözünden
Bülbüller söyleşicek nöbet değmez dürraca

Kuru ağca niderler, kesip oda yakarlar
Her kim âşık olmadı, benzer kuru ağaca

YUNUS'u öven övsün, sövenler dahi sövsün
Aşk ile yola geldik, yatalım erte gece

(7+7=14)

Ben burda durur değilim
Dost katına varmayınca
Gussadan gönlüm açılmaz
Dostun yüzün görmeyince

Yâre ben Eyyub değilim
Bunca derde sabredeyim
Şu denli dert ile yanam
Tâ derman ele girince

Yâre ben Yakub değilim
Ağlamaktan kör olası
Ağlamak bana yaraşır
Tâ Yusuf'umu bulunca

Yâre ben Yusuf değilim
Ki bezirgâna kul olam
Şu denli kulluk eyleyim
Tâ Mısr'a sultan olunca

Abdürrazzak'ı gör netti
Palas geydi, hınzır güttü
Dinin imanın terk etti
Tâ mâşuk ele girince

Ey bana ta'na vuranlar
Bu aşka haram diyenler
Ey YUNUS, fâsık olmak yeğ
Aşksız müslüman olunca

Aklım başıma gelmedi aşk şarabın tatmayınca
Kandeliğimi bilmedim gerçek ere yetmeyince

Kendi bilisiyle kişi hiç erişe mi menzile
Allah'a eremez kalır, er eteğin tutmayınca

Ger din îman gerek ise iyi diril bu dünyada
Yarın anda bitmez işin bu gün bunda bitmeyince

Bülbül dahi âşık güle, nazar Hak'tan olur kula
Bir keleci gelmez dile gönüllerde yanmayınca

Gönüldeki bu râzımı sakınmaz derdim sözümü
Âşık ne katlanır söze, aşk metaın satmayınca

Bîçare YUNUS'un sözün key âşık gerek anlaya
O kuş dilidir neylesin öğütlenmez ötmeyince

(8+8=16)

Hak ile pazarım, bile gezerim
Dayim sezerim, Hak bendedir bende
Ben yadda kaldım, kalbe sakladım
Sıdkım pakladım, Hak bendedir bende

Ateşe girersem yanmazam asla
Hem zehir yer isem ölmezem asla
Hak'tan ayrı mıyım, sanmazam asla
Pek çok yokladım, Hak bendedir bende

Burası nâdana pek uzacıktır
Züht-ü takva insana tuzacıktır
Mürşide hizmeti bir mezeciktir
Nutku hakladım, Hak bendedir bende

Bil'olunca Allah, yanar mı YUNUS (1)
Doymayınca kalbi, kanar mı YUNUS
Kırk yıllık hizmetten döner mi YUNUS
Onu sakladım, Hak bendedir bende

Emr Resûl'dan asla şaşamaz YUNUS
Tefrik zümresine düşemez YUNUS
Nur-u Muhammed'siz coşamaz YUNUS
Bir kucakladım, Hak bendedir bende

(6+5=11)

— 31 —

Ey aşk delisi olan, ne kaldın perâkende
O seni deli kılan gene sendedir sende

Dünya âhiret ol Hak, yer gök doludur mutlak
Hiç gözlere görünmez, kim bilir ne nişanda

Ger meyhâneye vardım, onsuz yer göremedim
Yine ona sataştım, girdim ise külhanda

Her kim aradı cismin, cisminde buldu hasmın
Ne dünya ahret ona, ne assı ne ziyanda

_____
(1) Bil'olunca: Bile olunca, birlikte olunca.

Bir nicesine kaç der, bir nicesine tut der
Kaçanla bile kaçar, bile durur duranda

Bir nice kullarını giriftar eden oldur
Medet edip erişen oldur gene zindanda

Aydurlar, miskin YUNUS niçin deli oldun sen
Ne akl-u fehim kalsın işbu sırrı duyanda

(7+7=14)

— 32 —

Adım adım ileri
Beş âlemden içeri
On sekiz bin hicabı
Geçtim bir dağ içinde

Yetmiş bin hicab geçtim
Gizli perdeler açtım
O dost ile buluştum
Gördüm bir dağ içinde

Gözler gibi görmedim
Söz gibi söyleşmedim
Mûsâ gibi münâcat
Ettim bir dağ içinde

Gökler gibi gürledim
Yerler gibi inledim
Sular gibi çağladım
Aktım bir dağ içinde

Bir döşek döşemişler
Nur ile bezemişler
Dedim, bu kimin ola
Sordum bir dağ içinde

Ayrılmadım pîrimden
Ayrılmadım şeyhimden
Aşktan bir kadeh aldım
İçtim bir dağ içinde

Vardım, ileri vardım
Levhi elime aldım
Âyetlerin okudum
Yazdım bir dağ içinde

Kalbten büyük dağ olmaz
O Allah'a doyulmaz
Sohbetine kanılmaz
Erdim bir dağ içinde

Açtım Mekke kapısın
Duydum o dost kokusun
Erenlerin hepisin
Gördüm bir dağ içinde

YUNUS eydür, gezerim
Dost iledir pazarım
O Allah'ın didârın
Gördüm bir dağ içinde

— 33 —

Âşık oldum bu gün meydan içinde
Benim hey, pehlivan merdan içinde

Bu dem aşkın suyuyla gayrı yudum
Acep ârif benim irfan içinde

Bugün aşk bahrının gavvası oldum
Güherler bulmuşum umman içinde

Benim bu gün harabât-u melâmet
Benim ol yürüyen seyrân içinde

Eğerçi küfr donun geydi sûret
Gönül, canı görür imân içinde

Eğer ârif isen bilgil ki binâ
Geri kendisidir dükkân içinde

Onu isteyici çoktur velâkin
Benim mahrem hemen mihmân içinde

YUNUS, aşk ile kaimdir bu âlem
Onunçün devreder devran içinde

(6+5=11)

['Mefâîlün Mefâîlün Faûlün' ölçüsüne de
uyuyor.]

— 34 —

Geldik idi dünyaya
Biz de zaman içinde
Ömrüm de geldi geçti
Güman, yaman içinde

Ermedim, usanmadım
Öleceğim sanmadım
Gözlerim gerek oldu
Kaldı duman içinde

Var ey ahî, sinleri
Gör'e şu ölenleri
Ciğer büryan olmuş
Yatar, gör kan içinde

YUNUS'layın kemter kul
Değmez Tanrı'ya bir pul
Onun değil bu usûl
Üstat var can içinde

— 35 —

Gelin bir nazar eylen
Noldu cihan içinde
Niceler toprak oldu
Bu az zaman içinde

O taze güller soldu
Bülbüller ötmez oldu
Ata, ana zâr oldu
Kaldı zindan içinde

Canları oda yandı
Kuzuların kurt aldı
Ardınca baka kaldı
Zâr-ü figan içinde

Ey nice yârenleri
Hasret kaldı canları
Meğer ki buluşalar
Yarın cinân içinde

O ipek don geyenler
Hiç toz kondurmayanlar
Çürüyüp toprak olmuş
Tenler kefen içinde

O gözler ve o kaşlar
O inci gibi dişler
O tenler ve o saçlar
Yılan, çıyan içinde

Kamu çürümüş eller
O dudak ve o diller
O sevgili oğullar
Kalmış toprak içinde

Bu dünyaya inanma
Vefâsın bulam sanma
Ömrün veren ziyana
Çoğu pişman içinde

Dünyayı bî-vefâ bil
Aç gözünü yarağ kıl
Sen dahi ölürsün bil
Kalma güman içinde

YUNUS söyle sözünü
Yavı kıl kendözünü
Ağardı-gör yüzünü
Koma firak içinde

— 36 —

Can olgıl can içinde, kalma güman içinde
İstediğin bulasın yakın zaman içinde

Rükû, sücûda kalma, ameline dayanma
İlm-ü amel gark olur, nâz-u niyâz içinde

İkiliği terk etgil, birlik makamın tutgıl
Canlar canın bulasın işbu dirlik içinde

Oruç, namaz, zekât, hac cürm-ü cinâyetdurur
Fakir bundan azattır hass-ı heves içinde

Şeriat korucudur hakîkat ordusunda
Senin içün korunur hâsıl ordu içinde

Aynel-yakıyn görüptür, *YUNUS* mecnûn oluptur
Bir ile bir oluptur Hakkal-yakıyn içinde

$$(7+7=14)$$

— 37 —

On sekiz bin âlem halkı cümlesi bir içinde
Kimse yok birden ayrı söyleyen dil içinde

Cümle bir onu birler, cümle ona giderler
Cümle dil onu söyler, her bir tebdil içinde

Cümle göz onu gözler, kimse yok nişan verir
Gören kim, gösteren kim, kaldık müşkil içinde

Kim gördü onu ayân, ne nakş-u ne hod nişan
Sözü «len terânî»dir Mûsâ'ya Tûr içinde

Doksan bin Hak kelâmı, altmış bini hâs-u âm
Otuz bini hâssül-hâs, otuz bin sırr içinde

Oldurur ol gizli söz, ârif söyler dün gündüz
Hiç nişanı denmedi hûr-u kusûr içinde

YUNUS sen diler isen, dostu görem der isen
Ayandır görenlere ol gönüller içinde

(7+7=14)

— 38 —

İstediğimi buldum eşkere can içinde
Taşra isteyen kendi kendisi ten içinde

Kayımdurur ırılmaz, onsuz kimse dirilmez
Adım adım yer ölçer, kendi revan içinde

Bu tılsımı bağlayan, cümle dilde söyleyen
Yere göğe sığmayan, girmiş bu can içinde

Uğru olmuş uğrular, gene kendiyi tutar
Şahne kendisi olmuş, kendi zindan içinde

Tutun diyë çağırır, uğru dahi çığırır
Bu ne acayip uğru, bu çağıran içinde

Siyaset meydanında kalabadan bakan o
Siyaset kendi olmuş, girmiş meydan içinde

Tartmış kudret kılıcın, çalmış nefsin boynuna
Nefsini tepelemiş elleri kan içinde

Sayrı olmuş iniler, Kur'an ününü dinler
Kur'an okuyan kendi, kendi Kur'an içinde

Türlü türlü imâret, köşk-ü saray yapan ol
Kara nikap tutunmuş girmiş külhan içinde

Baştan ayağa değin Hak'tır ki seni tutmuş
Hak'tan ayrı ne vardır, kalma güman içinde

Bir isen birliğe gel, ikiyi elden bırak
Bütün ma'nî bulasın sıdk u îman içinde

İşit işit key işit mârifet ârif dili
Mârifetin mekali ilm-i Kur'an içinde

Girdim gönül şehrine, daldım onun ka'rına
Aşk ile seyrederken iz buldum can içinde

Ol izi ben izledim, sağım solum gözledim
Çok acayipler gördüm, yoktur cihan içinde

YUNUS senin sözlerin ma'nîdir bilenlere
Söyleyeler sözünü devr-ü zaman içinde

(7+7=14)

— 39 —

Ey kopuz ile çeşte, aslın nedürür işte
Sana sual sorarım, eydiver bana uş de

Eydür ki, aslım ağaç, koyun kirişi birkaç
Gel işretim dinle geç, aklı koma beleşte

Eydirler bana, haram, ben uğruluk değilim
Çünkü aslım mısmıldır, ne varımış kirişte

Bana kiriş dediler, aşka giriş dediler
Benim adım aşk verdi, ben durmazam kolmaşta

Şâdilik ile geldim, işbu âleme doldum
Mürvetlere düzüldüm, kodular işbu düşte

Ağaç, deri derildi, kiriş ile bir oldu
Aşk denizine daldı, bahane yok bu işde

Mevlânâ sohbetinde saz ile işret oldu
Ârif mânâya daldı, çün biledir ferişte

Ferişteyi anmaktan bilesin murat nedir
Gece gündüz biledir senin ile her işde

Ol ferişteler adı «Kirâmen Kâtibîn»dir
Yazmaktan usanmazlar, ırmazlar yazda kışta

Birisi sağ omzunda, birisi sol omzunda
Birisi hayrın yazar, birisi şer cünbüşte

Kâğıtları tükenmez, ne hod mürekkepleri
Aşınmaz kalemleri, káyımlardır ol işde

Hem meyhâneye varır, hem puthâneye girer
Bunlar saklarlar seni, sen gafilsin bu işde

YUNUS imdi suphânı vasfeylegil gönülde
Ayrı değil âriften bu kopuz ile çeşte

(7+7=14)

Sensiz yola girer isem çârem yok adım atmağa
Gövdemde kuvvetim sensin, başım götürüp gitmeğe

Gönlüm, canım, usum, bilim senin ile karar eder
Can kanadı sevi gerek uçuban dosta gitmeğe

Kendiliğinden geçeni doğan edinir ma'şûku
Ördeğe, kekliğe çözer suda yüzeni tutmağa

Bin Hamza'ca kuvvet vermiş Ganî Cebbâr aşk erine
Dağları yerinden ırdı, yol eyler dosta gitmeğe

Yüz bin Ferhat külüng almış, kazar dağlar bünyâdını
Kayalar kesip yol eyler, âb-ı hayat akıtmağa

Âb-ı hayatın çeşmesi âşıkların visâlidir
Kadehi dolu yürütür susamışları yakmağa

Yedi veylin tamusunu kül eyler âşıklar âhı
Kasdeder sekiz uçmağı, nûr edip nûra katmağa

Âşık mı diyem ben ona Tanrı'nın uçmağın seve
Uçmak dahi bir tuzaktır, müminler canın tutmağa

Âşık olan miskin olur, Hak yoluna teslim olur
Her ne dersen boyun tutar, çare yok gönül yıkmağa

Bildin, gelenler geçtiler, gördün konanlar göçtüler
Aşk şarabın içen canlar uymaz geçmeğe konmağa

Tutulmadı YUNUS canı, geçti tamudan uçmaktan
Yola düşüp dosta gider, hem aslına uyakmağa

(8+8=16)

— 41 —

Ben dost içün ağlar isem gözüm yaşını kim sile
Ya bunca ah-u zâr ile bu göz yaşı becit gele

Ey yârenler, ey kardaşlar kime diyem ahvâlimi
Ya şu benim bu derdimin dermanını kim ne bile

Âlem derman olur ise sensiz derman olmayısar
Sensiz derman nice ola çün gönülde dost sevile

Ölüp sine girer isem etim tenim çürümeye
Ayrılmayam sevdiğimden çün giderim sevgi ile

Ahd-ı sâbık denilmeden, henüz elest buyrulmadan
Ol ben idim, ben ol idi, şimdi nicesi kesile

Yârenlerim eydür bana, seni niçün göremedim
Firkata düştü sûretim bir menzilden bir menzile

Ol dost ile benim işim, ölüp dahi bitmeyiser
Ben nice ola kim bite çün gönülde dost sevile

Yarın mahşer kopacağız kamu kul nefsim deyiser
Ben YUNUS'u hiç anmayan Taptuğ'u getirem dile

(8+8=16)

— 42 —

Dirliğim ne idüğün aydayım kıldan kıla
Irak yakın işite, hass-u âm cümle bile

Hass-u âm, mutî'âsî, dost, kuludur cümlesi
Kullar yol vermeyince şahı kim görebile

Dosta gidenin yolu gönül içinden geçer
Bir amel eylemedim, gireyidim gönüle

Dosta giden kişiler unutur kendözünü
Ben nereye varırsam beni ileten bile

Senlik, benlik olıcak iş ikilikte kalır
İkilik tutan kişi nice birike birle

Bundan böyle dost ile bilmezem nolasını
Şimdiye değin ömrüm geçmiş yok sevdayile

Bu kıssam uzundurur nice tüketebilem
Hangi bir eksikliğim getirebilem dile

Yetmiş iki milletin ayağın öpmek gerek
Onun için ma'şûka, cümle millette bile

Âşık imişse *YUNUS* vuslat bulaydı bu gün
Aşk nice karar kılsın yarınki vâdeyile

(7+7=14)

— 43 —

Âşık oldum erene ermek ile
Hakk'ı buldum ben eri görmek ile

Ere erdim, erde buldum maksûdum
Bulamadım taşradan sormak ile

Ne yere baktım ise er oturur
Gönlün aldım, yüz yere sürmek ile

Hak'tan imiş canlara cümle nasib
Olmaz imiş Kâbe'ye varmak ile

Eşiğindir Kâbe bilirsen senin
Bulamadım yol çekip armak ile (1)

Beni gören bir pula saymaz idi
Şimdi gören gösterir parmak ile

Bir göl idim, kıldı erenler nazar
Deniz oldum dört yana ırmak ile

Geldi ün *YUNUS* deyü, durdum uru
Gözüm açtım, kulağım burmak ile

— 44 —

İçin dışın murdar iken
Dost neylesin senin ile
Gönlün gözün nefs-ü heva
Aşk neylesin senin ile

Zâkir ile yoldaş olup
Sâdıklara yâr olmadın
Olmaz yere verdin gönül
Dost neylesin senin ile

Dünya gözün rûşen edip
Gönül gözün kör eyledin
Zulmet dolucak gönlüne
Nur neylesin senin ile

---

(1) Armak, vezin için böyle yazılmıştır. Doğrusu «aramak»tır. Vezni:
Fâilâtün Fâilâtün Fâilün.

Gerçek ere derviş gerek
Doldu cihan dâvâ ile
Duydun ise aslın işin
Kal neylesin senin ile (1)

Dervişliği sanma hemen
Olur sûret düzmek ile (2)
Dilde ise senin işin
Hal neylesin senin ile (3)

YUNUS EMRE hoş dert ile
Merdâne sür devranını
Hemrâh isen dost yoluna (4)
Ar neylesin senin ile (5)

— 45 —

Derviş olan kişiler acep nice dirile
Yok takazası budur bir ola her bir ile

İkilik eylemeye, hiç yalan söylemeye
Âlem bulanır ise bulanmadan durula

Acep öyle kim ola, bulanmadan durula
Öylelik ister isen yoldaş olgıl er ile

Erile yoldaş olan key olası gönülden
Âlem yoldaş olurdu olur ise dil ile

---

(1) Kal : Söz (l ince söylenir).
(2) Sûret düzmek : Kılık kıyafet yapmak, düzmek.
(3) Hal : İç coşkunluğu.
(4) Hemrâh : Yol arkadaşı, aynı yolu tutan
(5) Ar : Utanma, utanma hali.

Dilden nesne gelemez, su ile gönül yunmaz
Gerçeğin gelenleri yederler bir kıl ile

Dün-ü günün çekerler o kıl üzülsün deyi
Ömrün anda berkitmiş yedilir bir kıl ile

İnce sanman ol kılı, güzaf sanman bu yolu
Erenler geçti geldi, herbiri bir hal ile

Her kim hâli hallendi, ol bey oldu kullandı
YUNUS sen kul olugör, bey söyleşir kul ile

— 46 —

Gitti bu kış zulmeti, geldi bahar yaz ile
Yeni nebatlar bitti, mevc vurdu hep naz ile

Yine mergizar oldu, uş yine gülzar oldu
Ter nağme düzer oldu, musikide saz ile

Kim görmüştür baykuşun gülistana girdiğin
Leylekler zikredermiş bir lâtif âvaz ile

Ya nice saklar isen dürdane gevher olmaz
Keklik keklikler ile, hemişe bâz bâz ile

El kuşu elden ele, gül kuşu gülden güle
Baykuş virane sever, şahinler pervaz ile

Nerde ki bir gövde var, akbaba orda üşer
Duduları kafeste beslerler şeker ile

Her şahsa kendi tüşün, kendiye tüş eyledi
Sadıklar ikrar ile, sofular namaz ile

Cahil münafık, münkir, cümle aklına şakir
Âşıklar dîdâr sever, ârifler niyaz ile

Dervişlik dedikleri dilde haber değildir
Hak ile Hak olana orda menzil düzüle

Ben dervişim diyenler, yalan dâvâ kılanlar
Yarın Hak dîdârını görmeyecek göz ile

İlm-ü amel ne fayda bir gönül yıktın ise
Ârif gönül yaptığı beraber Hicaz ile

Uğrular uğru ile, doğrular doğru ile
Yalan yalanı sever, gammazlar gammaz ile

Kimi dükkânda bakar, kimisi hoşluk sever
Kimi bir pula muhtaç, kimisi can bâz ile

Ulu divan kurula, orda kulluk sorula
Bin tekebbür varmaya bir garip nevâz ile

Kula nasip değicek sultan elden alamaz
Zülkarneyn'i neyledi, ya Hızr-u İlyas ile

Görmez misin Edhem'i, tac-u tahtı terk etti
Hak katında hâs oldu, bir eski palas ile

Aşk yağmuru damlası gönül göğünden damlar
Sevgi yeli getirir yağmuru ayaz ile

YUNUS imdi gam yeme, nidem, ne kılam deme
Gelir kişi başına ezelden ne yazıla

(7+7=14)

122

Görenin hali döner
Nişansız bî-nişana
Esrittin cümle halkı
Sırf içildi peymâne

Sen bî-sıfat sıfatsın
Bî-nihayet nihansın
Âşıklara devletsin
Meşhur oldun cihana

Sözün işiten kulak
Kendüden gitti andak
Cümle gönüller mutlak
Saddak dedi burhana

Seninle bir dem birlik
Odur cihanda erlik
Senden ayrıksı dirlik
Oldu kamu efsâne

Senin hikmetin ırak
Sensin canlara durak
Sen yandırdığın çırak
Ebedî ömür yana

Hâssül-havâs bâbısın
Âşıklar kitabısın
Mutlak dîdâr kapısın
Göricek mahluk tana

Yer gök kayim durduğu
Denizler mevc vurduğu
Cennet-ü hûr olduğu
Cümle sana bahane

Dahi yer gök yoğ idi
Cümle söz mensûh idi
Âşıklar tapar idi
O bî-nişan Subhâna

Bu göz kendözün görmez
Nişan nişanın vermez
YUNUS'un aklı ermez
Eren oldu dîvâne

— 48 —

Gene bu bâd-ı nevbahar
Hoş nev'ile esti gene
Gene kışın soğukluğu
Fodulluğun kesti gene

Gene rahmet-i bî-kıyas
Gene işret oldu dem-sâz
Gene geldi bu yeniyaz
Kutlu kadem bastı gene

Gene yeni hazineden
Yeni hil'at geydi cihan
Gene verildi yeni can
Ot-u ağaç süstü gene

Ölmüş idi ot-u şecer
Diriliben geri biter
Müşriklere nükte yeter
Var eyledi nesli gene

Gene sahra vü merg-zâr
Hoş akar esrik bu sular
Cihanlara saçtı nisâr
Cümle âlem dostu gene

Gene yer yüzü donanıp
Kat kat olup renge batıp
Bülbül güle karşı ötüp
Can budağa astı gene

Gene *YUNUS* baştan çıkıp
Âr u namusunu yıkıp
Âşıkların cur'asından
Ulu kadeh içti gene

— 49 —

Her kime ki dervişlik bağışlana
Kalpı gide pâk ola gümüşlene

Nefesinden misk ile anber tüte
Budağından il-ü şar yemişlene

Yaprağı dertli içün dermân ola
Gölgesinde çok hayırlar işlene

Âşıkın gözyaşı hem göl ola
Ayağından saz bitip kamışlana

Cümle şâir dost bahçesi bülbülü
YUNUS EMRE arada dürraçlana

(Düzensiz duraklı, 11 heceli)

— 50 —

Bu aşk benim başıma
Yine geliser yine (1)
Aşkınla canım benim
Kurban olusar yine

Aşkın gitmez başımdan
Âvâreyim işimden
Akan kanlı yaşımdan
Âlem dolusar yine

Âlemlerin sultanı
Halk eyledin insanı
Evvel âhır bu canı
Yine alısar yine

Sensin sultanı halkın
Âlemler senin mülkün
Bu hüsn ile bu hulkun
Gönlüm alısar yine

Bu *YUNUS*'u ağlatma
Ciğerini dağlatma
Bu aşk senin derdine
Derman olusar yine

_____

(1) Geliser : Gelecek. - ser - sar eki, gelecek zaman eki olan - cek, - cak yeri-
ne eskiden kullanılırdı.

Bu dünyanın misali benzer bir değirmene
Gaflet onun sepeti, bu halk orda öğüne

Dünya bir değirmendir, o Çalab'a fermandır
Azrâil'dir demişler o unu öğüdene

Bu âlem bir oluktur, Hak varlığı çarh eli
Çarhı çarha benzetmiş, şükr onu benzetene

Ondan ol çarhın yeri, ol oluktan ileri
Endîşendir bulaşık kaygula perişâna

Ey *YUNUS* tekye kılma, sözler ayduram deyi
Nice bilirler vardır, el var elin üstüne

(7+7=14)

Vuslat halin eydiserem vuslat halin bilenlere
Yedi türlü nişan gerek hakikate erenlere

Yedisinden birisi eksik olur ise olmaya
Bir nesne eksik gerekmez bu sarp yola varanlara

Evvel nişanı budurur, yermeye cümle milleti
Yerenler yerini kıldı yer değmedi yerenlere

İkinci nişanı budur ki nefsini semirtmeye
Zinhâr siz ondan olmanız, nefsine kul olanlara

Üçüncü nişanı budur, cümle heveslerden geçe
Hevesler eri yolda kor, yetemez yol varanlara

Dördüncü nişanı oldur, dünyadan münezzeh ola
Dünya seni sayrı eyler, kul kaygısı saranlara

YUNUS yedi nişan dedi, evet üçünü gizledi
Onu dahi deyiverem gelip halvet soranlara

(8+8=16)

— 53 —

İçimde bir dert oldu, diyeyim dervişlere
Dervişlerin kademi kutludur her işlere

Her kimin derdi vardır, derman isteyü gider
Benim dermanım sensin bağrımdaki başlara

Aşktan sabak alırsın hem key katı bilirsin
Nice revâ görürsün hizmeti dervişlere

Aşkının cefâsından dünü günü ağlarım
Akan pınar ne misal gözden akan yaşlara

Canı tuzak kuralım aşk belki ele gire
Aşkı nice avlarlar soralım tutmuşlara

Şöyle havâî gelir, uzak ilmin kim bilir
Nice tuzak kuralım bu konmadık kuşlara

YUNUS gönlün alanı sen kime söyleyesin
Sorar isen sor imdi sen onu bulmuşlara

(7+7=14)

Kimse doymaz bu nazara
Aşk ile kim pençe vura
Bu nazara karşı duran
Hânumânın garka vere

Çün elini aşka vura
Aşk okuna kimdir dura
Gök yüzünde melâiki
Aşk onu indire yere

Gör Hârut Mârut ne idi
Hazrette ferişte idi
Nasibin aşka aldırıp
Makamın Zühre'ye vara

Abdestimiz namazımız
Doğruluktur tâatımız
Aşk ile bağladık kamet
Safımız kim ayıra

Mescit medrese olduğu
Pak cemaat kılındığı
Halâyık saf saf durduğu
Aşk şükrânesidir zere

İçimde yanar aşk odu
Gönlümde onun hasedi
Aşk odunun tütününden
YUNUS'un benzi sarara

Miskinlikte buldular
Kimde erlik var ise
Merdivenden iterler
Yüksekten bakar ise

Gönül yüksekte gezer
Dayima yoldan azar
Dış yüzüne o sızar
İçinde ne var ise

Ak sakallı bir koca
Bilemez hali nice
Emek yemesin hacca
Bir gönül yıkar ise

Gönül Çalab'ın tahtı
Çalab gönüle baktı
İki cihan bedbahtı
Kim gönül yıkar ise

Sağır işitmez sözü
Gece sanır gündüzü
Kördür münkirin gözü
Âlem münevver ise

Sen sana ne sanırsan
Ayrığa da onu san
Dört kitabın mânâsı
Budur eğer var ise

Bildik gelenler geçmiş
Konanlar geri göçmüş
Aşk şarabından içmiş
Kim mânâ duyar ise

YUNUS yoldan azmasın
Yüksek yerde durmasın
Sinle sırat görmesin
Sevdiği dîdâr ise

— 56 —

Bir söz diyeyim sana, dinle canın var ise
Kem tama'lık eyleme aklın sana yâr ise

Mânîde getirmişler kardeşten yâr yeğrektir
Oğuldan dahi tatlı, eğer doğru yâr ise

Gördün yârin eğridir, nen varise ver kurtul
Uslulardan öğüttür, işittiğin var ise

Yarin sana mukabil tapısında secde kıl
Çıkar ciğerin yedir eğer çaren var ise

Ekmek yiyip tuz basmak ol nâmertler işidir
Ekmek onu komaya tuzun hakkı var ise

Eylik erin yâridir, ölürse uçmak yeridir
Senden sana söylenir ne dirliğin var ise

YUNUS miskin delidir, hem sözünden bellidir
Ayıplaman yârenler eksikliği var ise

— 57 —

Zinhâr gönül evinde tutma yavuz endîşe
Beriki çün kuyu kazan âkıbet kendi düşe

131

Kendiye yaramazı berikiye sanan ol
Adı müsülman onun kendi benzer keşişe

Komadığın nesneyi sunuban götürmegil
Komadığın götürmek düşüre yatlı işe

Yarın Hak dîdarını görmeyiser üç kişi
Bir dekçi, bir kovucu, biri gammazdır beşe

YUNUS'tan bir nasihat tutan yavuz olmaya
Bil ki, eyi söz ile her bir iş gelir başa

— 58 —

Biz kimseye kin tutmazız
Ağyar dahi dosttur bize (1)
Nerde ıssızlık var ise
Mahalle vü şardır bize (2)

Adımız miskindir bizim
Düşmanımız kindir bizim
Biz kimseye kin tutmazız
Kamu âlem birdir bize

Pişrev bize Kur'an'durur (3)
Vatan bize cennetdürür
O tamuya Hak yandırır
O gül-i gülzardır bize (4)

---

(1) Ağyar : Düşman, yabancı.
(2) Şar : Şehir.
(3) Pişrev : Önder, yol gösterici
(4) Gül-i gülzar : Güllük, gül bahçesi.

Vatan bize cennetdürür
Yoldaşımız ol Hak'durur
Hak'tan yana yönelicek
Diğer yollar dardır bize

Dünya bir avrattır karı (1)
Yoldan iltir niceleri (2)
Sürün gitsin o ağyarı
Onu sevmek ardır bize

Dünya haramdır haslara
Lâkin helâldir hamlara
Biz dünyayı dost tutmazız
O dünya murdardır bize

YUNUS eydür, Allah deriz
Allah ile kapılmışız
Dergâhına yüz tutuban
Hemen bir ikrardır bize

— 59 —

Mânâ berâtın aldık uş gine elimize
Aşk sözün veriverdi padişah dilimize

Aşk sözlerin söyler can, canları eyler hayran
Cahiller giremezler bu bizim sırrımıza

Sırrımıza ermezler, inen yoldaş olmazlar
Değmeler haldaş olmaz bu bizim halimize

---

(1) Karı : İhtiyar, yaşlı.
(2) İltir : Ayırır. İltirmek : Ayırmak, saptırmak.

133

Halimize haldaş ol, sırrımıza sırdaş ol
Müşkilin ayan olsun, baş indir ulumuza

Bu bir genc-i nihandır, n'ister değmeler bunda
Nice ördek, nice kaz hoş iner gölümüze

Şu yakımı biz yaktık, dünyayı elden koduk
Ahreti kabul ettik, şâkiriz ulumuza

YUNUS sen bahri olgıl, aşk göllerine dalgıl
Bu hak sözleri algıl, eresin kânımıza

(7+7=14)

Ol ben sevdiğim nigâr nidem, ol benden fâriğ
Ne verip hoş görünem, iki cihandan fâriğ

Kimden kime varayım, ahvâlim söyleyeyim
Sözüm kime diyeyim, sözden lisandan fâriğ

Cihanda kim giriser bu işin arasına
Ya kim hükmedebile, sultan-u handan fâriğ

Gerekse zâhit olam, bin yıl ibâdet kılam
Gerekse kâfir olam, küfr-ü îmandan fâriğ

Gerekse ehl-i millet farîzasın bekleyem
Gerekse şöhret kovam, şöret-ü dinden fâriğ

Gerekse ilm-i dinde yüz bin kez minber vuram
Gerekse şirk besleyem, sıdk-u gümandan fâriğ

Nice ticaret ile kisip gösterem ona
Şöyle kadirdir ol kim sûd-u ziyandan fâriğ

Nicesi kulluk ile sevilibilem ona
Hâs-u âm onu sever, ol hep sevenden fâriğ

Onun gibi mâşûka kim gönül verdi ise
Bî-adet tertip gerek, ol andan bundan fâriğ

YUNUS sen sever isen hakikat mâşûkayı
Fâriğ ol cümlesinden, kevn-ü mekândan fâriğ

(7+7=14)

— 61 —

Hak'tan gelen şerbeti
İçtik Elhamdü-lillah
Şol kudret denizini
Geçtik Elhamdü-lillah

Şu karşıki dağları
Meşeleri, bağları
Sağlık safâlıkıla
Aştık Elhamdü-lillah

Kuru idik yaş olduk
Ayak idik baş olduk
Havalandık kuş olduk
Uçtuk Elhamdü-lillah

Vardığımız illere
Şol safâ gönüllere
Halka *Taptuk* mânisin
Saçtık Elhamdü-lillah

Beri gel barışalım
Yâd isen bilişelim
Atımız eyerlendi
Eştik Elhamdü-lillah

İndik Rum'u kışladık
Çok hayr-ü şer işledik
Uş bahar geldi geri
Göçtük Elhamdü-lillah

Derildik pınar olduk
İrkildik ırmak olduk
Aktık denize daldık
Taştık Elhamdü-lillah

Taptuğ'un tapusunda
Kul olduk kapusunda
YUNUS miskin çiğ idi
Pişti Elhamdü-lillah

Bir acep onulmaz derdim var idi
Derde derman buldum, Elhamdü-lillah
Vâsıl oldum Muhammed Mustafa'ya
Ağlar iken güldüm, Elhamdü-lillah

Açılır sır bâbı, şeyhim yüzünden
Can safalar sürdü tatlı sözünden
Mâsivâ tozunu gönül yüzünden
Tevhit ile sürdüm, Elhamdü-lillah

Bir şehre vardım ki adı denilmez
Bir bahre daldım ki haddi bulunmaz
Mürde dil oluban geri dönülmez
Ölmezden ön öldüm, Elhamdü-lillah

Hakk'ın dergâhına tutmuşum elim
Gördüğüm halleri şerh eyler dilim
Yokluk ummanına uğradı yolum
Fanâ fillâh oldum, Elhamdü-lillah

YUNUS EMREM kâmil oldu imanın
Hazret-i Hakk'a vasıl oldu canın
Lâmekân şehridir şimdi mekânın
Beka-billâh oldum, Elhamdü-lillah

(6+5=11)

Dilber cemâlin göreli
Dilde kararım kalmadı
Kırıldı sabrım şişesi
Namus-u ârım kalmadı

Benden benim benliğimi
Yağmaladı hüsnün gülü
Gözüm nazar kılmaklığa
Özge nigârım kalmadı

Kurudu gözümde yaşım
Eridi bağrımda başım
Yokluğa yüz tuttu işim
Âh ile zârım kalmadı

Şeyhim senin mürşitliğin
Kıldı «fenâ ender fenâ»
Ölmezden önce ölmeğe
Dahi kararım kalmadı

Çünkü gönlümü Hazrete
Her bir sıfatım bozula
Döndür beni bu aradan
Bir doğru yârim kalmadı

YUNUS miskin yüzü kara
Hazretine nice vara
Meğer senden ola çâre
Ayrık tımarım kalmadı

— 64 —

Kime gönül verir isem benim ile yâr olmadı
Hâlim bilip, derdim sorup, bana vefakâr olmadı

Hak'tan meğer takdir idi, âşık oldu gönlüm sana
Hiç kimseler bencileyin aşka giriftâr olmadı

Aşktan şikâyetim yoktur, kendi tâliimdendürür
Kendi yolun aramayan âdem değil, er olmadı

Aşk bir ulu hil'atdürür, bir niceye verir Çalap
Bir niceler kaldı mahrum, aşktan haberdar olmadı

Aşk bir ulu nazardurur, âşık canlar erenlerdir
Aşka düşmeyen gönüller vîran durur şar olmadı

İbrahim'e Nemrûd od'un, aşktır gülistan eyleyen
Aşktan nazar ericeğiz gülzâr oldu, nâr olmadı

Hak yarattı göğü ol Ahmed'in dostluğuna
Levlâk ona delil oldu, onsuz yer gök var olmadı

Aşkta kahırlar çok olur, âşıklara gayret gerek
YUNUS âşık oldun ise, âşıklarda âr olmadı

(8+8=16)

— 65 —

Yine yüzünü gördüm
Yine yüreğim yandı
Dost senin aşkın odu
Yüreğime dayandı

Görklü yüzünü gören
Gönlünü sana veren
Belli tapında duran
Ne doydu ne usandı

Gevherdir senin özün
Şekerden tatlı sözün
Güneşten arı yüzün
Her kim gördü utandı

Şu gönlüm garip idi
Ciğerim kebap idi
Görklü yüzünü gördüm
İçim dışım bezendi

YUNUS EMRE bî-karar
Şol hûb yüze intizar
Senden ayrılmaz nazar
Vardı yakıldı yandı

Kemdürür yoksulluktan nicelerin varlığı
Bunca varlık var iken gitmez gönül darlığı

Batmış dünya malına, bakmaz ölüm haline
Yetmiş Karûn malına, zehî iş düşvarlığı

Bu dünya kime kaldı, kimi berhudar kıldı
Süleyman'a olmadı onun berhudârlığı

Süleyman zenbil ördü, kendi emeğin yerdi
Onun ile buldular onlar berhudârlığı

Gel imdi miskin *YUNUS* nen var yola harceyle
Gördün elinden gider bu dünyanın varlığı

(7+7=14)

Doldur bize sun kadehi aşk şarabından ey sâki
Ol denizden içir bize ki ondan içer şeyh-u fakı

Sohbetimiz ilâhîdir, sücümüz kevşer suyudur
Şahımız şahlar şahıdır, çalgımızdır dost fırakı

Kim ki bir dem sohbet ola, müftü müderris mât ola
Bir ilâhî devlet ola, ondan içen oldu bâki

Hırka ile taç yol vermez, fereciyle âlim olmaz
Din diyânet olmayıcak okusan yüz bin varakı

Okudun yedi mushafı tâat gösterir ol safî
Çünkü amel eylemedin gerekse var yüz yıl oku

Bir kez hacca vardın ise, bin kez gazâ kıldın ise
Bir kez gönül kırdın ise gerekse var yollar doku

Gönül mü yeğ, Kâbe mi yeğ ayıt bana aklı eren
Gönül yeğdürür zira kim gönüldedir dost durağı

Gönüllerin komşuların ısmarladı Hak Resûl'e
Mi'rac gecesi dost ile bu keleci oldu dakı

YUNUS işin budur hemen tutgıl gönüller eteğin
Dilersen bâki olasın, gönüller oldular bâki

                                    (8+8=16)

                      — 68 —

            Sen dünyaya benim derdin
            Senden o kalmış ola mı
            Sen dünyayı dost sanırdın
            Yüz, sana vermiş ola mı (1)

            Derlerdi inanmaz idin
            Hiç ölürüm sanmaz idin
            Ecel kurdu senin dahi
            Boynunu burmuş ola mı

            Yetmiş ömrün âhir olmuş
            Nazik tenin leke olmuş
            Gözlerin göğü sararmış
            Benzin de solmuş ola mı

_____

(1) Yüz : Yüz yaş anlamında.

Fâni dünyanın beyleri
Giyerler türlü donları
Yatmışlar kara toprağa
Gözleri dolmuş ola mı

YUNUS EMREM şerh eylemiş
Vefâsız dünya halinden
Gönül gözü yaraların
Evliyâ silmiş ola mı

— 69 —

Aşkâre kıldım bu gün pinhânımı
Can veriben buldum ol cânânımı

Can gönül hayran kılıptır mâşûka
Mâşûk ile sürerem devrânımı

Dert gerektir, dert gerektir, dert gerek
Kim gerek derde verem dermânımı

Bî-mekânım onun içün dünyada
Kimsene bilmez benim mekânımı

Kânı buldum-u niderem ayrığı
Yağmaya verdim bu gün dükkânımı

Tup benim çevgânı aldım çalarım
Kim ala bu toptan çevgânımı

Yer benimdir, gök benimdir, arş benim
Gör nicesi germişem sayvânımı

YUNUS olduysa adım pes ne acep
Okuyalar defter-ü divânımı

(Fâilâtün failâtün fâilün.)

Bana namaz kılmaz diyen
Ben bilirim namazımı
Kılar isem, kılmaz isem
O Hak bilir niyazımı

Dosttan artık kimse bilmez
Kâfir müslüman kimdiğin
Ben kılarım namazımı
Hak geçirdiyse nazımı

O nazı dergâhta geçer
Mânâ şarabından içer
Hicabsız can gözün açar
Kendi siler dost gözünü

Dost burdadır belli beyan
Dost dîdârın gördüm ayan
İlm-ü hikmet okuyanın
Buna değindir azimi

Her dem dost yolun bulmayıp
Gizli mânâ şerh eyleyip
Değme âşık şerh etmeye
Bu benim gizli râzımı

Sözün mânâsına erin
Bî-nişandan haber verin
Dertli âşıklara sorun
Benim bu dertli sözümü

Dert âşıkın dermanıdır
Dertli âşıklar ganîdir
Kadir-ü kudret ünüdür
İşitenler âvâzımı

Dost isteyen gelsin bana
Göstereyim dostu ona
Budur sözüm önden sona
Ben bilirim kendözümü

YUNUS imdi söyle Hakk'ı
Münkir tutsun sana dakı
Pişipdürür Hakk'ın hânı
Ârifler tatsın tuzumu

— 71 —

Aşk bezirgânı, sermâye canı
Bahâdır gördüm cana kıyanı

Zihî bahâdır can terkin vurur
Kılıç mı keser himmet geyeni

Kamusun bir gör, kemterin er gör
Âdi görmegil palas geyeni

Tez çıkarırlar fevkal'ulâya
Bin İsa gibi dine uyanı

Tez indirirler tahtes-sarâya
Bin Kârun gibi dünya kovanı

Âşık olanın nişanı vardır
Melâmet olur belli beyanı

Atlası kodu, palası geydi
İbrahim Edhem sırdan duyanı

İlmim var deyi mağrur olmagıl
Hak kabul etti kefen soyanı

Çün Mansûr gördü, ol benim dedi
Oda yaktılar, işittin anı

Oda yandırdın, külün savurdun
Öyle mi gerek seni seveni

Zinhâr ey *YUNUS,* gördüm demegil
Oda yakarlar gördüm diyeni (1)

— 72 —

Ey yârenler aydamazam
Canım neye daldığını
Dil ile vasfedemezem
Gönlümü kim aldığını

Gönlüm dolu sığmaz dile
Âşıktır o kim hâl bile
Aşk nicesi verdi yele
Anlayamaz nolduğunu

Aşktan haber bilenlerin
Aşk derdile dolanların
Küfrü îman olmayanın
Ayıplaman güldüğünü

_____

(1) Bu nefes 5 - 5 duraklı hece ölçüsündedir.

148

Ağlamak gülmek âşıka
Dirilmek ölmek âşıka
Kahrile lütfü bir bilir
Bilmez melül olduğunu

Aşk *YUNUS*'u eyledi lâl
YUNUS kanı aşka helâl
Kon varın etsin payımâl
Görmesin ayrıldığını

— 73 —

Helâl kıldı mâşuka âşık kendi kanını
Mâşuk nakşından okur aşk eri Kur'anını

Yardan ayrı olunca asılıp ölmek yeğdir
Âşık kendi bırakır boynuna urganını

Gitmez âşık gözünden hergiz mâşuk hayâli
Nitekim Zelha verir Yûsuf'un nişânını

Dirlik budur âşıka, mâşuk yolunda öle
Sorarlar ise eydem âşıkın burhânını

Belkis ile Süleyman aşka düştü bir zaman
İsteyip bulmadılar bu derdin dermânını

Gökteki Hârut Mârut aşk için indi yere
Zühre yüzün göricek unuttu Rahmânını

Güzâf görmen siz aşkı kime uğradı ise
Sultanı iltir baştan yitirir hanmânını

149

Ferhad bu aşk yolunda başın külünge tuttu
Husrev, Şirin derdinden dosta verdi canını

Leylî'yle Mecnûn işi acebdürür bu halka
Abdürrezzak terketti aşk için îmânını

Zamâne vefâları cefâ gelir YUNUS'a
Bir doğru yâr bulucak fedâ kılar canını

(7+7=14)

— 74 —

Baktığım yüzde gördüm Tapduğ'umun nurunu
Maksûdum bu gün bildim, niderem ben yarını

Yarınım bu gün bana, hoş bayram düğün bana
Düşde gelir ün bana, işitin ahbârımı

Dostun haberi böyle, nefsin sana yâr eyle
Bak dosta yarağ eyle bu vücudun şehrini

Vücuda gelmeyince kimse Hakk'ı bilmedi
Bu vücuttan gösterdi dost bize dîdârını

Erin dîdârın gördüm, güman terkini vurdum
Dost bahçesine girdim, överim gülzârını

Dostun yüzü gül bana, âşıkım bülbül ona
Kayıkmazam dört yana, çün buldum aşk erini

«Elestü birabbiküm» Hak'tan nidâ gelicek
Mü'minler belî deyip ettiler ikrârını

YUNUS, küfür elinden şikâyete geldiler
Ey sultanım gerçek er, kes-gider zünnârını

Kime ki dost gerek ise ben diyem ne kılasını
Terk eyleye kendözünü hiç anmaya n'olasını

Resmidürür âşıkların dost yolunda kurban olmak
Minnet tutar cümle âşık canını aşk alasını

Her kim âşık olmadısa kurtulmadı mekr elinden
Kamusundan aşk ayırır dünya ahret belâsını

Lâyık değildir değme can dost yoluna harc-olmağa
Ümit tutar cümle âşık dosta kurban olasını

Dosttan yana giden kişi kendözünden geçmek gerek
Dost yağmalar can şarını alıp gönül kalesini

Dost yoluna gönülene geri dönmek olmayısar
Bilme misin bu kamusu senden geri kalasını

Sûret gözü ne göriserdür dost meclisi kandadur
Can kulağıdır işiten bu âşıklar nâlesini

Bu dünyada dosttan artık YUNUS nesneyi sevmedi
Bilmez misin gayretsize dost-u düşman gülesini

(8+8=16)

— 76 —

Sana ibret gerek ise
Gel göresin bu sinleri
Ger taş isen eriyesin
Bakıp görücek bunları

Şunlar ki çoktur malları
Gör nice oldu halleri
Sonucu bir gömlek geymiş
Onun da yoktur yenleri

Hani mülke benim diyen
Köşk-ü saray beğenmeyen
Şimdi bir evde yatarlar
Taşlar olmuş üstünleri

Bunlar eve girmeyeler
Züht-ü tâat kılmayalar
Bu beyliği bulmayalar
Zîrâ geçti devranları

Hani o şirin sözlüler
Hani o güneş yüzlüler
Şöyle kayıp olmuş bunlar
Hiç belirmez nişanları

Bunlar bir vakt beyler idi
Kapıcılar korlar idi
Gel şimdi gör, bilmeyesin
Bey hangidir ya kulları

Ne kapı vardır giresi
Ne yemek vardır yiyesi
Ne ışık vardır göresi
Dün olmuştur gündüzleri

Bir gün senin dahi *YUNUS*
Benim dediklerin kala
Seni dahi böyle ede
Nitekim etti bunları

Ağla gözüm ağla, gülmezsin gayrı (1)
Gönül dosta gider, gelmezem gayrı

Ne gam bunda bana, bin kez ölürsem
Orda ölüm olmaz, ölmezem gayrı

Yansın canım, yansın aşkın oduna
Aksın kanlı yaşım, silmezem gayrı

Göyündüm aşk ile tâ kül olunca (2)
Boyandım rengine, solmazam gayrı

Beni irşâd eden mürşid-i kâmil
Yeter, bir el daha almazam gayrı

Varlığım yokluğa değişmişim ben
Bu gün cana başa kalmazam gayrı (3)

Fenâdan bâkîye göç eder olduk (4)
Yöneldim şol yola, dönmezem gayrı

Muhabbet bahrının gavvâsı oldum (5)
Gerekmez, Ceyhun'a dalmazam gayrı

Dilerim fazlından ayırmayasın (6)
Tanrı'm, senden özge sevmezem gayrı

---

(1) Gayrı : Artık.
(2) Göyünmek : Yanmak.
(3) Cana başa kalmak : Telâşlanmak, kurtuluş aramak.
(4) Fenâ : Geçici, dünya. Bâkî : Ebedi olan, âhiret.
(5) Bahr : Deniz. Gavvâs : Dalgıç.
(6) Fazl : Bağış.

Söyler âşık dilinden bunu *YUNUS*
Eğer âşık isem, ölmezem gayrı

(6+5=11)

— 78 —

Erenler bir denizdir, âşık gerek dalası
Bahri gerek denizden girip gevher alası

Yine biz bahri olduk, denizden gevher aldık
Sarraf gerek gevherin kıymetini bilesi

Yürü var epsem olgıl, ne simsarlık satarsın
Ali gibi er gerek işbu sırra eresi

Muhammed Hakk'ı bildi, Hakk'ı kendinde gördü
Cümle yerde Hak hazır, göz gerektir göresi

Dedim işbu nefesi âşıklar hükmü ile
Bahıllıksız er gerek bir karara durası

Âlimler kitap düzer, karayı aka yazar
Gönüllerde yazılır bu kitabın sûresi

Yürü hey sofu zerrak ne sâlûsluk satarsın
Hak'tan artık kim ola kula dilek veresi

Hak durağı gönülde, âyâtı var Kur'anda
Arştan yukarı ancak aşk burcudur kalesi

Şöyle deli olmuşam, bilmezem dünden günü
Yüreğime işledi aşk okunun yarası

Gel şimdi miskin *YUNUS* tut erenler eteğin
Cümlesi miskinlikte, yokluk imiş çâresi

— 79 —

Benem zârı kılan şol yâre karşı
Gönülden can veren dildâra karşı

Geceler subha dek hayrân-u mestem
Oluban muntazır dîdâra karşı

Sehergâhın durup zârı kıluram
Sanasın bülbülem gülzâra karşı

Alaldan canımı aşk-ı ilâhî
Benem Mecnûn gibi âvâra karşı

Cemâlin şem'ine pervâne gibi
Yakarım perr-ü bâli nâra karşı

Onun aşkı şarabın nûş edelden
Erişir yüreğime yâre karşı

Bu gün Mansûr benem aşkın yolunda
Yürüyüp çarh vuram şol dâra karşı

Bîçâre bülbülüm dost bahçesinde
Varam derem haber şol yâre karşı

Âşık *YUNUS* bu gün gurbette kaldı
Ki aşkı söyletir ağyâra karşı

(Mefâîlün mefâîlün feûlün)

O dost benden yana hiç bilmezim nice baktı
İşbu vücud şehrine bir hoş nazar bıraktı

Gözüm onun yüzünden nice giderebilem
Şol şirin kelecile gönlümü şöyle yıktı

Kimden öğüt istersem sabrı gösterir bana
Sabırın perdesini muhabbet odu yaktı

Sabırla benim işim nice varacak başa
Canıma can bağışlar şol dostumun nüvahtı

Sevdikli sevdiğile bile kopısar yarın
Bu iş yarına göymez, bu günkü dem sayaktı

YUNUS dost mürüvvetin ırmaya kendözünden
Kişi neyi severse canı ona uyaktı

(7+7=14)

Nâzenin bu ömrümüz bir göz yumup açmış gibi
Geldi geçti duymadık, bir kuş konup uçmuş gibi

Nice geçti bilmedik bu rûzigâr önden sona
Öyle kim şimdi bize bir yel esip geçmiş gibi

Niceler geldi bu mülke kondu da göçtü geri
Şöyle kim bir kâriban bir dem konup göçmüş gibi

İşbu dünyaya gelenler bir dem eğlenmediler
Hânümânın döktü gitti, düşmandan kaçmış gibi

Sinlere var kim göresin bu halâyık neydüğün
Sanasın kim bir ekindir, Azrâil biçmiş gibi

Bahtlıdır şol kimse kim, dünyada hoş adı kala
Ölmedi, diri durur, âb-ı hayat içmiş gibi

Bu ömür sermâyesin olmaz yere harceyleme
Şöyle kim bir iki deli nakdin suya atmış gibi

Âşık *YUNUS*, sen ömrünü Hak yoluna sarfeyle ki
Tâ eresin Hazrete bir göz yumup açmış gibi (1)

(Fâilâtün fâilâtün fâilâtün fâilün)

— 82 —

Geldi geçti ömrüm benim şol yel esip geçmiş gibi
Hele bana şöyle geldi bir göz açıp yummuş gibi

İşbu söze Hak tanıktır, bu can gövdeye konuktur
Bir gün ola çıka gide, kafesten kuş uçmuş gibi

Miskin âdem oğlanını benzetmişler ekinciye
Kimi biter, kimi yiter yere tohum saçmış gibi

Bu dünyada bir nesneye yanar içim, göynür özüm
Yiğit iken ölenlere gök ekini biçmiş gibi

Bir hastaya vardın ise, bir içim su verdin ise
Yarın orda karşı gele Hak şarabın içmiş gibi

Bir miskini gördün ise, bir eskice verdin ise
Yarın orda sana gele Hak şarabın içmiş gibi

YUNUS EMRE bu dünyada iki kişi kalır derler
Meğer Hızır, İyas ola âb-ı hayat içmiş gibi

(8+8=16)

---

(1) **Nâzenin:** Nazlı. **Rûzigâr:** Zaman. **Önden sona:** Baştan başa. **Mülk:**
Dünya. **Kâriban:** Kervan, **Dem:** Çok kısa zaman. **Hânümân:** Mal,
mülk, ev bark. **Sîn:** Mezâr. **Halâyık:** Yaratıklar. **Neydüğün:** Ne oldu-
ğunu. **Nakd:** para. **Hazret:** Tanrı (burada).

Uş yine aşkın beni mest-ü harab eyledi
Yaktı gönül evini, bağrı kebab eyledi

Dal gibi büktü belim, inilerim dün-ü gün
Çekti kemende beni, çeng-ü rebâb eyledi

Ayıplaman yârenler benim zâr eylediğim
Neyleyeyim nedeyim, hükmü Çalab eyledi

Göz ile görür iken derdim bilinmez idi
Bu ayrılık odları beni türab eyledi

Ger diler isen fakı, tekke edin gel Hakk'ı
Yine *YUNUS* gibiye Tanrı hitab eyledi

(7+7=14)

Ben yürürüm yana yana
Aşk boyadı beni kana
Ne âkılem ne divâne
Gel gör beni aşk neyledi

Gâh eserim yeller gibi
Gâh tozarım yollar gibi
Gâh akarım seller gibi
Gel gör beni aşk neyledi

Akar sulayın çağlarım
Dertli ciğerim dağlarım
Şeyhim anuban ağlarım
Gel gör beni aşk neyledi

Ya elim al kaldır beni
Ya vaslına erdir beni
Çok ağlattın güldür beni
Gel gör beni aşk neyledi

Ben yürürüm ilden ile
Şeyh anarım dilden dile
Gurbette halim kim bile
Gel gör beni aşk neyledi

Mecnûn oluban yürürüm
O yâri düşte görürüm
Uyanıp melül olurum
Gel gör beni aşk neyledi

Miskin *YUNUS* bîçareyim
Baştan ayağa yareyim
Dost elinden âvâreyim
Gel gör beni aşk neyledi

— 85 —

Yer gök yaratılmadan Hak bir gevher eyledi
Nazar kıldı gevhere sığmadı devreyledi

Gevherden buğu çıkar, ol buğdan gök yarattı
Gök yüzünün bezeğin çok yıldızlar eyledi

Göğe eyitti dön dedi, ay gün yürüsün dedi
Suyu muallak tutup üstünü yer eyledi

Yer çalkandı durmadı, bir dem karar kılmadı
Yüce yüce dağları Hak çöksüler eyledi

Azrâil yere indi, bir avuç toprak aldı
Dört feriştek yoğurdu bir peygamber eyledi

Çün can gövdeye girdi, aksırdı duru geldi
El götürdü, şol kadar Hakk'a şükür eyledi

Allah.eydür Âdem'e, şükür erdin bu deme
Bu dünyada ne duydun, dilin neye söyledi

Yok iken var eyledin, toprak iken can verdin
Kudret dilile andın, dilim söyler eyledi

Bu söz Hakk'a hoş geldi, kulun aziz eyledi
Ne geçtise gönlünden verdi, hazır eyledi

Bu söz YUNUS'a kandan, haber veresi candan
Meğer ol sultan lütfü ona nazar eyledi

— 86 —

Çalabın aşkı benim
Bağrımı baş eyledi
Aldı benim gönlümü
Sırrımı fâş eyledi

Hergiz gitmez gönülden
Hiç eksik olmaz dilden
Çalap kendi nurunu
Gözüme tuş eyledi

Can gözü onu gördü
Dil ondan haber verdi
Can içinde oturdu
Gönlümü arş eyledi

Bir kadeh sundu cana
Can içti kana kana
Dolu geldi peymâne
Canı sarhoş eyledi

Esrik oldu canımız
Dür döker lisanımız
O Çalabımın aşkı
Beni derviş eyledi

Ben nice derviş olam
Tâ ki ona eş olam
Yüz bin benim gibiyi
Aşk hırka-pûş eyledi

YUNUS şimdi avunur
Dostu gördü sevinür
Erenler mahfilinde
Aşka cünbüş eyledi

— 87 —

Beni melâmet eyledi
Bu ne acep sevda idi
Endîşe yok gönlümde hem
Bu can eli anda idi

Gönlüme o dolmuş idi
Canım onu bulmuş idi
Şehrine o konmuş idi
Ma'şûk bizim evde idi

Bir nur yazı yaylar idik
İlm-i ledün söyler idik
Dostlarımız toylar idik
Kudret hânı anda idi

Arşta idi seyranımız
Nurdan idi sayvanımız
Onda bu bizim canımız
Mustafa canında idi

Yoğ idi hem levh-ü kalem
Ne on sekiz bin bu âlem
O demde Havvâ vü Âdem
Ne ad-u ne sanda idi

Geldük bu mülke bahane
Seyreyledük hoş şahane
Sefer kılaruz uş yine
Vatanımız anda idi

Hüseyin idi, Mansûr idi
Nâgâh gördü o sûreti
Kendin Hakk'a ısmarladı
Bağdad'a dek kavgada idi

YUNUS gel imdi bu zaman
Dost yoluna terk eyle can
Tâ ki olasın câvidan
Çünkü evvel anda idi

Vardım gördüm ölenleri
Başıma bir fenâ geldi
Ölüm korkusu gönlümden
Gitmiş iken yine geldi

Uyman uyman sizler bize
Biz neler demişiz size
Abes yerde geze geze
Bu ömrüm bir güne geldi

Kurdular ecel fakını
Aldayıp aldı hakını
Azrâil vurdu okunu
Geçti tenden tene geldi

Şu miskin âdeme baka,
Yürürken tutulur faka
Can teslim eyledi Hakk'a
Azrâil üstüne geldi

Uyman hey nefse uyanlar
Hakk'ın buyruğun sıyanlar
Dünyaya benim diyenler
Gördün orda sine geldi

Yapış bir eteği berke
Sen seni katara terke (1)
Hey miskin *YUNUS* bu mülke
Kim konup kim göçe geldi (2)

---

(1) Terke: Terk et.
(2) Buradaki kim'leri «kimi» olarak anlamalı.

İşitin ey yârenler
Eve dervişler geldi
Can şükrâne verelim
Eve dervişler geldi

Her kim gördü yüzünü
Unutur kendözünü
İlm-i bâtından öter
Eve dervişler geldi

Dervişler uçar kuşlar
Deniz kenarın kışlar
Zihî devletli başlar
Eve dervişler geldi

Dervişler yüzü sulu
Görenler olur deli
Bâtını arştan ulu
Eve dervişler geldi

Seydi Balım ilinden
Şeker damlar dilinden
Dost bahçesi yolundan
Eve dervişler geldi

YUNUS kulun umusuz
Kimsesi yok yalınız
Fedâ olsun canımız
Eve dervişler geldi

Ben burda seyreder iken acep sırra erdim ahî
Bir siz dahi sizde görün dostu bende gördüm ahî

Bende baktım bende gördüm, benim ile ben olanı
Sûretime can verenin kim idüğün bildim ahî

Ben isteyip buldum onu, ol ben isem ya ben hani
Seçemezem ondan beni, bir kezden ol oldum ahî

Ma'şûk benimledir bile, ayrı değil kıldan kıla
Irak sefer benden kala, dostu burda buldum ahî

Değme bir yol kandan bana, dağılmayam değme yana
Kutlu oldu bu seferim, hoş menzile erdim ahî

Münkir kişi duymaz bunu, dertlilerin sezer canı
Ben aşk bağı bülbülüyüm, ol bahçeden geldim ahî

Mansûr idim ol zamanda, onun için geldim bunda
Yak, külümü savur göğe, ben enel-Hak oldum ahî

Ne oda yanam dağılam, ne dâra çıkam boğulam
İşim bitince yürüyem, teferrüce geldim ahî

Mümin oldum yoksul iken, benim oldu kevn ü mekân
Şarka vü garba ser-teser, yere göğe doldum ahî

Sûret topraktır diyeni, gönlüm kabul etmez anı
Bu toprağın cevherini hazrete irgördüm ahî

Nitekim ben beni buldum, bu oldu kim Hakk'ı gördüm
Korkum onu buluncaydı, korkudan kurtuldum ahî

YUNUS kim öldürür seni, veren alır gine canı
Bu canlara hükmedeni kim idüğün bildim ahî

— 91 —

Bu aşk denizine dalan, hâcet değil ona gemi
Yahut nerede bulalım bu sohbet ile bu demi

Dünyalığım yoktur deme, bu gussayı öküş yeme
Ma'şûkayı sevdin ise gider gönlündeki gamı

Ben sevdiğim ma'şûkayı sen dahi bir görseyidin
Vermeyedün bu öğüdü, fedâ kılaydın bu canı

Âşık kişi bilmez öğüt, zira assı kılmaz öğüt
Unutur ol kibr-ü kini, terkeyler gider dükkânı

Gerçek âşık olanların yüzünde nişan olur
Dünün günün durmaz akar gözleri yaşının kanı

Bu cümle âlem sevdiği şu din ile îmandurur
Aşksız gerekmez vallahi şol dini ile îmanı

YUNUS yüzün kaldırmagıl âşıkların ayağından
Eyle fedâ yüz bin canı, onda bulasın Subhân'ı

(8+8=16)

— 92 —

Ne acep olur şu âdem oğlanı
Öleceğin hiç gönlüne gele mi
Azrail cırnağın urup canına
Alacağın hiç gönlüne gele mi

167

Azrail alır bu cümle canları
Toprağa düşürür nazik tenleri
Geyireler sana yensiz donları
Geyeceğin hiç gönlüne gele mi

Gelir nevbetin dolanı dolanı
Ağlasana sen bulanı bulanı
Halkın önünde beğeni beğeni
Yunacağın hiç gönlüne gele mi

Gece gündüz zikreyleyen dilimiz
Gizli değil, ayan sana halimiz
Karanlık kabirde bir gün yalınız
Kalacağın hiç gönlüne gele mi

YUNUS EMRE'm eydür, hele burada
Heman ömrüm zâyi geçdi arada
Yarın Hak yanında yüzü karada
Olacağın hiç gönlüne gele mi

(4+4+3=11)

— 93 —

İbret almaz mısın sen ölülerden
Ölenler bizcileyin kul değil mi [1]
Bunca yıl yatarlar yerin altında
Yatanlar bizcileyin kul değil mi

Niçün gelmezsin Habib'in yoluna [2]
Tutunasın mürşidin dâmenine [3]
Hakk'ı zikreyleyip rahmet gölüne
Dalanlar bizcileyin kul değil mi

---

(1) Bizcileyin: Bizim gibi. Kul: Tanrı karşısında insan.
(2) Habib: Sevgili, Hazret-i Muhammet.
(3) Dâmen: Etek.

Cefa ile ömrüm geçti bilmedim
Arayıp derdime derman bulmadım
Terkettim beş niyazımı kılmadım [1]
Kılanlar bizcileyin kul değil mi

Söylemezsin Hakk'a lâyık sözleri
Toprak ile dolar kara gözleri
Gülleriniz varken taze yüzleri
Solanlar bizcileyin kul değil mi

YUNUS abdal, söyler kendi halini
Irak sanma sen kendine ölümü
Firdevs bahçesinin gonca gülünü [2]
Derenler bizcileyin kul değil mi

(6+5=11)

— 94 —

Hak nûru âşıklara her dem nüzûl değil mi
Kime ki nüzûl değmez, Hak'tan ma'zûl değil mi

El-kalbü minel kalbi rumuzunu sorun nedir
Her gönülden gönüle rast doğru yol değil mi

Karga ile bülbülü bir kafese koysalar
Birbiri sohbetinden dâyim melül değil mi

Öyle ki karga diler bülbülden ayrılmağı
Bülbülün de maksudu billâhi şol değil mi

---

(1) Beş niyaz kılmak: Günde beş kere kılınan namaz.
(2) Firdevs: Cennet.

Cahil ile ârifin meseli şuna benzer
Cahil katında îmân mâlum meçhul değil mi

Yetmiş iki milletin sözünü ârif bilir
Miskin *YUNUS* sözleri cümle usûl değil mi

— 95 —

Bize burda türlü ta'n eyleyenler
Ya ben Hak yoluna dönmeyeyim mi
Doğru yolu koyup eğri gidenler
Ya ben Hak yoluna dönmeyeyim mi

Bizden evvel gelen üçler yediler
Münafıkın sözü şektir dediler
Tevhitlerde dönmek haktır dediler
Ya ben Hak yoluna dönmeyeyim mi

Varır bir münkire müşkil sorarsın
Kendi kendin cehenneme salarsın
Ya sen dünya için niçin dönersin
Ya ben Hak yoluna dönmeyeyim mi

YUNUS EMRE kılar ah ile zârı
Görün nice döner Molla Hünkâr'ı
O Allah yaratır cümleyi, varı
Ya ben Hak yoluna dönmeyeyim mi

— 96 —

Neylersin ey gafil dünya malını
Yiyeceğin hiç fikrine düşmez mi
Bin yıl ömür sürsen bir gün ölürsün
Öleceğin hiç fikrine düşmez mi

Gine aklar düştü siyah saçına
Ölmeden tövbe et gizli suçuna
Kara yer altında kabrin içine
Gireceğin hiç fikrine düşmez mi

Niçin dinlemezsin âlimler sözün
Niçin ağlayamaz şu iki gözün
Kızmış sac üstünde kalmış namazın (1)
Kılacağın hiç fikrine düşmez mi

....
.... (2)
Azrail hiç fikrine düşmez mi
Alacağın hiç fikrine düşmez mi

İşte geldin gördün bu dünya fena (3)
Günahına ağla sen yana yana
Teneşir üstünde sen döne döne
Yunağacağın hiç fikrine düşmez mi

Ettin mi dünyada bir iyi fikir
Dilinden gitmesin zikirle şükür (4)
Kara yer altında Münker'le Nekir (5)
Soracağın hiç fikrine düşmez mi

(1) Kalmış namaz: Vaktinde kılınmamış namaz, kazaya kalmış namaz. Kızmış sac: Cehennemde kızgın sac üzerinde, kalmış namazların kıldırılacağına inanılır.
(2) Aldığımız cönkte iki mısra eksiktir.
(3) Fena: Fâni, geçici, yok olucu.
(4) Zikir: Tanrının adlarını durmadan pek çok kere söyleme.
(5) Münker, Nekir: İki soru meleği. Mezarda soru sorarlar.

YUNUS EMRE eydür, eyle niyazı
Bozulmaz Mevlâ'nın yazdığı yazı
Eğnine biçerler şu kefen bezi
Giyeceğin hiç fikrine düşmez mi

(6+5=11)

— 97 —

Şûride vüşeydâkılan (1)
Aşkın cemâlidir beni
Âlemlere rüsvâ kılan (2)
Hakkın cemâlidir beni (3)

Aklımı başımdan alan
Sevdalara beni salan
Bir mürşide bende kılan
Hakkın cemâlidir beni

Gözlerimi giryan eden
Ciğerimi büryan eden
Hayran-ü sergerden eden
Hakkın cemâlidir beni

Kaddim büküp yay eyleyen
Bağrım delip nay eyleyen
İşim gücüm vay eyleyen
Hakkın cemâlidir beni

_____

(1) Şûride: Perişan, âşık, tutkun.
(2) Rüsvâ: Rezil, aşağılık, itibarsız.
(3) Hakkın cemâli: Tanrı'nın güzelliği.

Aklımı bîhuş eyleyen
Her bağrımı baş eyleyen (1)
Âlemde sarhoş eyleyen
Hakkın cemâlidir beni

Dil mülkünü âbâd eden
Miskin gönülü şâd eden
Gayrı hevesle yâd eden
Hakkın cemâlidir beni

Gönlümü gayrıdan kesen
Kendisine mahsus kılan
Aşka giriftar eyleyen
Hakkın cemâlidir beni

Varlığımı elden alan
Yokluk makamına salan
Aşk denizine daldıran
Hakkın cemâlidir beni

Dâim beni mahzun eden
Dağa salıp mecnûn eden
Hem aşka mustağrak eden (2)
Hakkın cemâlidir beni

Gözlerimi giryan eden
Hem ciğerim büryan eden
YUNUS'u sergerdan eden
Hakkın cemâlidir beni

---

(1) Baş eylemek: Yara açmak.
(2) Mustağrak: Batmış, boğulmuş, dalmış.

Aşkın aldı benden beni
Bana seni gerek seni
Ben yanarım dünü günü
Bana seni gerek seni

Ne varlığa sevinirim
Ne yokluğa yerinirim
Aşkın ile avunurum
Bana seni gerek seni

Aşkın âşıklar öldürür
Aşk denizine daldırır
Tecelli ile doldurur
Bana seni gerek seni

Aşkın şarabından içem
Mecnun olup dağa düşem
Sensin dün-ü gün endişem
Bana seni gerek seni

Sofulara sohbet gerek
Ahîlere ahret gerek
Mecnûnlara Leylâ gerek
Bana seni gerek seni

Eğer beni öldüreler
Külüm göğe savuralar
Toprağım anda çağıra
Bana seni gerek seni

YUNUS'durur benim adım
Gün geldikçe artar odum
İki cihanda maksûdum
Bana seni gerek seni

Dağlar ile taşlar ile
Çağırayım Mevlâm seni
Seherlerde kuşlar ile
Çağırayım Mevlâm seni

Sular dibinde mâhî ile (1)
Sahralarda âhû ile
Abdal olup Yâhû ile (2)
Çağırayım Mevlâm seni

Gök yüzünde İsâ ile
Tûr Dağında Mûsâ ile
Elimdeki asâ ile
Çağırayım Mevlâm seni

Derdi öküş Eyyub ile (3)
Gözü yaşlı Yâkub ile
Ol Muhammed mahbub ile (4)
Çağırayım Mevlâm seni

Bilmişim dünya halini
Terk ettim kıyl-ü kalini (5)
Baş açık, ayak yalını (6)
Çağırayım Mevlâm seni

_____

(1) Mâhi: Balık.
(2) Abdal: Derviş.
(3) Öküş: Çok.
(4) Mahbub: Sevgili.
(5) Kıyl-ü kal: Dedikodu.
(6) Ayak yalını: Yalın ayak.

YUNUS okur diller ile
Ol kumru bülbüller ile
Hakk'ı seven kullar ile
Çağırayım Mevlâm seni

(4+4=8)

— 100 —

Ömrüm beni sen aldattın
Ah nideyim ömrüm seni
Beni deprenemez kodun
Ah nideyim ömrüm seni

Benim varım hep sen idin
Canım içinde can idin
Hem sen bana sultan idin
Ah nideyim ömrüm seni

Gönlüm sana eğler idim
Gül deyüben yıylar idim
Garipseyip ağlar idim
Ah nideyim ömrüm seni

Gider imiş bunda gelen
Dünya işi cümle yalan
Ağlar ömrün yavı kılan
Ah nideyim ömrüm seni

Hayrım şerrim yazılısar
Ömrüm ipi üzüliser
Gidip sûret bozulıser
Ah nideyim ömrüm seni

Bâri kapıdan kaçmasan
Göçküncü gibi göçmesen
Ölüm şarabın içmesen
Ah nideyim ömrüm seni

Bir gün ola sensiz kalam
Kurda kuşa öğün olam
Çürüyüben toprak olam
Ah nideyim ömrüm seni

Miskin *YUNUS* bilmez misin
Yoksa nazar kılmaz mısın
Ölenleri anmaz mısın
Ah nideyim ömrüm seni

(4+4=8)

— 101 —

Yok yere geçirdim günü
Ah nideyim ömrüm seni
Seninle olmadım ganî
Ah nideyim ömrüm seni

Geldim ve geçtim bilmedim
Ağlayıp gussa yemedim
Senden ayrılam demedim
Ah nideyim ömrüm seni

Hayrım şerim yazılacak
Ömrüm ipi üzülecek
Sûret benden bozulacak
Ah nideyim ömrüm seni

Gidip geri gelmeyesin
Gelip beni bulmayasın
Bu benliği sermâyesin
Ah nideyim ömrüm seni

Hani sana güvendiğim
Güveniben yuvandığım
Kaldı küllî kazandığım
Ah nideyim ömrüm seni

Miskin *YUNUS* gideceksin
Acep sefer edeceksin
Hasret ile kalacaksın
Ah nideyim ömrüm seni

— 102 —

Aşk ile ister idik, gene bulduk ol canı
Gömlek edinmiş geyer sûret ile bu teni

Girmiş sûrette gezer, cümle işleri düzer
Geri kendiye söyler, gevher ile bu kânı

Bu dünya bir pazardır, sûretler dükkân olmuş
Bu dükkâna giriben odur satan bu kânı

Bir niceler kayırır, bunca malım kaldı der
Veren odur, alan o, sormaz nedir ziyanı

YUNUS imdi sen senden, ayrı değilsin candan
Sen sende bulamazsan nerde bulasın anı

(7+7=14)

178

Gelin bu faktan geçelim
Lâle gevherler biçelim
Aşkın şarabın içelim
İçebilirsen gel beri

Şahımdan destur almışam
Ben mürşidime kanmışam
Kanadımı bağlamışam
Uçabilirsen gel beri

Dost bahçesinin gülüyem
Ben gülümün bülbülüyem
Dört kapının kilidiyem
Açabilirsen gel beri

Açıktır bahçe kapısı
Misler kokuyor kokusu
Kıldan incedir köprüsü
Geçebilirsen gel beri

YUNUS eydür, halim yaman
Dağları bürüdü duman
İşte İncil, işte Kur'an
Seçebilirsen gel beri

Ey benim ile yâr olan
Dosta giden gelsin beri
Varlıkların elden koyup
Talan eden gelsin beri (1)

_____

(1) Talan: Yağma.

Terk edelim kıyl-ü kali (1)
İsteyelim doğru yolu
Hem bulalım gevher kânı (2)
Gevher alan gelsin beri

Gevher canın maksududur (3)
Can, maksudun Mansûr'dur
Maksud için Mansurlayın (4)
Berdâr olan gelsin beri (5)

Emek dilersen maksuda
Çok hizmet eyle mürşide
Sen senliğinden ayrıl da
Dîdâr yakın, gelsin beri

Pinhan edenler kendözün (6)
Onlar görürler Hak yüzün
Görmek dilersen bil sözün
İkrar eden gelsin beri

YUNUS gel anlat halini
Bildir nedir ahvâlini
Derde bırak gel kendini
Derman eden gelsin beri

(5+3 ya da 4+4=8)

---

(1) Kıyl-ü kal: Dedikodu.
(2) Gevher kânı: Mücevher madeni.
(3) Maksud: İstek, arzulanan.
(4) Mansurlayın: Mansur gibi. Mansur, ben Tanrı'yım dediği için idam edilmişti.
(5) Berdâr olan: Dârağacında asılma, asılan.
(6) Pinhan: Gizli. Kendözünü: Kendisini, kendi özünü.

Severim ben seni candan içeri
Yolum vardır bu erkandan içeri

Beni bende demem, bende değilim
Bir ben vardır bende, benden içeri

Nereye bakar isem dopdolusun
Seni nere koyam benden içeri

O bir dilberdürür yoktur nişanı
Nişan olur mu nişandan içeri

Beni sorma bana, bende değilim
Sûretim boş yürür dondan içeri

Beni benden alana ermez elim
Kadem kim basa sultandan içeri

Tecelliden nasîb erdi kimine
Kiminin maksudu bundan içeri

Kime dîdar gününden şu'le değse
Onun şu'lesi var günden içeri

Senin aşkın beni benden alıpdur
Ne şirin dert bu dermandan içeri

Şeriat, tarikat yoldur varana
Hakikat, mârifet andan içeri

Süleyman kuş dilin bilir dediler
Süleyman var Süleyman'dan içeri

Unuttum, din diyânet kaldı benden
Bu ne mezhebdürür dinden içeri

Dinin terkedenin küfürdür işi
Bu ne küfürdür îmandan içeri

Geçer iken *YUNUS* şeş oldu dosta
Ki kaldı kapıda andan içeri

(11 hecenin çeşitli durakları.)

— 106 —

Aşkın gönlüm yağmaladı
Nolsam gerek şimden geri (1)
Bir od bıraktın canıma
Yansam gerek şimden geri

Evvel oda düşüp yanar
Ömür geçer, devran döner
Gün geçtikçe benzim solar
Solsam gerek şimden geri

Ne acayip sergüzeştler
Bağrım dolu serzenişler
Durmaz akar kanlı yaşlar
Aksam gerek şimden geri

Bu ne acayip sergüzeşt
Eyledi bu bağrımı baş
Gözlerimden kan ile yaş
Aksa gerek şimden geri

_____

(1)   Geri: Sonra. Şimdiden geri: Şimdiden sonra.

Dayim riyazet çekenler
Halverlerde diz çökenler
Dost yoluna can verenler
Verse gerek şimden geri

Sen padişah, ben bir kulum
Ebedî kulluğa geldim
Seni sevdiğimi âlem
Bilse gerek şimden geri

Miskin *YUNUS* deli olmuş
Mârifet bahrına dalmış
O denizde gevher bulmuş
Alsam gerek şimden geri

(4+4=8)

— 107 —

Dinin imanın var ise
Hor görmegil dervişleri
Cümle âlem müştakdurur
Görmekliğe dervişleri

Ay-u güneş müştak durur
Dervişlerin sohbetine
Ferişteler tesbih okur
Zikir eder dervişleri

Tersâlar tövbeye gelir
Taht ısları zebun olur
Dağlar taşlar secde kılar
Göriceğiz dervişleri

Derviş oku ırak atar
Hey demeden cana yeter
Gafil olma yeter tutar
Hor görmegil dervişleri

Ol Fahr-ı Âlem Mustafa
Sıdkı bütün, aşkı safâ
İster isen ondan vefâ
İncitmegil dervişleri

İncidesin âh ederler
Ömrün günün kurutalar
Gözsüz olasın yedeler
Tâ bilesin dervişleri

Yer gök eydür hırka hakı
Himmetleri olsun bâkî
Çün padişah oldu sâkî
Esrittiler dervişleri

Gökten inen dört kitabı
Günde bin kez okur isen
Vallâh dîdâr görmeyesin
Sevmez isen dervişleri

YUNUS aydur, bu aşk geldi
Ölmüş canım diri kıldı
Sen ben demek benden kaldı
Görüceğiz dervişleri

— 108 —

Bir sualim var sana ey dervişler ecesi
Meşâyih ne buyurur, yol haberi nicesi

Vergil suale cevap, dutalım olsun sevap
Şûle kime gösterir aşk evinin bacası

Evvel kapı şeriat, emri nehyi bildirir
Yuya günahlarını herbir Kur'an hecesi

İkincisi tarikat, kulluğa bel bağlaya
Yola doğru varanı yargılaya hocası

Üçüncüsü mârifet, can gönül gözün açar
Bak mânâ sarayına arşa değin yücesi

Dördüncüsü hakikat, ere eksik bakmaya
Bayram ola gündüzü, kadir ola gecesi

Bu şeriat güç olur, tarikat yokuş olur
Ma'rifet sarplıkdurur, hakikattır yücesi

Dervişin dört yanında dört ulu kapı gerek
Nereye bakar ise gündüz ola gecesi

Ona eren dervişe iki cihan keşfolur
Onun sıfatın öğer ol hocalar hocası

Dört hal içinde derviş gerek siyaset çeke
Menzile ermez kalır yol eri yuvacası

Kırk kişi bir ağacı dağdan gücün indire
Ya bunca mürit, muhip Sırat nice geçesi

Küfrün atarken sakın imânın vurmayasın
Yoksa sırsın güveci sebil olur güveci

Dört kapıdır, kırk makam, yüz altmış menzili var
O erene açılır vilâyet derecesi

Âşık *YUNUS* bu sözü muhal diye söylemez
Mânâ yüzün gösterir bu şâirler kocası

— 109 —

Dilsizler haberini kulaksız dinleyesi
Dilsiz kulaksız sözün can gerek anlayası

Dinlemeden anladık, anlamadan eyledik
Gerçek erin bu yolda yokluktur sermayesi

Biz sevdik âşık olduk, sevildik ma'şûk olduk
Her dem yeni dirlikte sizden kim usanası

Yetmiş iki dilceydi araya sınır düştü
Ol bakışı biz baktık, yermedik âm-u hâsı

Miskin *YUNUS*, ol velî yerde gökte dopdolu
Her taş altında gizli bin İmrânoğlu Mûsî

(7+7=14)

— 110 —

Bir sâkiden içtik, şarap, arştan yüce meyhânesi
Ol sâkinin mestleriyiz, canlar onun peymânesi

Aşk oduna yananların küllî vücudu nûr olur
Ol od bu oda benzemez, hiç belirmez zebânesi

Bizim meclis mestlerinin demleri Enel Hak olur
Bin Hallac-ı Mansûr gibi onun kemin dîvânesi

O meclis ki bizde vardır, orda ciğer kebap olur
O şem'a ki bizde yanar, ay-u güneş pervânesi

Bizim meclis bekrileri şol Şah-ı Edhem gibidir
Belh şehrince yüz bin ola her köşede virânesi

YUNUS bu cezbe sözlerin câhillere söylemegil
Bilmez misin câhillerin nice geçer zamânesi

(8+8=16)

— 111 —

Dosttan haber sorar isen
Güzaf değildir dost işi
Belli bilin hiç nesnedir
Bu cihanda dostsuz kişi

Her kim ki dost yüzün göre
Dost dost diye canın vere
Ol vaktın ol dosta ere
Unuta cümle teşvişi

Kim yol bulacaktır ona
O çağırır ondan yana
Devlet erdi ondan bana
Hâcet değil hümâ kuşu

Dost işi acep işdürür
Can denize dalmışdurur
Cansızlara bir düşdürür
Gel yorasın sen bu düşü

Dost aşkından âlem doldu
Her bir âşık ondan oldu
Aşksız biten çiçek soldu
Aşk iledir dostluk hoşu

Nice diyeyim ben onu
Kabul etmez yüz bin canı
Ona lâyık kıymet hani
Yoktur onun gibi duşu

Dostu seve âşık gerek
Ne olacak aşktan yeğrek
Aşktır yere göğe direk
Kalanı hep söz öküşü

YUNUS imdi sen ben iken
Âşıklara ne sen-ü ben
Yoklukdamış dostu seven
Komaz ayrıksı bakışı

— 112 —

Erenlerin gönlünde ol sultan dükkân açtı
Nice bizim gibiler anda konuban geçti

Cümle erenler uçtu, dağlar, yazılar geçti
Aşk kazanına düştü, kaynayubanı pişti

Bu dünyanın meseli benzer murdar gövdeye
İtler murdara düştü. Hak dostu kodu kaçtı

Âşık mı diyem ona, can terkini vurmadı
Âşık ona diyeler kim melâmete düştü

Yine esridi *YUNUS*, Taptuk yüzün görelden
Meğer onun gönlünden bir cur'a şerbet içit

$(7+7=14)$

— 113 —

Nice bir besleyesin bu kad ile kameti
Düştün dünya zevkine unuttun kıyâmeti

Topraktan yaratıldın, yine topraktır yerin
Toprak olan kişiler nider bu alâmeti

Çalış kazan ye, yedir, bir gönül ele getir
Yüz Kâbe'den yeğrektir bir gönül ziyâreti

Uslu değil delidir yüce saraylar yapan
Âkıbet vîran olur cümlenin imâreti

Yüz bin peygamber gele hiç şefâat olmaya
Vay eğer olmaz ise Allah'ın inâyeti

Nefsi Müslüman olan hak yola doğru varır
Yarın ona olısar Muhammed şefaati

Kerâmetim var diyen, halka sâlûsluk satan
Nefsin müslüman etsin var ise kerameti

YUNUS imdi sen dahi gerçeklerden ola gör
Gerçek erenler imiş kamunun ibâdeti

(7+7=14)

— 114 —

Düştü gönlüme hubbül vatan (1)
Gidem, hey dost deyi deyi
Anda varan kalır heman
Kalam, hey dost deyi deyi

Gele şu Azrâil tuta
Assı kılmaz ana, ata
Binem şu ağaçtan ata
Gidem, hey dost deyi deyi

---

(1) Bu mısrada bir hece fazladır.

Halvetlerde meşgul olam
Dâyim açılan gül olam
Dost bağında bülbül olam
Ötem, hey dost deyi deyi

Şol bir, beş on arşın bezi
Kefen edeler eğnime
Dökem şu dünya donların
Geyem, hey dost deyi deyi

Mecnûn oluban yürüyem
Yüce dağları bürüyem
Mum olubanı eriyem
Yanam, hey dost deyi deyi

Günler geçe yıl çevrile
Üstüme taşım devrile
Ten çürüye toprak ola
Tozam, hey dost deyi deyi

YUNUS EMRE var yârına
Münkirler girmez yoluna
Bahri olup dost gölüne
Dalam, hey dost deyi deyi

$$(4+4=8)$$

— 115 —

Hocam senin hikmetine
Kalam, ah dost deyi deyi
Aklım ermez kudretine
Benim, ah dost deyi deyi

Hüdâ, hey benim mâbudum
Sensiz bu dünyayı nidem
Yoluna can teslim idem
Gidem, ah dost deyi deyi

Yanam dünyanın yüzünde
Hayalin kaldı gözümde
Mevlâ'm aşkın denizinde
Yüzem, ah dost deyi deyi

Hey yalancı dünya fânî
Alma gel boynuna kanı
Boğazıma gelcek canı
Verem, ah dost deyi deyi

Yüksekten alçağa inem
Aşkın oduna ben yanam
Yana yana küller olam
Tozam, ah dost deyi deyi

Ben deli oldum, ola mı
Firkatla böyle kalam mı
Bir kâğıda bin kelâmı
Yazam, ah dost deyi deyi

Nerden neye geldin neye
İnanma yalan dünyaya
Varır olıcak sinliğe
Girem, ah dost deyi deyi

YUNUS yok âşıka ârâm
Aşksızlara sohbet haram
Soranlara haber verem
Diyem, ah dost deyi deyi

Ey, çok kitaplar okuyan
Sen ki tutarsın bana dak
Ne bilesin sırrı ayan
Gel aşktan oku sabak

Ger sen seni bildinise
Sûret terkin urdunusa
Sıfat nedir bildinise
Ne ki edersen bana hak

Bilmeyesin bed-nâm-u nâm
Bir ola sana hâs-u âm
Bildinise ilim tamam
Gel aşktan oku bir sabak

Okumagıl ilmin yüzün
İlme amel gerek güzin
Aç gönülden bâtın göz'ün
Âşık mâşuk haline bak

Baygıl âşık ne işdedir
Mâşuka ol cünbüşdedir
İkisi bir teşvişdedir
İki sanıp bakma ırak

İkilikten geçemedin
Hâli kalden seçemedin
Dosttan yana uçamadın
Fakılık oldu sana fak

Cübbe vü hırka, taht-u tac
Verse gerektir aşka bac
Dört yüz mürit, elli hac
Terk eyledi *Abdürrezzak*

Onun gibi din ulusu
Haç öptü, çaldı nâkusu
Sen dahi bırak nâmûsu
Gel beri putun oda yak

Âşık mâşuk birdir bile
Aşktan gelir her söz dile
Bîçâre *YUNUS* ne bile
Ne kara okudu, ne ak

— 117 —

Şükür Hakk'a ki, dost bize ayıttı, dost yüzüne bak
Açtım ben de gönlüm gözün, sultanımı gördüm mutlak

Çünkü gördüm ben Hakk'ımı, Hak ile olmuşam biliş
Her kancaru bakdımsa hep görünendir cümle Hak

Açık duâcık kapısı dostlar içün ol Hakk'ın
Dostu olmak dilerisen dostlardan oku bir sabak

Hicabdasın bu gün seni göstermezler belli sana
Hicab dediğimü anla, dünyalıkdur gözden yırak

Sen seni bilmeyince, ere nazar kılmayınca
Senliği de arayerden gidermezsen oldu tuzak

Yedi deniz, dört ırmak seni mısmıl eylemeye
Çünkü işin o Hak ile olmadısa kaldın ırak

Evliyâdır Hak kapısı, *YUNUS*'durur kapıcısı
Aşkıla geldi bu yola, aşkı edindi durak

(8+8=16)

— 118 —

Kerem et, bir beri bak, nikabı yüzünden bırak
Ayın on dördü müsün balkırır yüz-ü yanak

Şol ağzından keleci yüz bin şükrane ile
Destûr gelsin taşraya söylesin dil-ü dudak

Otuz iki inciyi mercana düzmüş gibi
Kıymeti dürden olmuş yaraşır inciden ak

Sıfatın arılığı bulgur-u nohut gibi
İki kaşın ay, alnın genç aya verir sabak

Gören pervâneleyin nice oda düşmesin
Gözlerinin bakışı can alır iki çırak

Aşkın zemzemesinden âşık boynu zencirli
Azatlık istemezler şöyle kaldılar tutsak

Hangi bir nesneni ki dil nice şerh eylesin
İlâhî sen beklegil yavuz gözlerden ırak

Boynun yavuk boynundan hiç fark eyleyemedim
Gümana veren beni küpeli iki kulak

YUNUS Hak tecellisin senin yüzünde gördü
Çare yok ayrılmağa çün sende göründü Hak

(7+7=14)

— 119 —

Ne söz keleci verirsem dilim seni söyleyimsek
Kanda yörürsem yörürüm, senden yana kaçar dilek

Haktır seni sevmezlere cansız sûrettir derisem
Anınçün canlılara senin gibi mâşûk gerek

Söyledin cümle âleme, henüz nikâb içindesin
Bir dem perdesiz yörüsen iki cihan olur helek

Dev-ü peri, ins-ü melek, sever seni her mahlûkat
Hayran olup ileyinde durmuşdurur hûr-ü melek

Nûşdur senin elinle zehr-i katil içerisem
Bilmezin ne ma'nisi var ol olur canıma tiryak

Ger şehd-ü şekker yerisem sensiz ağıdır canıma
Çün canımın sensin tadı, kanda bulam senden yeğrek

Yüz bin eğer cevr-ü cefâ uğrarısa sûretime
Hiç eksilmez şâdiliğim, cümlesin yur seni sevmek

Ne var eğer *YUNUS* dahi aşk içinde zerresiye
Aşk tadıla kayimdürür yer ile gök çarh-ı felek

(8+8=16)

— 120 —

Müslümanım diyen kişi
Şartı nedir bilse gerek
Tanrı'nın buyruğun tutup
Beş vakit namaz kılsa gerek

Tanla durup başın kaldır
Ellerini suya daldır
Tamudan azatlı oldur
Kullar azat olsa gerek

Öğle namazın kılasın
Her ne dilersen bulasın
Nefs düşmanın öldüresin
Nefs hemîşe ölse gerek

O ikindiyi kılanlar
Arı dirlik dirilenler
Onlardır Hakk'a erenler
Dâyim Hakk'a erse gerek

Akşamdurur üç farîza
Dağca günahın arıda
Eyi amellerin sana
Şem'-ü çırağ olsa gerek

Yatsı namazına ol hazır
Hazırları sever kadir
İmânın eksiğin bitir
İmân pişrev olsa gerek

Her kim müslüman olmadı
Beş vakt namazı kılmadı
Bilin müslüman olmayan
Ol tamuya girse gerek

Görmez misin Mustafâ'yı
Nice bekledi vefâyı
Ümmet için ol safâyı
Ümmet ona erse gerek

Bekler isen din gayretin
Vermegil nefse muradın
YUNUS, nebî salavatın
Aşkıla değürse gerek

— 121 —

Dünyaya gelen kişiler
Yola bile gelmek gerek
Ölümünü anubanı
Dün-ü gün ağlamak gerek

Bu dünya kahır evidir
Hem bâkî değil fânidir
Aldanuban kalma buna
Tez tövbeye gelmek gerek

Nedürür dünya çokluğu
Eşkeredürür yokluğu
Varlık sarayın hakikat
Âhireti bilmek gerek

Gel imdi dur bu fâniden
Mahrum kalmadan bâkîden
Tâat kılıp bu dünyadan
Kul nasip almak gerek

Korkar isen o tamudan
Alçak olgıl sen kamudan
O günü ince Sırat'tan
Kamularla geçmek gerek

Geçip gitmek diler isen
Ya düşmeyeyim der isen
Şu kazandığın malını
Tanrı için vermek gerek

Kazandığını veriben
Yoksulları hoş görüben
Hak hazretine varuban
Oddan o kurtulmak gerek

Kur'an aydur ki «vetteku»
Gine aydur ki «tazra'û»
Kâhil olup oturmagil
Tez tövbeye gelmek gerek

YUNUS'un sözü şiirden
Amma aslıdır kitaptan
Hadîs ile dinine key
Bilgil sâdık olmak gerek

Nidelim bu dünyayı, neyleyip nitmek gerek
Dâima aşk eteğin komayıp tutmak gerek

Çalab'ım bu dünyayı kahır için yaratmış
Gerçeğin gelenlerin kahrını yutmak gerek

O yarınki yollara orda yoldaş isteyen
Bu dünyada dostunu kılavuz tutmak gerek

Uçmak uçmak dediğin, kulların yeltediğin
Uçmağın sermayesi bir gönül etmek gerek

Erenlerin âhına dağ taş katlanamadı
Kalkanı demir ise okları atmak gerek

YUNUS er nazarında taze güller açılmış
Gerçek er bülbül ise nazarda ötmek gerek

(7+7=14)

Bu dünyaya gelen kişi, âhir yine gitmek gerek
Misafirdir vatanına, birgün sefer etmek gerek

Vâde kıldık o dost ile biz bu cihana gelmeden
Pes ne kadar eğleniriz, o vâdemiz yetse gerek

Biz de varırız o ile, kaçan ki vâdemiz gele
Kişi varacağı yere gönlünü berkitse gerek

Gönül nice berkitmeye dost iline giden yola
Âşık kişiler canını bu yola harcetse gerek

Can neye ulaşır ise akıl da ona harcolur
Gönül neyi sever ise dil onu şerh etse gerek

Acep midir âşık mâşûkunu zikrederse
Aşk başından aşıcağız gönlünü zâr etse gerek

YUNUS imdi sever isen ondan haber vergil bize
Âşıkın oldur nişanı, mâşûkun ayıtsa gerek

(8+8=16)

— 124 —

Kim dervişlik ister ise
Diyem ona netmek gerek
Şerbeti elinden koyup
Ağuyu nûş etmek gerek

Gelmek gerek terbiyete
Cümle bildiklerin koya
Mürebbisi ne der ise
Bes ol onu tutmak gerek

Tuta basr-u kanaatı
Tahammül eyleye katı
Terk eyleye sûretini
Bildiğin unutmak gerek

Dünyadan gönlünü çeke
Eli ile arpa eke
Ununa yarı kül kata
Güneşte kurutmak gerek

Diyem ona nice ede
Nefsi dileğin bu yolda
Kaçan ki iftar eyleye
Üç günde bir etmek gerek

Böyledir derviş dirliği
Koya cümle ayyarlığı
Ondan bulusar erliği
Kahırlar çok yutmak gerek

Bakma dünya sevisine
Aldanma halk gövüsüne
Dönüp dîdâr arzusuna
O Hakk'a yüz tutmak gerek

YUNUS imdi nedir dersin
Ya kimin kaydını yersin
Bir kişi bu sözü desin
Ona gücü yetmek gerek

— 125 —

Evvel bize vâcib budur
Eyi hulk-u amel gerek
İslâm adı konucağız
Yoldaşımız imân gerek

İsrâfil sûrun vurucak
Cümle mahluk uyanıcak
Soru hesap sorulucak
Arap dili lisan gerek

Gök perdelerin açalar
Eyi yavuzdan seçeler
O dem nereye kaçalar
Baş kurtarası yer gerek

Terazi kurup oturalar
Sermâyemiz getireler
O siyaset meydanında
Bu tertibleri bil gerek

Çığrışalar ata ana
Kardaş kardaştan usana
Yalvaralar ol Subhân'a
Niyaz kılası yer gerek

Dükelinden bu aşk yakın
YUNUS hatâ kılma sakın
Aşktan nasib sunulacak
Cevap veresi hâl gerek

— 126 —

Dost yüzüne bakmağa
Dost ile bilişmeğe
Key safâ nazar gerek
Can gözü bîdâr gerek

İzz-ü nazdan geçüben
Varlıklar tükedüben
Tertibler terkedüben
Yüz bin ol kadar gerek

Varlıktır hicab katı
Dost yüzünden nikabı
Kim yıka bu hicabı
Götürmeğe er gerek

Hicab oldun sen sana
Kaykımaz öne sona
Ne bakarsın dört yana
Şuna ki dîdâr gerek

Gel imdi hicabın yık
Hak bağışlaya tevfik
Hırs evinden taşra çık
Kasdıla hüner gerek

Âşıka izzet-ü âr
Âşık isen cansız gel
Vallah güzel bu haber
Ne ser-ü destâr gerek

Sen seni elden bırak
Mansur'layın enel Hak
Dost yüzüne sensiz bak
Dahi sebükbâr gerek

Kim dost ile bilişe
Âşık canı hemişe
Lâcerem derde düşe
Sermest-ü humâr gerek

Dostıla bilişen can
Varlık leşkerin sıyan
Oldur kendüye bakan
Dahi çapük er gerek

Terkeyle kıyl-ü kali
Yokluktadır visâli
Dosta vergil mecâli
Kamudan geçmek gerek

Akıl erdiği değil
Dil, söz verdiği değil
Bu göz gördüğü değil
Bî-lisan bî-ser gerek

İşit işit key işit
Dosta gidene önden
Dost katına sensiz git
Kendüsüz sefer gerek

Boncuk değil sır sözü
Dostu görmez başgözü
Gel gidelim, ko sözü
Ayrıksı basar gerek

YUNUS imdi yavıvar
Kim Hak desin kim bâtıl
Bulamasın il-ü şar
Derviş burdubâr gerek

— 127 —

Biz kime âşıksavuz âlemler ona âşık (1)
Kime değil diyelim, bir kapıdır bir tarîk

Biz neyi seversevüz mâşuka onu sever
Dostumuzun dostuna yâd endîşe ne lâyık

Sen gerçek âşıkısan dostun dostuna dost ol
Bu halde kalırısan dosta değil yaraşık

Kime az bakarısan aslı yüce yerdedir
Bun yerinde durana sığını geçer ferık

Yetmiş iki millete kurban ol âşıkısan
Tâ âşıklar safında tamam olasın sâdık

─────────────

(1) Âşıksavuz: Âşık isek.

204

Sen Hakk'a âşıkısan Hak sana kapı açar
Ko seni beğenmeyi varlık evini bir yık

Hâs-u âm muti' âsi dost kuludur cümlesi
Kime eydibilesin gel evinden taşra çık

YUNUS'un bu danışı genc-i nihan sözüdür
Dosta âşık olanlar iki cihandan fârik

(7+7=14)

— 128 —

İşitin ey yârenler
Kıymetli nesnedir aşk
Değmelere sunulmaz
Hürmetli nesnedir aşk

Hem cefâdır, hem safâ
Hamza'yı attı Kaf'a
Aşk iledir Mustafâ
Devletli nesnedir aşk

Dağa düşer kül eyler
Gönüllere yol eyler
Sultanları kul eyler
Cür'etli nesnedir aşk

Kime ki aşk vurdu ok
Gussa ile kaygu yok
Feryad ile âhı çok
Firkatlı nesnedir aşk

Denizleri kaynatır
Mevce gelir oynatır
Kayaları söyletir
Kuvvetli nesnedir aşk

Akılları şaşırır
Deryâlara düşürür
Nice ciğer pişirir
Key odlu nesnedir aşk

Miskin *YUNUS* neylesin
Derdin kime söylesin
Varsın dostu toylasın
Lezzetli nesnedir aşk

— 129 —

Mânâ evine daldık, vücut seyrini kıldık
İki cihan seyrini cümle vücutta bulduk

Bu çizginen gökleri, tahtes-serâ yerleri
Yetmiş bin hicabları cümle vücutta bulduk

Yedi yer, yedi göğü, dağları, denizleri
Uçmağ ile tamuyu cümle vücutta bulduk

Gece ile gündüzü, gökte yedi yıldızı
Levhte yazılı sözü cümle vücutta bulduk

Mûsâ ağdığı Tûr'u yoksa Beytül Ma'mûru
İsrâfil çalan sûru cümle vücutta bulduk

Tevrât ile İncil'i, Furkan ile Zebûr'u
Bunlardaki beyânı cümle vücutta bulduk

YUNUS'un sözleri hak, cümlemiz dedik saddak
Nerd'istersen orda Hak cümle vücutta bulduk (1)

(7+7=14)

---

(1) Vezin için «Nerd'istersen» olarak yazıldı. Doğrusu «Nerde istersen» dir.

— 130 —

Yavlak acayip geldi
Dünya içinde işbu hâl
Gece konuk olan kişi
Gine sabah göçer filhâl

Eğer gerçek konuk isen
Aç gözün uyanık isen
Sen bu söze tanık isen
Geri kalır mülk ile mal

Malını bireğiler yer
Sen orda hesabını ver
Senindir o bir adım yer
Göre nice vurulur kal

Kendin görürken ye, yedir
Yoktur diye etme özür
Bu dünyada hâsıl nedir
Hayrıla pazarın ver, al

Ben diyeyim sözün hakkın
İşit unutma key sakın
Uş kıyamet geldi yakın
Gönlünden geçmesin hayal

Orda İsrâfil sûr vura
Ölenler yerinden dura
Geçe devrân- ruzigâr
Öyle yazmış Celle-celâl

Sultan ve kullar bir ola
Orda katı haller ola
Dahi ayrıksı sır ola
Korkulu iş orda muhâl

Burda korkmaz isen *YUNUS*
Orda korkuturlar seni
Eğer dirliğin hak ise
Sıratı geçesin sehel

— 131 —

Dervişlik makamı hâl içinde hâl
Ferâgatlık makamı dervişe muhâl

Derviş ayrılamaz evvelki demden
Hiç fırkat olmadı, nasiptir visâl

Dervişler fitne kabın burda uşattı
Hareket etti bunda olmadı battâl

Dervişlik dirliği sırat üzredir
Hesabı ettiler zerre-i miskal

Derviş enel-Hak derse nola, aceb mi
Hep varlık Hakk'ındır alâ küll hâl

Derviş, ayırma gözün evvelki demden
YUNUS görüpdürür hem âhır, hem evvel (1)

(6+5=11)

— 132 —

Canlar fedâ yoluna
Sen can gereksin bana
Bu can kaygısı değil
Cihan kaygısı değil

Canlar içinde cansın
Bize dîn-ü îmansın
Sen bir âb-ı hayvansın
Îman kaygısı değil

Yudum yaramı, sildim
Bana yârin kaygısı
Yaram kimdendir bildim
Yaram kaygısı değil

Aşkın beni fâş etti
Çün iyan gördüm seni
Saklamam derdim velî
Pinhan kaygısı değil

Derman ola mı bana
Dertli varayım sana
Derdim benim ki ona
Derman kaygısı değil

_____

(1) Kimi mısralarda hece fazlalığı vardır.

Gelin âşık olalım
Esrik olup yatmışım
Aşka cevlân vuralım
Cevlân kaygısı değil

Aşkın oku temreni
Aşk için ben öleyim
Dokunur yüreğime
Temren kaygısı değil

Can-ü gönülü nettim
Sıdkı dahi unuttum
Aşkın oduna attım
Güman kaygısı değil

Aşkın burcundan uçtum
Ben dost ile buluştum
Cevlân vuruban geçtim
Cevlân vuruban değil

Bahr-ummana dalmışım
Gevher olup gelmişim
Orda sedef bulmuşum
Umman kaygısı değil

Durduğum yer Tûr ola
Ne hâcet Mûsâ bana
Baktığım dîdâr ola
Sen ben kaygısı değil

Bu *YUNUS*'u andılar
Ben menzile eriştim
Kervan geçti dediler
Kervan kaygısı değil

Müşkülü halleylemek değmenin işi değil
Bir kişiye ver gönül bu yolda naşı değil

Evliyanın gönlünden kesme «şey'en lillâh»ı
Sana himmet o eyler, göz ile kaşı değil

Er oldur ki menzilin her dem göstere dura
Değme ârif bu düşü yoramaz, işi değil

Hak tecelli kılmağa, can aslını bulmağa
Gönülden sür sivâyı, nazarı dışı değil

Bu kelâmın mânâsı evliyanın hanıdır
Yedirmegil cahile ki zira aşı değil

YUNUS bir doğan idi, kondu Taptuk koluna
Avın şikara geldi, bu yuva kuşu değil

(7+7=14)

Mânâ eri bu yolda melül olası değil
Mânâ duyan gönüller hergiz ölesi değil

Ten fânidir, can ölmez, gidenler gine gelmez
Ölür ise ten ölür, canlar ölesi değil

Gevhersiz gönüllere yüz bin yol eder isen
Hak'tan nasib olmasa nasib alası değil

Sakıngıl yârin gönül sırçadır sımayasın
Sırça sındıktan sonra bütün olası değil

Çeşmelerden bardağın doldurmadan kor isen
Bin yıl orda durursa kendi dolası değil

Şu *Hızır* ile *İlyas* âb-ı hayât içtiler
Bu birkaç gün içinde bunlar ölesi değil

Yarattı Hak Dünyayı Peygamber dostluğuna
Dünyaya gelen gider, bâkî kalası değil

YUNUS gözün görürken yarağın eyle bu gün
Gelmedi anda varan geri gelesi değil

(7+7=14)

— 135 —

Senin, ben demekliğin mânâda usûl değil
Bir kapı kullarına şaşı bakmak yol değil

Sen sana yarar isen, bu sözden duyar isen
Nereye bakar isen demegil sen ol değil

Yetmiş iki milletin hem mâşuku oldurur
Âşıkı mâşukundan ayırmaklık fal değil

Küfrünü atar iken îmanın vurma sakın
Hırs bizimle düşmandır, bilişlidir, el değil

İşbu sözden bir haber muhtasardır muhtasar
Et bir eri ihtiyar kahıtlıktan bol değil

Beşe, bu kuş dilidir, bunu Süleyman bilir
Sana derim ey hoca, bu dil tehî dil değil

Sağa sola bakmadan hoş söyler Taptuk *YUNUS*
O gerçeğe âşıklar küllî sağdır sol değil

(7+7=14)

Aşksızlara verme öğüt
Öğüdünden alır değil
Aşksız Âdem hayvan olur
Hayvan öğüt bilir değil

Boz yapalak devlengece
Emek yeme erte geçe
Onın işi göstebektir
Salıp ördek alır değil

Şah balaban, şahin doğan
Zehî öğmüş onu öğen
Doğan zaif olur ise
Doğanlıktan kalır değil

Kara taşa su koyarsan
Elli yıl ısladırısan
Hemen taş gine bayağı
Hünerli taş olur değil

YUNUS olma cahillerden
Irak olma ehillerden
Cahil ne var mü'minise
Cahillikten kalır değil

Eyâ gönül açgıl gözün, fikrin yavlak uzatmagıl
Bakgıl kendi dirliğine, kimse aybın gözetmegil

Şöyle dirilgil halk ile, ölüceğiz söyleşeler
Bâkî dirlik budur canım, yavuz ad ile gitmegil

Diler isen bu dünyayı âhirete değşiresin
Dün-ü gün kılgıl tâatı, ayak uzatıp yatmagıl

Gördün ki bir derviş gelir, yüz vur onun kademine
Senden şey'ullah edicek kaşın karagın çatmagıl

Söylediğin keleciyi işittiğin gibi söyle
Kendözünden zeyreklenip birkaç söz dahi katmagıl

Dünya çerb-ü şirindürür, Âdem gerektir yiyesi
Kem nesneye tama' edip kösüp kömürüp yutmagıl

Nefse uyup beş parmağın bir kezden iltme ağzına
Kes birisin ver miskine, gerek ola unutmagıl

YUNUS kim öldürür seni, veren alır yine canı
Yarın göresin sen onu, er nazarından gitmegil

(8+8=16)

— 138 —

Tehi görme kimseyi
Hiç kimesne boş değil (1)
Eksiklik ile nazar (2)
Erenlere hoş değil

Gönlünü derviş eyle
Dost ile biliş eyle (3)
Aşk eri şu mânâda
Derviş içi boş değil

---

(1) Kimesne: Kimse (eski).
(2) Eksiklik: Kusur, günah.
(3) Biliş: Tanış, dost.

Derviş bilir dervişi
Hak yoluna durmuşu
Dervişler hümâ kuşu (1)
Çaylak ve baykuş değil

Dervişlik aslı candan
Geçti iki cihandan (2)
Haber verir sultandan (3)
Bellidir, yad kuş değil

Ey *YUNUS* Hakk'ı bilen
Söylemez hergiz yalan
İkilik ile gelen
Doğru yol bulmuş değil

— 139 —

Gerekmez dünyayı bize, çünkü bâkî bünyad değil
Bir kul bin de yaşarısa ölicek bir saat değil

Bu dünya kahır evidir, nice ömürler eridir
Uçmakta huy satan kişi, yalan yanlış gıybet değil

Şol senin mü'min kulların, dünya zindanı anların
Bu dünyada mü'min olan hurrem oluban şâd değil

Bunda zâlimlik eyleyen, nefsi haramla toylayan
Yüzleri kara kopısar, öz canları râhat değil

---

(1) Hüma kuşu: Bir masal kuşudur. Devlet kuşu da denir. Kimin başına konarsa bahtı açılır, mutlu olur.
(2) İki cihan: Dünya ve âhiret.
(3) Sultan: (burada) Tanrı.

Kimdürür ki eren ona, dün gün tâat kılan ona
Verilir uçmak onlara, zira bilişdir, yâd değil

YUNUS miskin mestânesin, sen seni gör, ko bunları
Dünyada riyâlı dirlik kişiye eyi ad değil

(8+8=16)

— 140 —

Bir kez gönül yıktın ise
Bu kıldığın namaz değil
Yetmiş iki millet dahi
Elin yüzün yumaz değil (1)

Ne erenler geldi geçti
Bunlar yurdu kaldı, göçtü
Pervâz vurup Hakk'a uçtu
Hümâ kuşudur, kaz değil

Yol odur ki doğru vara
Göz odur ki Hakk'ı göre
Er odur alçakta dura
Yüceden bakan göz değil

Doğru yola gittin ise
Er eteğin tuttun ise
Bir hayır da ettin ise
Birine bindir, az değil

_____

(1) Bu mısra ile «abdest almaz değil» anlamına, «elini, yüzünü yıkamaz de-
ğil» diyerek dokunuyor.

YUNUS bu sözleri çatar
Sanki balı yağa katar
Halka metâların satar
Yükü cevherdir, tuz değil

— 141 —

Kul padişahsız olmaz, padişah kulsuz değil
Padişahı kim bildi, kul etmese yort savul

Sultan hemîşe sultan, kul hemîşe kul idi
O kadim padişahtı usûl içinde usûl

Tanrı kadim, kul kadim, ayrılmadım bir adım
Gör kul kim, Tanrı kimdir, anla ey sahib-kabul

Bize birlik sarayın doğru beşaret ayın
Geç ikilik fikrinden, kogıl benliği yâ kul

Gör şimdi gizli seyri, seyr içindeki sırrı
Kul bilmez bu tedbiri, kime değdi bu nüzûl

Ayıt ayıt kamusun, ne kân-ü ne mâdensin
Sûreti pür ma'nîsin, padişahı sende bul

Gel şimdi hicabın aç, senden ayrıl sana kaç
Sende bulasın mi'raç, sana gelir cümle yol

Nerye vardın ey âkîl, bir ağızdan cümle dil
Cüz'iyyât-ı müselsil haber verir akl-ı kül

YUNUS bak neredesin, ne yerde ne göktesin
Bekle edep perdesin, gel imdi gel tapu kıl

(7+7=14)

218

Ata belinden bir zaman
Hak'tan bize destur oldu
Anasına düştü gönül
Hazineye düştü gönül

Orda beni can eyledi
Dört-ü on gün deyiceğiz
Et-ü sünük, kan eyledi
Değzinmeğe düştü gönül

Yürür idim orda pinhan
Vatanımdan ayırdılar
Hay buyruğu vermez aman
Bu dünyaya düştü gönül

Beni beşiğe vurdular
Önden acısın verdiler
Elim ayağım sardılar
Tuz içine düştü gönül

Günde iki kez çözerler
Ağzıma emcek verirler
Başına akça dizerler (1)
Nefs kabzına düştü gönül

Bu nesneyi terkeyledim
On'ki sönükken bezerler
Yürümeğe azmeyledim
Elden ele düştü gönül

---

(1) Bu mısraın anlamı, çocuğun takkesine dikilen madenî para olarak düşünülmelidir.

Oğlan iken sultan kopar
Akıl bana yoldaş oldu
Kim elin, kim yüzün öper (1)
Sultanlığa düştü gönül

Bu çağ ile sakal biter
Güzeller katında biter
Görenin gülesi tutar
Sevesiye düştü gönül

Hayırdan şerir çok sever
Nefsinin dileğin kovar
İşlemeğe becit iver
Nefs evine düştü gönül

Kırk yaşında sûret döner
Bakıp şeybetin göricek
Kara sakala ak iner
Yoldurmağa düştü gönül

Yola gider başaramaz
Bu nesneleri koyuban
Yiğitliğe eli varmaz
Yuvanmağa düştü gönül

Oğul aydur, bunadı ölmez
Hiç kendi halinden bilmez
Kız aydur, yerinden durmaz
Halden hale düştü gönül

Ölüceğiz şükredeler
Allah adın zikredeler
Sinden yana iledeler
Çok şüküre düştü gönül

_____

(1) Kim'leri «kimi, kimisi» olarak düşünmelidir.

Su getirirler yumağa
Ağaç ata bindireler
Kefen sararlar komağa
Teneşire düştü gönül

Eğer var ise amelin
Eğer yoğ ise amelin
Geniş olur sinin senin
Oddan şarap içti gönül

YUNUS anlayıver hâlin
Burda elin erer iken
Şuna uğrar ise yolun
Hayr işlere düştü gönül (1)

---

(1) Bu nefes, Halk Edebiyatında geleneği bulunan doğumdan ölüme kadar insan hayatının geçirdiği evreleri anlatır.

Bu fena mülkünde ben nice bir hayran olam
Ya nice handan olam, ya nice bir giryan olam

Gâh feleklerden, meleklerden dilekler eyleyem
Gâh arş şemsinde gerdûn olam, gerdân olam

Adımım attım yedi, dört, on sekizden öte ben
Dokuzu yolda kodum, şah emrine fermân olam

Dost ferah kıldı terahtan ben teberrâ eyledim
Sûretâ insan olam, hem can olam, hem kan olam

Gâh müftü müderris, geh mümeyyiz, gâh temîz
Gâh bir müdbir-ü nâkıs, naks ile noksan olam

Gâh batn-ı hût içinde Yunus ile söyleşem
Geh çıkam arş üzere bin can olam, Selman olam

Gâh inem efsellere Şeytan ile şerler düzem
Geh çıkam arş üzre vü seyran olam, cevlân olam

Gâh işidirim işitmezem işimezem acep
Nice bir neystan olam, hayvan olam, insan olam

Gâh ma'kûlat-ı mahsûlât takrir ü beyân
Gâh mahsûrat olam, geh sahib-i Keyvân olam

Nice bir sûrette insan vü sıfatta canavar
Nice bir tilki olam ya kurt veya aslan olam

Nîce bir tecrit-i tefrit-i mücerret münferit
Ya nice cin nice ins-ü nice bir Şeytan olam

Nîce bir aşk meydanında nefs atın seğirdirim
Ya nice bir başımı top eyleyip çevgân olam

Gâh bir içre birlik eyleyem ol bir ile
Gâh dönem deryâ olam, katre olam, ummân olam

Gâh duzahta yanam Fir'avn ile Hâmân ile
Gâh cennette varam gılman ile Rıdvân olam

Gâh bir gazi olam Efreng ile cenk eyleyem
Gâh dönem Efreng olam, nisyan ile isyân olam

Gâh bir mechul-i merdut olam vü Nemrût olam
Gâh varam Ca'fer olam, Tayyar olam, perrân olam

Nîce bir âmî olam, nâmî olam, câmî olam
Nîce bir kâmî olam, nâkâm olam, nâdân olam

Gâh ola odlar yakam, diller yıkam, canlar yakam
Gâh varam arşa çıkam, gâh şah-u gâh sultan olam

Nîce bir dertler ile odlara yanam yakılam
Nîce bir şâkir olam, zâkir olam, mihmân olam

Terk edem bu hâk-ü bâdı, vara aslına yine
Şeş cihetten ben çıkam, bî-cism olam, bî-can olam

Nîce bir Cercîs-ü Bercîs olam vü Merrîh olam
Nîce bir Câlînûs-u Bukrât olam, Lokmân olam

Bu dokuz aslan-ü yedi evren vü dört ejdeha
Bunlarınla cenk edem, Rüstem olam, destân olam

Bir demî âsûde olam, hüşyâr-ı gafil hıred hâm
Bir demî âşüfte olam, mecnûn olam, hayrân olam

Gönlümün gencine renc irgürmeden bir yol bulam
Yâhûd deryâya girem bî-renk-ü bî-elvân olam

Ya nice bir ben diyem, sensiz diyem utanmadan
Ya nice deksiz olam, densiz olam, hayvan olam

Nice bir balçıkta olam, alçakta olam hâr olam
Gâh varam gevher olam, yâkût olam, mercân olam

Âdemîlikten çıkam, uçam melekler mülküne
Levn olam, bî-levn olam, geh kevn olam, bî-kân olam

Geh mutî olam Hüdâ'nın emrine bin can ile
Geh dönem her dûn olam, Mûsâ olam, Imrân olam

Geh duram Dâvûd olam taht-ı Süleyman'a çıkam
Geh dönem güm-râh olam, hem-râh olam, hicrân olam

Gâh zindandan çıkam âzâd olam, âbâd olam
Geh gine derbân olam, mahbus olam, zindan olam

Dâr olam, girdâr olam, Mansûr olam, berdâr olam
Ten olam, hem can olam hem în olam hem ân olam

Geh beyâbân-ı harâb-ı geh serab-u geh türâb
Geh yine mahmûd olam, geh cin olam, geh can olam

Gâh izzette aziz-ü gâh zillette hakîr
Geh varam erkân olam, reh-bîn olam, rühbân olam

Geh dönüp hâmüş olam, bîhîş olam, serhoş olam
Söyleyem destân olam, hem bağ-u hem bostân olam

YUNUS'a *Tapduğ-u Saltug-u Barak*'dandır nasip
Çün gönülden cûş kıldı, ben nice pinhân olam

YUNUS imdi bu sözü sen âşıka de âşıka
Kim sana bir sıdk olam, hem derd-ü hem dermân olam

Gâh hâlis gâh muhlis olam uş Furkan ile
Gâh rahmânur rahim yâ hayyu ya mennân olam

Geh dönem bir şems olam, zerremde yüz bin arş ola
Geh yine tuğyân olam, âlemlere tûfân olam

Evveli hû âhırı yâhû vü illâ hû olam
Evvel âhır ol kala vü «men aleyhâ fân» olam
                              (Fâilâtün fâilâtün fâilâtün fâilât)

— 144 —

Ben seni sevdiğimi söyleşirler hâs-u âm
Söyleşenler söyleşsin, sensiz dirliğim haram

Kim senin lezzetinden tat almaz ise
Yürür bir cansız sûret, âlem hâlinden bî-gam

Ben bu dem seni gördüm, nicesi sabr-eyleyem
Seni bir dem görmeğe müştaktır cümle âlem

Seni gören kişiye ne hâcet hûr-u kusûr
Seni sevmeyen cana tamudur cümle makam

İki cihan varlığı ger benim olur ise
Sensiz bana gerekmez, iş seninledir tamam

Bin yıl ömrüm olursa harc-edem bu kapıda
Ben gerçek âşık isem gerek bu yolda ölem

Çoklar *YUNUS*'a der nicedir aşk esrikliği
Netsin, ezel bezminde şöyle çalındı kalem

(7+7=14)

— 145 —

Acep değil senin içün bin can fedâ kılarısam
Senin varlığın can yiter, hoştur cansız kalırısam

Senin ki derdin olmaya, sözüm acep kelecidir
Ne canım var, ne ayduram, bir dem sensiz olurısam

Nice ki ben seni sevem, ecel eli ermeyiser
Haçan sunar Azrâil el, ben seni canlanırısam

Ger sûretim düşer ise nice zevâl ere bana
O kadîmî kim sevenin nice düşüp dururısam

226

Dahi elest belirmeden ben âşık idim o ma'şûk
Gözümü yüzüne tutam, yüz bin kaba girerisem

Dahi cihana gelmeden canım onu sever idi
Minnet değil *YUNUS* sana nice tapı kılarısam

(8+8=16)

— 146 —

Beni anmaklığa benden farigvam
Niderim anuban bes ne lâyıkvam

Benim yoldaşlığım edebe sığmaz
Edebsiz kişiye niçün refikvem

El tutmaz, ayak dermez cihana düştüm (1)
Ne karar, ne mekân, ne hod tefrikvem

Cümle tekebbürlük döküldü kalmadı (2)
Ne esrüğüm, ne mahmur, ne hod ayıkvam

Ne sabr-u sükûn, ne hod becit iş
Ne adım atarım, ne hod tarikvam

Bu gün cihana geldim, uş giderim
Sanasın yolcu idim, ya konukvam

Hani *YUNUS* hani cünbüş harekât
Ne sermâyem ola, ne var, ne yokvam (3)

(1,2) Bu mısralarda birer hece fazladır.
(3)   Kafiyelerdeki «vam, vem»ler eski kullanıştır. Bugünkü «m» mülkiyet
      zamiridir. Buna göre «lâyıkvam» **lâyıkım,** «konukvam» **konuğum** de-
      mektir. Ötekiler de bunlar gibi.

Bin yıl eğer vasfın deyem
Bir zerresin tüketmeyem
Bir katrede yüz bin deniz
Bit katresin ayıtmayam

Ne mesel bağlamam olur
Ne hod gönül karar bulur
Kim ne bezede misl-ü misâl
Hâşâ ki ben bezetmeyem

Kim ede bir nakş-ı sûret
Nakş-ı sûretten sen âzat
Nice akıllar sende mât
Nice özrü gözetmeyem

Akıl çün fenâya vara
Deli olan ne başara
Delilere sensin çâre
Deli oldum bes nitmeyem

Öğret imdi dil ne desin
Şart odur seni söylesin
Tevfik yârî kılarısa
Gayrı dile söyletmeyem

Ne kim der isen de bana
Koma beni benden yana
Benim hâcetim bu sana
Beni bana istemeyem

Çün padişah güçlü ola
Pes kul fudul işli ola
Ben seninem, bana ne gam
Ger suç edem, ger etmeyem

İşte daldım bu denize
Ne kenar var ne cezire
Çün dört yanımdan mevc vura
Duram kavî hiç batmayam

Benim değil bu keleci
Devlet senin *YUNUS* neci
Çün dilime kadir sensin
Sensiz dilim uzatmayam

— 148 —

Aldı benim gönlümü, nolduğum bilemezem
Yavı kıldım ben beni isteyip bulamazam

Gönülsüz girdim yola, hâlimden gelmez dile
Bir dem derdim demeğe, bir dertli bilemezem

Şâkirem derdim ile, sataşdım güle güle
Dertliler bulacağız ben beni bulamazam

Aydurlar ise bana, senin gönlün kim aldı
Nice haber vereyim, ağlarım aydamazam

Bu benim gönlüm alan, doludur cümle âlem
Nereye bakar isem onsız yer göremezem

Ayık olup oturman, ayıksızlar getirmen
Severim aşk esriğin, ben ayık olamazam

YUNUS'a kadeh sunan, enel-Hak demin vuran
Bir cur'a sundu bana, içtim ayılamazam

(7+7=14)

Cümle âlem terkin vurup ben dost terkin vuramazam
Ondan ayrı buçuk saat ben onsuzun duramazam

Ondan ayrı diriliğim dirilik değildir benim
Kadîm odur, görür beni, ben ölüyüm göremezem

Hûri gelip eydür ise gönül bana vergil deyü
Dosttan artık kimesneye ben gönlümü veremezem

Dost deyü geçti bu ömrüm, başaramadım dost kulluğun
Koyam başara o beni, ben hiç iş başaramazam

Bir kezden o oldum ahî, benden umut yoktur bana
Ben o isem pes o hani, ben bu sırra eremezem

Dostlar öğüt verir bana, gitgil onun yakınından
Daha yakın varam, meğer ondan ayrık varamazam

Değmeler eydür *YUNUS*'a, katlan bu gün yarın deyü
Cehd edeyim, bu günümü yarına irgöremezem

                                    (8+8=16)

Dost elinden ölür isem, hiç gümansız geri gelem
Ganimet görün bu demi, can şükrâne vere gelem

Canın diri tutan kişi, dost katından ırağ düşer
Fedâ kılam yüz bin canı, ıraklıktan beri gelem

Cercis'leyin o dost beni yetmiş kez öldürür ise
Bin kez dahi ölür isem yüzbin kez ileri gelem

Yüz bin kez doğam, dolunam, dost burcunda cevlân kılam
Hem bunda olam, hem anda, bunda anda varı gelem

Yavı kılındım ne çâre, yürürüm dün gün âvâre
Soranlara cevap budur, isteyüben sora gelem

Bin yıl toprakta yatarsam ben komayam enel-Hakk'ı
Ne vakt gerek olur ise aşk nefesin vere gelem

İnanmayan, gel sinime, dost adını ayıt çağır
Kefen donun pâre kılıp toprağımdan duru gelem

Bundan böyle nolasını, değme akıl şerh etmeye
YUNUS aydur âşıklara, dost haberin veri geldim

(8+8=16)

— 151 —

Benim canım uyanıktır
Hem denize karışmağa
Dost yüzüne bakan benem
Irmak olup akan benem

Irmak gibi ben çağlarım
Nefsin ciğerin doğrarım
Gâh gülerim gâh ağlarım
Kibr-ü kini yakan benem

Kırdım bu nefsin çerisin
Pâk eyledim içerisin
Bir ettim burc u bârusun
Mülketini yuyan benem

Ben hazrete tuttum yüzüm
Gösterdi bana kendözüm
Ol aşk eri açtı gözüm
Âyet-i kül denen benem

Şah dîdârın gördüm ayan
Kâfir ola inanmayan
Hiç gümansız belli beyan
Ol dîdâra bakan benem

Benimdürür bu cümle iş
Ben bilirim yad-u biliş
Hikmetim ile yaz-u kış
Irılmaz duran benem

Bu cümle canda oynayan
Küllî dillerde söyleyen
Damarlarında kaynayan
Küllî dili diyen benem

Nemrûd odun İbrahim'e
Küfür yüzünden doğuban
Ben bağ-u bostan eyledim
Gine odu yakan benem

Ol Hallac-ı Mansûr ile
Benim gine onın boynuna
Söyler idim enel-Hakk'ı
Dâr urganın takan benem

Ol Hak Habibi Mustafâ
Ol dem canım hâk eyledim
Mi'raca edicek sefer
Ol sırrını duyan benem

Şimdi adım *YUNUS*'durur
Ol dost içün Arafât'a
Ol demde İsmâil idi
Kurban olup çıkan benem

Çarh benim hükmündedür
Mülk benim elimdedürür
Her kanda ben oturmuşum
Yakan benem, yanan benem

Sa'd benem, saîd benem
İlm-i ledündür üstadım
YUNUS dahi benimledür
Ol esrarı duyan benem

— 152 —

Haber eylen âşıklara, aşka gönül veren benem
Aşk bahrîsi olubanı denizlere dalan benem

Deniz yüzünden su alıp sunuveririm göklere
Bulutlayın seyrân edip arşa yakın varan benem

Yıldırım olup şakıyan, gökte melâyik dokuyan
Bulutlara hüküm süren, yağmur olup yağan benem

Gördüm göğün meleklerin her biri bir işdeyimiş
Hak Çalabın zikrin eder, İncil ü hem Kur'an benem

Gördüm deyen değil gören, bildim deyen değil bilen
Bilen oldur, gösteren ol, aşka yesir olan benem

Sekiz uçmak âşıklara köşk ü saraydır bilene
Mûsî'leyin hayran olup *Tûr* Dağında kalan benem

233

Kalem çalınıcak görgil, haber böyledürür bilgil
Kalû belî kelecisin bunda haber veren benem

Deli oldum adım *YUNUS*, aşk oldu bana kılavúz
Hazrete değin yalınız yüz sürüyü varan benem

(8+8=16)

— 153 —

Gökte Peygamber ile mi'râcı kılan benem
Ashâb-ı Suffa ile yalıncak olan benem

Sabr ile kanâati hoş veriptir anlara
Kırk kişi bir gömleğe kanâat kılan benem

Ol Kırkdan birisine çaldımıdı neşteri
Kırkından kan akıdıp ibret gösteren benem

Ömer-i Hattâb ile hem adl-ü dâd işledim
Oğul ile fısk eyleyip hadde basılan benem

Abdürrezzak ol derviş, yoldaş edindi beni
Hallâc-ı Mansûr ile dârâ asılan benem

İbrahim Edhem baktı, tacı tahtı bıraktı
Hak yoluna uyaktı, ol sırrı duyan benem

Mûsâ Peygamber ile bin bir kelime kıldım
İsâ Peygamber ile göklere çıkan benem

Adımı *YUNUS* takdım, sırrım âleme çaktım
Bundan ileri dahi dilde söylenen benem

(7+7=14)

Evvel benem, âhir benem
Canlara can olan benem
Azıp yolda kalmışlara
Hızır meded eren benem

Bir karara tuttum karar
Sırrıma benim kim erer
Gözsüz beni nerde görür
Gönülde gizlenen benem

Kün deminde nazar eden
Bir nazarda dünya düzen
Kudretinden han döşeyen
Aş nöbetin vuran benem

Düz döşedim bu yerleri
Baskı kodum bu dağları
Sayvan gerdim bu gökleri
Göğü tutup duran benem

Dahi acep âşıklara
Ikrar-u din, iman oldum
Halkın gönlünde küfrile
İslâm ile iman benem

Halk içinde dirlik düzen
Dört kitabı doğru yazan
Ak üstüne kara dizen
O yazılan Kur'an benem

Dost ile birliğe yeten
Buyruğu ne ise tutan
Mülk bezeyip dünya düzen
O bahçevan heman benem

Diller damaklar şaşıran
Aşk kazanını taşıran
Hamza'yı Kaf'tan aşıran
O ağulu yılan benem

YUNUS değil bunu diyen
Kendiliğidir söyleyen
Kâfirdürür inanmayan
Evvel âhir heman benem

— 155 —

Ben bu ile garip geldim, ben bu ilden bezerem
Bu tutsaklık demi geldi üzerem

Çünkü ben bunda geldim, ben onu bunda buldum
Mansûr'am dâra geldim, uş kül oldum tozaram

Çün aşkın kitabını okudum, tahsil ettim
Ne hâcet ki karayı ağ üstüne yazaram

Dört kitabın mânâsı bellidir bir elif'te
Bi dedirmen siz bana, ben bu yoldan azaram

Bir çeşmeden sızan su acı tatlı olmaya
Edebdir bize yermek, bir lüleden sızaram

Yetmiş iki millete, suçum budur hak dedim
Korku hıyanetedir, ya ben niçün kızaram

Şeriat oğlanları nice yol keser bize
Hakikat deryasında bahrî oldum yüzerem

Dost bana gelsin demiş, benim kaydımı yemiş
Ben yüzüm karasından teberrükler düzerem

YUNUS bu kuş dilidir, bunu Süleyman bilir
Gerçek âşık bu yolda ne dediğin sezerem

(7+7=14)

— 156 —

Hani bana sabr-u karar, senin sözünü dinleyem
Hani bana akl-u bili, duyubanı seni sevem

Hani bana havsala ki halimi bilmeyeler
Hani bana zor-u kuvvet ki senin aşkına doyam

Canım seni seveliden benim hâlim hâle döner
Hani bana usûl-i din, ilmin edebin bekleyen

İzzet-ü erkân eyi ad, aşk yoluna noksandurur
Ben niderem eyi adı, çün terbiyet aşktan yerem

Gerçek sana âşık isem arlanmaklık nemdir benim
Şükrâne canımı verem ger melâmet donun geyem

Zühd-ü tâat usûl-i din aşk haddinden taşra durur
Nisbet değildürür bana secde vü rükût'u kıyâm

Dost sûreti gözgüdürür, bakan kendi yüzün görür
Gelsin o kendüsüz gelen, ben râzımı ona derem

Can gözüyle bakan görür YUNUS gözüyle gördüğün
Yoksa yaban gözü ile kimesneye ne söyleyem

(8+8=16)

Ben o yâri sevdiğim nice bir gizliyebilem
Gönlüme sığmaz nideyim, meğer râzım ile deyem

Dilim tutup yürüdüğüm yadlığıma delil imiş
Yakam yadlık perdesini, hicabını ben giderem

Onun ile ahvâlimi âlemlere bildireyim
Çağrıban muştulayam, âlemi üstüme derem

Âşıkların gönlü gözü mâşuk depe gitmiş olur
Gönlüm ele kul etmişim, ola ki mâşûka erem

Canım kurban kılar idim, canı kabul kılar ise
Haçan ise ölüserem niçün böyle diri duram

Şükrâne canım üstüne ben dost için ölür isem
Ölmek lâzımdır kamuya, ben ölümden nere varam

İlm-ü amel sözü değil *YUNUS* dili söylediği
Dil ne bilir dost haberin, ben dost ile birem

(8+8=16)

Uş gine geldim ben bunda, sır sözün ayân eyleyem
Bir sözile yeri göğü cümlesin beyân eyleyem

Dilerisem ten eyleyem, dilerisem can eyleyem
Gönlümü *Tur*, canım *Mûsa*, taht-ı *Süleyman* eyleyem

Dirlik bana karşı gele, ben dirliğin boynun vuram
Ölür eğer vâcib ola, canımı kurban eyleyem

Azrail ne kişidürür kasdedebile canıma
Ben onun kasdını gine kendiye zindan eyleyem

Ya Cebrâil kim ola ki, hükmede benim âhıma
Yüzbin Cebrâil gibiyi bir demde perrân eyleyem

Bu bizden önden gelenler, mânâyı pinhan kılanlar
Ben anadan doğmuş gibi geldim ki uryan eyleyem

YUNUS senin gönlün evi Hak varlığı dopdoludur
Uş geldim ki âşıklara varlıktan ihsan eyleyem

(8+8=16)

— 159 —

Niteki o ma'şûk ile ben zârımı bir eyleyem
Gark olam, müşâhedeye ermeğe tedbir eyleyem

Kimdir ki anı görüben gizleni kıldı ahvâli
Göster bana o kişiyi, ben dahi elbir eyleyem

Bu halâyık eydür bana, sakla anı can içinde
Bir zerresi yüzbin cihan, eyit nice sır eyleyem

Şunun gibi çabuk nazar, bir nazarda yüzbin Mûsâ
Ser-mest-ü hayrân kamusu, de nice tedbir eyleyem

Farz değildir kamulara Tûr'da münâcât eylemek
Ben kandasam dost andadır, her yeri Tûr eyleyem

Hidâyet erdi kamuya, havasından geçmezlere
Tevfik yüzün yere vurup aşkımı şîr-gîr eyleyem

Muhakkıklar göre durur, *YUNUS* gözü ne gördüğün
Düşüm söyleyeyim sana, necm ile tâbir eyleyem

(8+8=16)

Erenlerin himmetini ben bana yoldaş eyleyem
Her nereye varır isem, cümle işim hoş eyleyem

Koyam dünyayı gidem, çün âhirete sefer edem
Ol uçmakta hûrîlerden ben bana yoldaş eyleyem

Taze vü yumşak geymeyem, cümlesinden fâriğ olam
Ger döşeğim toprak ise yasdığımı taş eyleyem

Vuram yıkam nefs evini, oda yana hırs-u hava
El götürem şimden geri, nefs ile savaş eyleyem

Tenim dahi, canım dahi hiç bilmedi enel-Hakk'ı
Şimdiye dek bilmediyse şimden geri duş eyleyem

Bu gün gülen kişi bunda, yarın ağlar imiş anda
Revân dökem göz yaşını, yastığımı yaş eyleyem

Miskin *YUNUS* çağırıp der, âşıkıyım miskinlerin
İçim miskin değil ise, miskin dışım uş eyleyem

(8+8=16)

Ey dost aşkın denizine
Girem gark olam yürüyem
İki cihan meydan ola
Devranım sürem yürüyem

Girem denize gark olam
Ne elif, ne mim, dal olam
Dost bağında bülbül olam
Güllerin derem yürüyem

Bülbül olubanı ötem
Gönül olam ceset tutam
Başımı elime alam
Yoluna verem yürüyem

Bülbül olubanı gidem
Ey nice gönüller güdem
Yüzüm aşk ile dem be dem
Toprağa sürem yürüyem

Şükür gördüm dîdârını
İçtim visâlin yârını
Bu benlik senlik şarını
Terkini vuram yürüyem

YUNUS'tur aşkın yâresi
Bîçâreler bîçâresi
Sendedir derdim çaresi
Dermânım soram yürüyem

— 162 —

İlminde gark olalı
Uş ben beni bilmezem
Dil ile söyleyüben
Vasfına eremezem

Sıfatın gelmez dile
Kandalığın kim bile
Sun'un saymak dil ile
Ben hiç lâyık olmazam

Hem evvelsin hem âhir
kamu yerlerde hâzır
Hiç makam yoktur sensiz
Ben niçin göremezem

Görmeden deli oldum
Yanıldım günah kıldım
Ussum, aklım aldırdım
Esridim, ayrılmazam

Çünkü beni esrittin
Can-u gönül el ettin
Ayırma beni senden
Buluştum ayrılmazam

Bana canı sen verdin
Azrâil'e buyurdun
Teslim edeyim canı
Emanet veremezem

Ey *YUNUS*'u yaratan
Götür hicab aradan
Sâdıkım yolunda ben
Yalan dâvâ kılmazam

— 163 —

Hak Çalabım, Hak Çalabım
Sencileyin yok Çalabım
Günahlıyım yarlığagıl
Ey rahmeti çok Çalabım

Ben eydürem ki ey ganî
Nedir bu derdin dermanı
Zinhar esirgeme beni
Aşk oduna yak Çalabım

Gel kogıl beni yanayım
Baştan başa uşanayım
O sevdiğin Muhammed'e
Olayım çırak Çalabım

Ne yoksul-u baylardasın
Ne köşk-ü saraylardasın
Girdin miskinler gönlüne
Edindin durak Çalabım

Kullar senin, sen kulların
Günahları çok bunların
Uçmağına sal bunları
Binsinler Burak Çalabım

Ne ilmim var ne tâatım
Ne gücüm var, ne kuvvetim
Meğer senin inâyetin
Kıla yüzüm ak Çalabım

Yarlığagıl sen *YUNUS*'u
Bu günahlı kullar ile
Eğer yarlığamaz isen
Key katı firak Çalabım

— 164 —

Ey yârenler, ey kardaşlar sorun bana kandayıdım
Aşk denizine dalıban deryâ-yı ummandayıdım

Ol ki beni bekler idi, her kandasam saklar idi
Aşk urganı ucundaki kandildeki candayıdım

Yure bünyâd vurulmadan, yer gök halâyık dolmadan
Levh-ü kalem çalınmadan, mülkü yaradandayıdım

Yüz yetmiş bin ferişteler saf bağlayıp durucağız
Cebrâil'i gördüm anda, ol ulu dîvandayıdım

Dört kitabı okumadan, ayırıp seçmek olmadan
Ben okudum sabakımı, Kur'anda hânendeyidim

Kaygı eli bana ermez, gussa gergiz beni görmez
Endîşe şerrinden taşra bir ulu makamdayıdım

Doksan bin Hak kelâmını eyleyicek Habîb ile
Otuz bini sır olıcak ol vaktin ben andayıdım

Beni gibi miskin kulu yüz bin gelirse az ola
Benim gelişim şimdidir, uçmakta Rıdvan'dayıdım

Yıldız idim bunca zaman, gökte melâyik arzuman
Cebbâr-ı âlem hükmeder ben ol zaman andayıdım

Ben bu sûretten ileri adım *YUNUS* değil iken
Ben ol idim, ol ben idi, bu aşkı sunandayıdım

— 165 —

Aklın ererse sor bana, ben evvelde kandayıdım
Dilerisen deyiverem, ezeli vatandayıdım

Kalû belâ söylenmeden, tertib düzen ilenmeden
Hak'tan ayrı değilidim, ol ulu divandayidim

Eyyub ile derde esir, anlamadım çektim ceza
Belkıs ile taht üzere mühr-i *Süleyman*'dayıdım

Yunus'la balık beni çekti deme, yuttu bile
Zekârya'la kaçtım bile, *Nuh* ile tûfandayıdım

244

İsmâil'e çaldım bıçak, bıçak bana kâr etmedi
Hak beni âzâd eyledi, koçıla kurbandayıdım

Yûsuf'ıla ben kuyuda yattım, cefâ çektim bile
Ya'kub'ile çok ağladım, bulunca figandayıdım

Mi'rac gecesi *Ahmed*'in döndürdüm arşta na'lini
Üveys ile vurdum tacı, *Marsûr*'la urgandayıdım

Ali'yile vurdum kılıç, *Ömer* ile adl eyledim
On sekiz yıl *Kafdağı*'nda *Hamza*'yla meydandayıdım

Ezelîden dilimde uş Tanrı birdir, haktır *Resûl*
Bunu böyle biliriken sanma ki gümandayıdım

Yere bünyâd vurulmadan, Âdem dünyaya gelmeden
Öküz, balık eylenmeden ben ezelî andayidim

YUNUS senin âşık canın ezelî âşıklarile
Mülke bünyâd vurulmadan seyrân-ı cevlândayıdım (1)

$$(8+8=16)$$

— 166 —

Sensin kerîm, sensin Rahîm
Allah sana yalvaralım
Senden ayrı yok mededim
Allah sana yalvaralım

_____

(1) Mülke bünyâd vurulmadan: Dünya yaratılmadan.

Tenimden canım üzülür
İki gözlerim süzülür
Dilim tetiği bozulur
Allah sana yalvaralım

Vurdular suyum ılınır
Kavım abdeste gelinir
Yakın hısımım çığırır
Allah sana yalvaralım

Salacamı götürdüler
Musallaya yetirdiler
Görklü tekbir getirdiler
Allah sana yalvaralım

Varıp mülketime düşüp
İndirdiler beni şeşip
Toprağım örterler eşip
Allah sana yalvaralım

Topraklara düşürdüler
El toprağa üşürdüler
Taşlar ile bastırdılar
Allah sana yalvaralım

Kaldım bir karanlık yerde
Ayrığı varmaz o yerde
Sataştım bir acep derde
Allah sana yalvaralım

Doldu şehir, doldu hoca
Gündüzümüz oldu gece
Bilemeziz hâlimiz nice
Allah sana yalvaralım

Münker-ü Nekir, Azrâil
Her birisi söyler bir dil
Amelimde yok mededim
Allah sana yalvaralım

Yedi tamu, sekiz uçmak
Yolu birikmiş beride
Her birisi yavuz çarşı
Allah sana yalvaralım

YUNUS EMREM sen bu sözü
Cansız diledin bu râzı
Hazretine tuttuk yüzü
Allah sana yalvaralım

— 167 —

Ne derisem sözüm yürür, elimde ferman tutarım
Ne edersem hükmüm revan, çün hükm-i sultan tutarım

İns ile bu cin-ü perî, devler benim hükmümdedir
Tahtım benim yel götürür, mühr-i Süleyman tutarım

İblis-ü Âlem kim olur, ya aza, ya da azdıra
Cümle benem eyi yavuz, kamusun benden tutarım

Dünya benim rızkımdurur, kavmi benim kavmimdürür
Her dem benim yargım yürür, yargımı handan tutarım

Senin gibi can var iken âb-ı hayat isteyeni
Karanuluğa gireni, ben anı hayvan tutarım

Onsuz olursam ölürem, onınla diri oluram
Siz sanmanız ki dirliği hemîşe candan tutarım

Dinim, imanım oldurur, onsuz olursam dünyada
Ne puta, haça taparım, ne din iman tutarım

YUNUS aydur, hiç şek değil, ben o'yumdu, o benimdir
Ben ne desem ol dost tutar, dost dediğin ben tutarım

(8+8=16)

— 168 —

İlk adım YUNUS idi, adımı âşık taktım
Terkedip öd-ü edep, şöyle haber bıraktım

İzzete kalmış iken âşıklık nemdir benim
Ben kendi elim ile yüzüme kara yaktım

Ne assı var elimde tekye kılam ben ona
Âşıklık cemiyyetin başla boynuma taktım

Benim gibi bende kâr, kem sagınçla bayar
Bir pula gücüm yetmez, metâim derdim çattım

Îsâ yarım iğneyle yol bulmadı hazrete
Benim bunca mata'la kanda sığısar rahtım

Âşıklar mezhebinde şerimsar oldu *YUNUS*
Âşık ma'şûka erdi ben dünyaya uyaktım

— 169 —

Ey yârenler söylen bana
Ben nicesi dolanayım
Ne türlü tedbir edeyim
Ya nice sagınç sanayım

Canımda ol büt bitiptir
Gönlümü ol alıptır
Hey beni ol avutuptur
Ayrık neye bağlanayım

Öyle ediptir ol beni
Seçemezem dünden günü
Alsın teni, alsın canı
Kon ben ona alınayım

Ben gevherîyim, kânım o
Ben bir kulum sultanım o
Aklım-u canım, gönlüm o
Ondan niçin usanayım

Onsuzluğum bana haram
Ondandurur nakdim tamam
Buncılayın lûtf-u kerem
Nerde bulup dinleyeyim

Odur bana *YUNUS* diyen
Odur benim bağrım delen
Odur beni bensiz koyan
Hem ben olam, bu ben neyim

— 170 —

Şöyle hayran eyle beni
Aşkın oduna yanayım
Her nereye bakar isem
Gördüğüm seni sanayım

Çün beni okur sultanım
Uş yöneldi, gider canım
Ben burda çünkü mihmânım
Ya ben nice eğleneyim

Yedi tamu dedikleri
Bir âhıma katlanmaya
Aşkın beni yağmaladı
Ya ben nice katlanayım

Senin kokun duydu canım
Terkin vurdum şu cihânın
Bilmezim, eyit mekânın
Seni kanda isteyeyim

Her dem söylenir haberin
Hergiz bulunmaz eserin
Götür yüzünden perdeyi
Dîdârına göyüneyim

Kaynar denizleyin canım
Oynar gemileyin tenim
İki deniz arasında
Gark oluban uşanayım

Yedi deniz geçer isem
Yetmiş ırmak içer isem
Susuzluğum kanmaz benim
Dost şerbetiyle kanayım

Sekiz uçmak arzularsa
Yetmiş bin hûri gelirse
Aldamaya bu canımı
Burda nice aldanayım

İlm-i hikmet okuyanlar
Aşktan mahrum olur onlar
Mansûr oldum, asın beni
Ko dillerde söyleneyim

YUNUS EMRE'nin bu sözü
Cana doldu âvâzesi
Kördür münkirlerin gözü
Ben nicesi göstereyim

— 171 —

Dosttan haber geldi bana
Durayım andan varayım (1)
Kurbanlığa bu canımı
Vereyim andan varayım

Şu bir iki arşın bezin
Ne yeni var ne yakası
Kaftan ediben eğnime
Sarayım andan varayım

Canalıcı hod geliser
Emaneti ver deyiser
Ben emaneti ıssına
Vereyim andan varayım

Gitti canım, kaldım öyle
Nâçâr olup girdim yola
Dostlar şâd olduğun bile
Göreyim andan varayım

Münkir-ü Nekir geliser
Yer gök ün ile dolusar
Ben bunlara cevabını
Vereyim andan varayım

_____

(1) Andan: Ondan sonra.

Yazığım çok, günah öküş
Yürür idim dünyada hoş
Ettiklerimin hasabın
Sorayım andan varayım

Beslediğim nâzik teni
Terketmeyim derdim onu
Kara toprağa ben onu
Karayım andan varayım

Ben bu ömür harmanını
Derdim devşirdim uş yine
YUNUS aydur, bu dükkânı
Dereyim andan varayım

— 172 —

İlâhî bir aşk ver bana
Neredeyim bilmeyeyim
Yavı kılayım ben beni
İsteyüben bulmayayım

Şöyle hayran eyle beni
Bilmeyeyim dünden günü
İsteyeyim dâim seni
Ayrık nakşa kalmayayım

Al gider benden benliği
Doldur içime senliği
Dirliğinde öldür beni
Varıp orda ölmeyeyim

Gelirse göynüğüm dile
Kim söğe bana, kim güle
Bâri yanayım dert ile
Hâlim dile gelmeyeyim

Uş yürürüm yana yana
Ciğerim gark oldu kana
Hep aşk eser etti cana
Nice zârı kılmayayım

Senin kokun duydu canım
Terkini vurdu cihanın
Hergiz belirmez makamın
Seni nerde isteyeyim

Bülbül olayım öteyim
Dost bahçesinde yatayım
Gül oluban açılayım
Ayrık dahi solmayayım

Mansûr'layın dâra beni
Ayan göster orda seni
Kurban kılayım bu canı
Aşka münkir olmayayım

Aşkdurur derdin dermanı
Aşk yolunda kodum canı
YUNUS EMRE aydur bunu
Bir dem aşksız olmayayım

— 173 —

Bu cihana ben gelmeden sultan-ı cihanda idim
Sözü gerçek, hükmü revân, ol hükm-i sultanda idim

Halâyık bunda gelmeden, gökler melâyık dolmadan
Bu mülke bünyâd olmadan mülkü yaradanda idim

Yüz bin, yirmi dört bin hası, dörtyüz kırkdört tabakaşı
Devlet makamında ol gün ulu hânedanda idim

Gussa beni görmezdi, kaygu eli ermezidi
Endişe şehrinden taşra bir yüce mekânda idim

YUNUS bu cümle varlığın dost katında zerre değil
Güft ile kelâmdayım, hem bunda hem anda idim

(8+8=16)

— 174 —

Bu cihana gelmeden
Mâşuk ile bir idim
Kul hüvallah sıfatlı
Bir bî-nişan nûr idim

O dem ki birlik idi
Nitesi dirlik idi
O pâyansız kudrette
Ne Mûsâ, ne Tûr idim

Bile idim hazrette
O bî-kıyas kudrette
Ne şerikim var idi
Ne kimseyle yâr idim

Yer gök yaratılmadan
Kalû belâ denmeden
Levh kalem çalınmadan
Miracta kadir idim

Nice kez geldim gittim
Tellim sûret yarattım
Bu şimdiki sûrette
YUNUS olup dûr idim

Benim burda kararım yok
Ben burdan gitmeğe geldim
Bezirgânım, metâım çok
Alana satmağa geldim

Ben gelmedim dâvî için
Benim işim sevi için
Gönüller dost evi için
Gönüller yapmağa geldim

Dost esriği deliliğim
Âşıklar bilir neliğim
Devşiriben ikiliğim
Birliğe yetmeğe geldim

O hocamdır, ben kuluyum
Dost bahçesi bülbülüyüm
O hocamın bahçesine
Şâd olup ötmeğe geldim

Burda biliş olan canlar
Orda bilişirler imiş
Bilişiben hocam ile
Hâlim arzetmeğe geldim

Siz *YUNUS*'tan sorun haber
Dost kanda ise anda var
Haberi gel gör benden al
Ben onu görmeğe geldim

Benim ol tılsım-ı pinhan
Ki bu gün ayâna geldim
Ezelî nişansız idim
Ebedî nişana geldim

Bu tılsımı çünkü açtım
Zulümâta nûr saçtım
Ey nice makam geçtim
Ki bu cism-i cana geldim

Ben okudum ism-i âzam
Ki vücuda geldi âlem
Koyuban adımı Âdem
Benim, uş cihana geldim

Çü bakıp beni görürler
Ayrığa niçin sorarlar
İsteyip beni ararlar
Buna ben gümâna geldim

Kamu yerde ben bulundum
Kamu zerrede bilindim
Kamu yana çün çalındım
Bu ile beyana geldim

Ne kişidürür bu YUNUS
Ki ayân ede bu râzı
İşidin bu sûz-ü sazı
Benim uş lisana geldim

Beni burda veribiyen
Kararım yok bu dünyada
Bilir ben ne işe geldim
Giderim, yumuşa geldim

Dünyaya çok gelip gittim
Kudret ününü işittim
Erenler eteğin tuttum
Kaynayıban coşa geldim

Sert söz ile gönül yıktım
Sırrımı bu halka çaktım
Od oldum canları yaktım
Âleme temâşâ geldim

Ben oldum İdris-i terzi
Dâvûd'un görklü âvâzı
Şît oldum dokudum bezi
Âh edip nâlişe geldim

Âşık oldum şu ay yüze
Nazar kıldım kara göze
Nisâr oldum bal ağıza
Siyah olup kaşa geldim

Mûsa oldum Tûr'a vardım
Ali olup kılıç saldım
Koç oldum kurbana geldim
Meydana güreşe geldim

Deniz kenarında ova
İsâ'nın ağzında dua
Kuyuda işleyen kova
Oldum bile işe geldim

yunus emre

Ay oldum âleme doldum
Yağmur olup yere yağdım
Bulut oldum göğe ağdım
Nûr oldum güneşe geldim

Kal-ü kıylden geçenlere
Anlayıban seçenlere
Yolda gözün açanlara
Vak'a oldum düşe geldim

Benem ol dertli dermanı
Benem Mûsî-i İmrânî
Benem ol ma'rifet kânı
Tûr dağından aşa geldim

Yolum sana oldu durak
YUNUS EMRE dilinde Hak
Sabahın söylenendir hak
Olup dile düşe geldim

— 178 —

Ondan beri yöneldim
Bu âleme çıkıcak
Dos ile bile geldim
Acayib hale geldim

O dost açtı gözümü
Gönlümdeki râzımı
Gösterdi kendözümü
Söyledim dile geldim

Gör ne yuvadan uçtum
Aşk tuzağına düştüm
Bu halka râzım açtım
Tutuldum ele geldim

Tuzağa düşen gülmez
Söylerim dilim bilmez
Âşıklar rahat olmaz
Bir acep ile geldim

Ben bunda geldim bu dem
Sanma ki burda beni
Geri ilime gidem
Altına, mala geldim

Değilim kal-ü kıylde
Hâlim ahvâlim nedir
Ya yetmiş iki dilde
Bu mülke sora geldim

Ne haldeyim ne bilem
Bir garipçe bülbülem
Tuzaktayım, ne gülem
Ötmeğe güle geldim

Gül Muhammed teridir
O gül ile ezelî
Bülbül de onun yâridir
Cihana bile geldim

Kudret sûret yapmadan
Âlem halkı dönmeden
Ferişteler tapmadan
İleri yola geldim

Mescitte medresede
Çok ibâdet kıldım
Aşk oduna yanuban
Ondan meydana geldim

Yine *YUNUS*'a sordum
İlkyaz güneşi gibi
Eydür, Hak nurun gördüm
Mevc vurup doğa geldim

— 179 —

Dost bakalı yüzüme
Ben şahı görüp geldim
O yüce yücesine
Bî-güman erip geldim

Eskrikliğime bakma
Adım deliye takma
Eskrikliğim ezelden
Sohbeti sürüp geldim

Ezelden bile idim
Elest'de belâ dedim
O kadimî denizden
Sel olup geri geldim

İşretine ermişim
Salâ deyip durmuşum
Canı, dini, imânı
Şükrâne verip geldim

Aşk bana İsâ oldu
Erenler dua kıldı
Bir iki kez topraktan
Ben ölüp dura geldim

Mansûr eydür Enel-Hak
Der sûretin oda yak
Deyin dâra gelsinler
Ben dârı kurup geldim

Sorman *YUNUS*'tan haber
Dost nerdeyse orda var
Haberin gören verir
Ben tenhâ görüp geldim

— 180 —

Tehî görmen siz beni
Bâkî devr-i rûzigâr
Dost yüzün görüp geldim
Dost ile sürüp geldim

Odur söyleyen dilde
Varlığım hep o ilde
Varlık dostundur kulda
Ben bunda garip geldim

Bezirgânım, metâım çok
Ziyanım assıya yok
Dest-girim, üstadım Hak
Cümle değişip geldim

Yer-ü gök yaratıldı
Toprağa nazar kıldı
Aşk ile bünyâd oldu
Aksırdı durup geldim

Gördüm yedi tamusun
Korkudan günahımı
Sekiz uçmağın kamusun
Anda sızırıp geldim

İsâ oldum kudretten
İnâyet oldu Hak'tan
Bahanem bir avrattan
Ölü diriltip geldim

Âdem olup durmadan
Yanıldım buğday yedim
Nefsim boynun burmadan
Uçmaktan sürülüp geldim

Mûsâ ile Tûr'a çıktım
Bu halk bizi ne bilsin
Bin bir kelime kıldım
Anda bilinip geldim

Nûh oldum Tûfan için
Doymayanı ben anda
Çok dürüştüm dîn için
Suya boğdurup geldim

Yalan değildir sözüm
Dahi örtülmedi izim
Bak yüzüme aç gözün
Uş yoldan vurup geldim

Cercis olup basıldım
Hallaç pamuğu gibi
Mansûr oldum asıldım
Bunda atılıp geldim

Eyyub oldum tenime
Çağırdım Suphanıma
Cefâ kıldım canıma
Kurtlar doyurup geldim

Zekerya oldum kaçtım
Kanım dört yana saçtım
Erdim ağaca geçtim
Tepem deldirip geldim

Yalınız Suphân idi
YUNUS hod pinhân idi
Peygamberler cân idi
Sûret değşirip geldim

— 181 —

Canım ben andan buna
Ezelî âşık geldim
Aşkı kılavuz tutup
O yola düşüp geldim

Değilim kal-ü kıylden
Ya yetmiş iki dilden
Yad yok bana bu ilden
Anda bilişip geldim

Geçtim hodbin elinden
El çektim dükelinden
Bu ikilik belinden
Birliğe bitip geldim

Dört kişidir yoldaşım
Vefâdâr-ı râzdaşım
Üç ile hoştur başım
Birine boşup geldim

O dördün birisi can
Biri din, biri îman
Biri nefsimdir düşman
Orda savuşup geldim

Bir kılı kırk yardılar
Birin yol gösterdiler
Bu mülke gönderdiler
O yola düşüp geldim

Aşk şarabından içtim
On sekiz ırmak geçtim
Denizler bendin deştim
Ummandan taşıp geldim

Ben andan geldim bunda
Geri varıram anda
Ben anda varası mı
Anda tanışıp geldim

Azrâil ne kişidir
Kasd-edesi canıma
Ben emanet ıssıla
Anda bitrişip geldim

İmdi *YUNUS*'a ne gam
Âşık melâmet bed-nâm
Küfrüm îmana şol dem
Anda değişip geldim

— 182 —

Ey gönül bize kerem kıl, bile seyran edelim
Can-u tenden geçüben, gel azm-i cânân edelim

Ten nedir dostun yolunda, ben onu terk etmeyim
Dost cemâlin görmeğe, gel canı kurban edelim

Bu fenâ ender fenâyı terk edelim dost için
Ol beka ender beka mülkünde seyran edelim

Âsitânın mürşidin gel, kıble-i can kılalım
Ol şahım, şehler şehin gel bize mihman edelim

Bu biçâre *YUNUS*'un uygıl sözüne bir nefes
Ey gönül ol sultanın arşında seyran edelim

(Fâilâtün fâilâtün failatün failün)

— 183 —

Sensin kerîm, sensin rahîm
Allah sana sundum elim
Senden başka yoktur emim
Allah sana sundum elim

Ecel geldi, vâde erdi
Bu ömrüm kadehi doldu
Kimdir ki içmeden kaldı
Allah sana sundum elim

Gözlerim göğe süzüldü
Canım göğüsten üzüldü
Dilim tetiği bozuldu
Allah sana sundum elim

Uş biçildi kefen donum
Hazrete yönelttim yönüm
Acep nice ola hâlim
Allah sana sundum elim

Vurdular suyum ılıdı
Kavim kardeş cümle geldi
Esen kalsın kavim kardaş
Allah sana sundum elim

Geldi salacam sarılır
Dört yana salâ verilir
İl namazıma derilir
Allah sana sundum elim

Salacamı götürdüler
Makbereme yetirdiler
Halka olup oturdular
Allah sana sundum elim

Çün cenazeden şeştiler
Üstüme toprak eştiler
Hep koyubanı kaçtılar
Allah sana sundum elim

Yedi tamu, sekiz uçmak
Her birinin vardır yolu
Her bir yolda yüz bin çarşı
Allah sana sundum elim

Geldi Münkir'le Nekir
Her birisi sordu bir dil
İlâhî sen cevap vergil
Allah sana sundum elim

Görün, acep oldu zaman
Gönülden eyleniz figan
Ölür çün anadan doğan
Allah sana sundum elim

YUNUS tup uzat bu sözü
Allahına tutgıl yüzü
Dîdârdan ayırma bizi
Allah sana sundum elim

Her nereye döner isem aşk iledir işim benim
Odur gönlümde teşvişim, hem aşktır yoldaşım benim

Aşksızlara göynür özüm, onunçün fâş olur râzım
Görüceğiz âşıkları kaynar içim dışım benim

Bu aşk bize rahmânîdir, hem canımızın canıdır
Onun içün Şeytan ile her dem bu savaşım benim

Benim canım bir kuştur ki, gövdem onun kafesidir
Dosttan haber geliceğiz bir gün uçar kuşum benim

Geldim dünyayı seyrettim, ya bu gün ya yarın gittim
Ben burda eğlenemezem, burda bitmez işim benim

YUNUS aydur, ben âşıkım, hem âşıkım hem sâdıkım
Bu ayrık âşıklar gibi yoktur âlâyişim benim

(8+8=16)

Kâbe vü put, imân benim
Çarh vuruban dönen benim
Bulut olup havaya ağan (1)
Rahmet olup yağan benim

_____

(1) Vezin için «havay'ağan» gibi okunmalıdır.

Yaz yaratıp yer donatan
Gönlümüz evi hânedan
Hoşnudum ata, anadan
Kulluk kadrin bilen benim

Yıldırım olup şakıyan
Kakıyıp nefsin dokuyan
Yer karasında berkiyen
Şol ağılı yılan benim

Hamza'yı Kaf'tan aşıran
Elin ayağın şişiren
Gözsüzlerin gözündeki
Boz pusarık duman benim

Et-ü deri, sünük çatan
Hükmeyleyip diri tutan
Kudret beşiğinde yatan
Hikmet sütün emen benim

Âşık olan gelsin beri
Göstereyim doğru yolu
Makamımdır gönül şarı
Ayrılmayıp duran benim

Yere göğe bünyad vuran
Ayrılmadan kayim duran
Irmaklara göl çağıran
Adım *YUNUS* umman benim

— 186 —

Evvel kadim önden sona
Zevâli yok sultan benim
Yedi iklime hükmedip
Diri tutan Subhan benim

Ben bu yeri yaradıcak
Yer üstüne gök durucak
Ulu deniz mevc vurucak
Nûh'a Tûfan veren benim

Dur dedim göklere durdu
Gökler dahi karar kıldı
Yüz bin türlü âdem geldi
Getirip götüren benim

Yusuf ile çaha inen
Teraziye altın vuran
Kefesini basaduran
Mısr'ın ıssı sultan benim (1)

Ben âbidim, ben mâbudum
Kamu yerlerde hazırım
Zâlimlerden dâd alıcı
Miskinleri tutan benim

Kaf'tan Kaf'a hükmeyleyen
Devleri hükmüne koyan
Yele binip seyran kılan (2)
Bu mülke Süleyman benim

YUNUS değil bunu diyen
Kudret dilidir söyleyen
Kâfir ola inanmayan
Evvel âhir heman benim

_____

(1) Bu dörtlükte Yakub'un oğlu Yusuf'un, kardeşleri tarafından kuyuya atıl-
masɪ, Mısır'daki kıtlıkta kardeşlerinin buğday çuvalına altın tası gizlice
koyması ve sonunda Mısır'da en yüksek yere geçmesi olaylarına işaret
ediliyor.
(2) Bu dörtlükte de Hz. Süleyman'ın yaptıklarına işaret ediliyor.

Ol kadir-i kün feyekûn
Lütfedici rahman benim
Kesmeden rızkını veren
Cümlelere sultan benim

Nutfeden Âdem yaratan
Yumurtadan kuş türeten
Kudret dilini söyleyen
Zikreyleyen subhan benim

Kimini zâhit eyleyen
Kimini fâsık eyleyen
Ayıplarını örtücü
Ol delil-ü burhan benim

Bir kuluna atlar verip
Avrat-u mal, çiftler verip
Hem yok birinin bir pulu
Ol rahim-ü Rahman benim

Benim ebed, benim bakâ
Ol kadir-i hay mutlaka
Hızır ola yarın saka
Onu kılan gufran benim

Dört türlü nesneden hasıl
Bilin benim işte delil
Od ile su toprak ve yel
Bünyad kılan yezdan benim

Ete deri, sünük çatan
Ten perdelerini tutan
Kudret işim çoktur benim
Hem zâhir-ü ayan benim

Hem bâtınım, hem zâhirim
Hem evvelim, hem âhirim
Hem ben oyum, hem o benim
Hem o kerîm-ü han benim

Yoktur arada terceman
Ordaki iş bana ayan
Odur bana veren lisan
O denize umman benim

Bu yeri göğü yaratan
Bu arş-ü kürsü durduran
Bir, bir adı vardır *YUNUS*
O sahib-i Kur'an benim

— 188 —

Ey dervişler, ey kardaşlar
Ne acap derdim var benim
Mecnun olmuş der görenler
Ne acep derdim var benim

Derviş olan âr eylemez
Âşık olan zâr eylemez
Hekimler timar eylemez
Ne acep derdim var benim

Deryanın mevci çağladı
Hasret yüreğim dağladı
Halim görenler ağladı
Ne acep derdim var benim

Derdine düştüm Mevlâ'nın
Avarasıyım sevdanın
Mevci yenilmez deryanın
Ne acep derdim var benim

Aşık *YUNUS* düştün gine
Düştün hemen aşk derdine
Girdin hakikat yurduna
Ne acep derdim var benim

— 189 —

Ben bende buldum çün Hakk'ı
Şekk-ü güman nemdir benim
O dost yüzün görmez isem
Bu gözlerim nemdir benim

Gelsin münâcât eyleyen
Bin bir kelâmı söyleyen
Taşra ibâdet eyleyen
Görsün o dost nemdir benim

Mûsâ olup Tûr'a çıkam
Nur oluban gözden bakam
Söz oluban dilden çıkam
Sûr-u negam nemdir benim

Mûsâ varır Tûr'a çıkar
Anda varır nura bakar
Dosttan gayrı zerre kadar
Bu gözlerim görmez benim

Uş ben beni cem'eyledim
O dosta îman eyledim
Birliğine kıldım kamet
Riyâ tâat nemdir benim

O dost bana ümmî demiş
Hem adımı ümmî komuş
Dilim şeker, gövdem kamış
Bu söyleyen nemdir benim

YUNUS benem ümmî benem
Dokuz atam, dörttür anam
Aşk oduna düşüp yanam
Satı pazar nemdir benim

— 190 —

Ey bana derviş diyen
Nem ola derviş benim
Dervişlik yaylasında
Hareketim kış benim

Derviş adın edindim
Derviş donun donandım
Yola baktım utandım
Hep işim yanlış benim

Hırkam, tacım gözlerim
Fâsit işler işlerim
Her yanımdan gizlerim
Bin bir fâsit iş benim

Yoldan haber sorarlar
Söylerim inanırlar
Kalbim sâfi sanırlar
Vay ne düşvar iş benim

İçerime bakarsan
Buçuk pulluk nesne yok
Taşramın kavgasından
Âlemler dolmuş benim

YUNUS eydür, yârenler
Ey gerçeğim erenler
Bu yolda olan haller
Allah'a kalmış benim

— 191 —

Ger râzımı söyler isem kimse dilim bilmez benim
Eğer sabır eyler isem gönlüm karar kılmaz benim

Ey uslular, ey uslular siz ayıdın ben nideyim
Ol dost yüzün göreliden aklım başa gelmez benim

Bunun gibi tertib ile benim işim varmaz başa
Elimden iş kaldıysa canımdan iş kalmaz benim

Ne deliyim ne usluyum, benzer neye benim işim
Aşk denizine gark olup gönlüm canım doymaz benim

Muhabbetin odu benim yüreğime düştü yanar
Denize gark olur isem söynüp hatâ kılmaz benim

Yıl on iki ay bu aşk gülü od içinde bitipdürür
Yandığımca artar kokum, devrim geçip solmaz benim

Cümle Hakk'ı yol vardılar, sabr ile Hakk'a erdiler
Aşkın aslı oddandurur, sabrım ile olmaz benim

274

Nice dedim bu gönlüme var sabır eyle, dek otur
Şol dem dahi bedter olur, öğüdümü almaz benim

Bu *YUNUS*'un çün sûreti ölüp toprak olur ise
Bâtınımdan aşk sevgisi bilin ki hiç gitmez benim

— 192 —

Ben bir acep ile geldim
Kimse hâlim bilmez benim
Ben söylerem, ben dinlerem
Kimse dilim bilmez benim

Benim dilim kuş dilidir
Benim ilim dost ilidir
Ben bülbülüm, dost gülümdür
Bilin, gülüm solmaz benim

O dost, bana gelsin demiş
Sundum kadeh, alsın demiş
Aldım kadeh, içtim şarap
Artık gönlüm ölmez benim

Ne durum var, ne durağım
Bir yerde yoktur kararım
Hakk'a münâcat etmeğe
Belli yerim yoktur benim

Sor durduğum yeri bana
Gelirsen gösterem sana
Bir zerrece Hak'tan ayrı
Gözüm nesne görmez benim

Tûr dağında bir tecellî
Gör Mûsâ'ya neler kıldı
YUNUS eydür Hak katında
Sözüm geri kalmaz benim

— 193 —

Deniz oldu birkaç kadeh, susalığım kanmaz benim
İniltilerim kesilmez, gözüm yaşı dinmez benim

Gel varalım bizim ile, ki giresin bahçelere
Dâim öter bülbülleri, gülistanım solmaz benim

Bizim ilin bahçeleri, dâim tazedir gülleri
Ma'mûredürür bostanım, ağyâr gülüm üzmez benim

Mansûr kadehin nice kez ma'şûka sundu elime
Dört yanımda od vurdular, kimse halim bilmez benim

Yana yana kül oluban sen ma'şûkanın yolunda
Günde bin kez yanar isem dosttan yüzüm dönmez benim

Canım aşkın külüngüne Ferhât olup tuttum başım
Dâim dağları keserim, Şîrîn'im hiç sormaz benim

YUNUS eydür, ey sultanım, aşkın ile yandı canım
Ger kılar isen dermanım, artık canım ölmez benim

(8+8=16)

— 194 —

Dolap niçin inilersin
Derdim vardır inilerim
Ben Mevlâ'ya âşık oldum
Onun için inilerim

Benim adım dertli dolap
Suyum akar yalap yalap
Böyle emreylemiş Çalap
Derdim vardır inilerim

Beni bir dağda buldular
Kolum kanadım kırdılar
Dolaba lâyık gördüler
Derdim vardır inilerim

Ben bir dağın ağacıyım
Ne tatlıyım ne acıyım
Ben Mevlâ'ya duacıyım
Derdim vardır inilerim

Dağdan kestiler hezenim
Bozuldu türlü düzenim
Ben bir usanmaz ozanım
Derdim vardır inilerim

Dülgerler âzamı yondu
Her âzam yerine kondu
İnilemek Hak'tan geldi
Derdim vardır inilerim

Suyum alçaktan çekerim
Çıkar yüksekten dökerim
Görün ben neler çekerim
Derdim vardır inilerim

YUNUS, bunda gelen gülmez
Kişi muradına ermez
Bu fânide kimse kalmaz
Derdim vardır inilerim

Mülk-i bakadan gelmişim, fânî cihanı neylerim
Ben dost cemalin görmüşüm, hur-i cinânı neylerim

Vahdet meyinin cür'asın mâşuk elinden içmişim
Ben dost kokusun almışım, müşk-i Hutan'ı neylerim

İbrahim'im, Cebrâil'e hiç ihtiyacım kalmadı
Muhammed'im dosta gidem, ben tercümanı neylerim

İsmail'im Hak yoluna canımı kurban eylerim
Çünkü bu can kurban olur, ben koç kurbanı neylerim

Eyyublayın şol mâşukun cevrin tahammül eylerim
Circisleyin Hak yoluna çıkmayan canı neylerim

İsâ gibi dünya koyup, gökleri seyran eylerim
Mûsâ-i dîdâr olmuşum ben, len-teranî neylerim

Miskin YUNUS mâşukuna vuslat bulunca mest olur
Ben şişeyi çaldım taşa, namus-u ârı neylerim

Eyyub'um ben, müptelâyım, derde derman isterim
Âşıkım, ol hastayım ki cana cânan isterim

Yâkub'um ben, ağlarım, Yusuf için kıldım figan
Yusuf'um zindan içinde, fazl-ı rahman isterim

Musa'nın Tûr'una vardım dost cemâlin görmeğe
Gitti aklım nageh ol dem sırr-ı Suphan isterim

Bir mekâna varmışım ki ol benim yurdum değil
Zulmete erdim Hızır'la âb-ı hayvan isterim

Defter-i âmelimi yüklendim ettim azm-i râh
Menzil-i maksuda Hak'tan emr-ü ferman isterim

YUNUS EMREM, bilmedi halin senin hiç kimseler
Halimi arzetmeğe bir merd-i irfan isterim
                    (Fâilâtün fâilâtün fâilâtün fâilün)

— 197 —

Ey gönlümün eğlencesi
Ayıt bana, neyleyeyim
Aşkından oldum âvâre
Derdim kime söyleyeyim

Mülk-ü fenâdan geçeyim
O dost iline uçayım
Dalayım aşk ummânına
Denizlerin boylayayım

Aşkın odu vurdu canıma
Gelsin âşıklar yanıma
Dökeyim aşkın hânını
Âşıkları toplayayım

Girdim aşkının bağına
Baktım soluma sağıma
Türlü çiçekler deriben
Güllerini yıylayayım

Âşık olayım o güle
Düşsün âleme gulgule
Hezar destan olubanı
Dost bağını yaylayayım

Yırtam yakamı il-ü şar
Dün günü kılam âh-u zâr
Değiben dertli başıma
Zârılıklar eyleyeyim

YUNUS eydür, erenlerin
Dirliğini dirilmedin
Gücüm yettiğince yârin
Soylarını soylayayım

— 198 —

O dost bize gelmez ise, ben dosta geri varayım
Çekeyim cevr-ü cefâyı, dost yüzün görüvereyim

Sermâye bir avuç toprak, onu dahi aldı bu aşk
Ne sermâye var ne dükkân, pazara niye varayım

Kurulmuştur dost dükkânı, dost içine girmiş gezer
Günahım çok gönlüm sezer, ben dosta çok yalvarayım

Gönlüm eydür, dost benimdir, gözüm eydür, dost benimdir.
Gönlüm eydür göze, sabret bir dem haberin sorayım

Hak nazar kıldığı cana, bir göz ile bakmak gerek
Ona ki, ol nazar kıla, ben onu nice yereyim

Taptuğ'um eydür YUNUS'a bu aşk Hakk'a erse gerek
Kamulardan ol yücedir, ben ona nice varayım

(8+8=16)

— 199 —

Senden gelir cevr-ü cefâ, ben âh-u vâh etmeyeyim
Düşmüşüm aşkın oduna, yanıp nice tütmeyeyim

280

Uş yürürüm yana yana, hep ciğerim döndü kana
Aşkından oldum dîvâne, uyuyuban yatmayayım

Senin aşkın denizine düşübeni gark olayım
Kimesnem yok elim ala, koma beni batmayayım

Sekiz uçmağın hûrisi gelir ise bir araya
Hergiz mânendin olmaya, seni onlara katmayayım (1)

YUNUS Emre sen bu sözü yüzbin der isen az ola
İşitenler âşık ola çok da uzatmayayım

— 200 —

Hak'tan nazar oldu bana
Hak kapısın açar oldum
Girdim, Hakk'ın hazinesine
Dürr-ü güher saçar oldum

Devlet tacı başa kondu
Aşk kadehin bana sundu
Canım içti, aşktan kandı
Karayı aktan seçer oldum (2)

Esritti aşka düşürdü
Ben ham idim, aşk pişirdi
Aklımı başa devşirdi
Hayrı şerden seçer oldum

(1) Vezin için «sen onlara» gibi okunacak.
(2) Vezin için «karay'aktan» okunmalı.

Hayra döndü benim işim
Endîşeden azât başım
Nefsimin başını kestim
Kanatlandım uçar oldum

Göçenler menzile yetti
Vardı orda karar etti
Ömür geçti, kavil yitti
Gönüldüm, uş göçer oldum

Miskin *YUNUS* bilişeli
Can-u gönül verişeli
Taptuğ'uma erişeli
Gizli râzım açar oldum

— 201 —

Girdim aşkın denizine
Bahrılayın yüzer oldum
Geşt edüben denizleri
Hızır'layın gezer oldum

Cemâlini gördüm düşte
Çok aradım yazda kışta
Bulamadım dağda taşta
Denizleri süzer oldum

Sordum deniz mâlikine
Irak değil salığına
Girdim gönül sınığına
Gönülleri düzer oldum

Vîran gönlüm eyledim şar
Bunculayın şar kanda var
Haznesinden aldım gevher
Dükkân yüzün bozar oldum

Ben ol dükkândar kuluyum
Gevherler ile doluyum
Dost bağının bülbülüyüm
Budaktan gül üzer oldum

O budakta biter îman
Îman bitse gider güman
Dün gün işim budur heman
Nefsime bir Tatar oldum

Canım bu tene gireli
Nazarım yoktur altuna
Düştüm ayaklar altına
Topraklayın tozar oldum

Tenim toprak, tozar yolca
Nefsim iltür beni önce
Gördüm, nefsin burcu yüce
Kazma aldım kazar oldum

Kaza kaza indim yere
Gördüm nefsin yüzü kara
Hürmeti yok peygambere
Bentlerini bozar oldum

Bu nefs ile dünya fânî
Bu dünyaya gelen hani
Aldattın ey dünya beni
İşlerinden bezer oldum

YUNUS durdu girdi yola
Kamu gurbetleri bile
Kendi ciğerim kanı ile
Vasf-ı halim yazar oldum

Nitekim ben beni bildim
Yakın bil ki Hakk'ı buldum
Korkum onu buluncaydı
Şimdi korkudan kurtuldum

Ben kimseden korkumazam
Ya bir zerre kayırmazam
Ben şimdi kimden korkayım
Korktuğum ile bir oldum

Azrâil gelmez yanıma
Sorucu gelmez sinime
Bunlar benden ne soralar
Onu sorduran ben oldum

Ya ben onca kaçan olam
Onun buyruğun buyuram
O geldi gönlüme doldu
Ben ona bir dükkân oldum

Dükkân ıssı dükkânından
Hâli değildir evinden
O bu araya gelelden
Halka bir ulu kân oldum

Canlılar bizden el alır
Cansızlar eri ne bilir
Hem verirler, hem alırlar
Ben bir ulu dîvân oldum

YUNUS'a Hak açtı kapı
YUNUS Hakk'a kılar tapı
Benim için devlet bâkî
Ben kul iken sultan oldum

Teferrüç eyleyü vardım
Sabahın, sinleri gördüm
Karışmış kara toprağa
Şu nazik tenleri gördüm

Çürümüş toprak içre ten
Sin içinde yatar pinhan
Boşanmış damar, akmış kan
Batmış kefenleri gördüm

Yıkılmış sinleri dolmuş
Evleri belirsiz olmuş
Kamu endişeden kalmış
Ne düşvar halleri gördüm

Yaylalar yaylamaz olmuş
Kışlalar kışlamaz olmuş
Bar tutmuş, söylemez olmuş
Ağızda dilleri gördüm

Kimisi zevk-u işrette
Kimi saz-u beşarette
Kimi belâ vü mihnette
Dün olmuş günleri gördüm

Soğulmuş şol kara gözler
Belirsiz olmuş ay yüzler
Kara toprağın altında
Gül deren elleri gördüm

Kimisi boynunu eğmiş
Tenini toprağa salmış
Anasına küsüp gitmiş
Boynun buranları gördüm

Kimi zârı kılıp ağlar
Zebânîler canın dağlar
Tutuşmuş sinleri oda
Çıkan tütünleri gördüm

YUNUS bunu kanda gördü
Gelip bize haber verdi
Aklım vardı, bilim şaşdı
Nitekim şunları gördüm

— 204 —

Hiç bilmezem keşik kimim
Aramızda gezer ölüm
Halkı bostan edinmiştir
Dilediğin ezer ölüm

Bir nicenin belin büker
Bir nicenin mülkün yıkar
Bir nicenin yaşın döker
Var gücünü ezer ölüm

Birinin alır kardaşın
Revan döker gözün yaşın
Hiç onarmaz bağrı başın
Habersizin gelir ölüm

Yiğidi koca olunça
Komaz kendiyi bilince
Birini koyup gelince
Gözlerini süzer ölüm

Hani onun sevdik yâri
Kıl tâatın, arı yürü
Miskin *YUNUS* neye durur
Ejderhâlar yutar ölüm

Din-ü millet kodurdu o benim canım alan
Onu duyan kişiye ne gönül kalır ne can

Duymayanlar hâlimi, dinin kodu, der bana
Neyile din beslesin cansız, gönülsüz kalan

Sûretimde varlığım gönül ile can idi
Cümlesin yağmaladı bana aşk bağışlayan

Aşkın serhengi beni komadı hiç nesneden
Ne İslâmda ne dinde anılmaz küfr-ü îman

Şart-u farz olmaz anda canı aşka kalanda
Cevapsız dil söylenür nice bilsin bu lisan

Elden iş bırakırdı niteliksiz baktırdı
Dostluk ticaretinde unuttuk assı ziyan

Beni benlikten kodu varlık defterin yudu
Havf-u rica göstermez hayr-u şer elden koyan

Sorman *YUNUS*'tan haber, dost kandasa anda var
Yüzbin güherden fâriğ aşk denizine dalan

(7+7=14)

— 206 —

Ayırma beni senden Yaradan (1)
Düşüp ölürüm ben bu yaradan

Ağlama derim şol gözlerime
Kan yaş akıtır, aktan karadan

Öldüğüm için gam mı çekerim
Alır canımı bir gün Yaradan

Varam, yüz sürem dost eşiğine
Bir hırka giyem yüzbin pâreden (2)

Öldü diyeler, kaydım yiyeler (3)
Bir kuş oluban çıkam yuvadan (4)

Yerler mi kodum göl eylemedik
Seller akıttım herbir dereden

---

(1) Yaradan: Yaratan Tanrı.
(2) Pâre: Parça.
(3) Kaydını yemek: Arkasından söylemek.
(4) Oluban: Olup, olarak (-ban, -ben:, -rak, -rek ekidir.)

Âşık *YUNUS*'un budur maksudu [1]
Ala yârini, çıka aradan

(5+5=10)

— 207 —

Gönül usanmadın sen bu seferden
Çalabım saklasın seni hatardan

Kişi ki kişinin kahrın çekince
Gidip görünmemek yeğdir nazardan

Doğalı bağrımı doğradı gurbet
Sızar tamar ciğer kanı damardan

Vatan oldu diken, gurbet gülistan
Ağu içmek yeğ oldu ney-şekerden

YUNUS göğsün açıp dosta giderken
Çalabım saklasın onı hatardan

(6+5=11)

— 208 —

Erenlere muhib iken
Ya münkir olduğun neden
Key sakıngil tatlı canın
Okları çıkmadan yaydan

(1) Maksud: İstek

Kahır erenler atıdır
Gayret dahi hil'atıdır
Erenler yayı katıdır
Okları geçer kayadan

Bize muhib olanları
Hak'tan dileriz anları
Dönüp münkir olanları
Tez çıkarırlar aradan

Bunda el ayak öpülür
Görenin canı kapılur
Garip misafir yapılur
Zavya vü mescit-haneden

Ağu içerse nûş olsun
Sücü içerse hoş olsun
YUNUS ile yoldaş olsun
Gelsin Allahına giden

— 209 —

Bu dünya kimseye kalmaz
Anadur ölmeğin, aman
Kimseler de gider gelmez
Anadur ölmeğin, aman (1)

Gelen göçer, konan göçer
Nasip oldukça yer içer
Ecel ömre kefen biçer
Anadur ölmeğin, aman

_____

(1) Bu mısraın anlamı: Aman, öleceğini hatırla, onu anmakta devam et.

Üstüne çün çöker dağlar
Ecel gelir dilin bağlar
Kalır bu bahçeler bağlar
Anadur ölmeğin, aman

Kefen donun olur yatak
Biter üstünde hem yaprak
Dola gözlerine toprak
Anadur ölmeğin, aman

Nice cem'ettin ise mal
Alır vârislerin filhal
Sinde sen çekersin vebal
Anadur ölmeğin, aman

Sen onu sanma malındır
Haram ise vebâlindir
Helâl ise sualindir
Anadur ölmeğin, aman

Kalır ayrıklara malın
Seninle gider âmâlin
Erişmez bir pula elin
Anadur ölmeğin, aman

Geri gelmez varan anda
Kalır o karangu sinde
Sevap isteyegör bunda
Anadur ölmeğin, aman

Günahkârsın, günahın çok
Günah için bir âhın yok
Varacak gayrı râhın yok
Anadur ölmeğin, aman

YUNUS tak boynuna bendi
Dahi halka da bu pendi
Cihandan kes bu payvendin
Anadur ölmeğin, aman

— 210 —

Düşeyim aşk denizine
Gavvas olayım bir zaman (1)
İsteyeyim seni her dem
Seyyah olayım bir zaman

Düşeyim her bir mahfile (2)
Tersa demeyim her kula (3)
Senden haber verenlere
Mihman olayım bir zaman (4)

Aşkın oduna yanayım
Derdin tadına kanayım
Gördüğüm seni sanayım
Hayran olayım bir zaman

Bu benliğimi yuyayım
Senin duyunu duyayım
Bir nice zaman kul iken
Sultan olayım bir zaman

---

(1) Gavvas: Dalgıç.
(2) Mahfil: Toplantı yapılan yer, toplantı.
(3) Tersa: Hıristiyan.
(4) Mihman: Misafir, konuk.

Akıdam gözüm yaşını
Artıram bağrım başını
Tâ görünce nakkaşımı (1)
Giryan olayım bir zaman (2)

Odur bana benden yakın
Hikmet bilen buldu Hakk'ın (3)
Okuyup hikmetin ilmin
Lokman olayım bir zaman (4)

YUNUS aşkın perdesini
Ref' etme olma bî-hicap
Mürşid-i kâmil yoluna
Kurban olayım bir zaman

— 211 —

Dost yüzünü görüceğiz, nice karar kılsın bu can
Yağmaya verir o demde, yüzbin zâhid dîn-ü îmân

Ta'na yoktur âşıklara her ne hâle döner ise
Ferman olamaz kendüye müşâhedeye gark olan

Cân-u gönül, fehm-ü akıl aşk mevcine gark olıcak
Ne ile ansın o kişi, yazık müzd-ü assı ziyan

Canında gözü yok kişi, görmeyiser dost yüzünü
Gözsüz nice fehmeylesin ne rengedir işbu cihan

---

(1) Nakkaş: Ressam, Tanrı (burada).
(2) Giryan: Ağlama.
(3) Hikmet: En yüksek bilgi, felsefe.
(4) Lokman: Hekimlerin pîri Lokman.

Yüzbin melik-ü selâtin dost yüzünü göreyidi
Terk edeydi ten tertibin izzet-ü leşker hânüman

Âşık nice harâb ise velâyeti arta durur
Onun içün ki dâyima virandadır genc-i nihân

Aynel-yakıyn gören kişi ırmaz gözün dost yüzünden
Nice görebilsin onu bu seviden taşra duran

YUNUS'a bu aşk kızgını komaz dilin tuta idi
Âşıka ma'şuk râzını dürüst diyemeye lisan

(8+8=16)

— 212 —

Bir dürr-i yetimem ki beni görmedi ummân
Bir katrayım illâ ki ummâna benim ummân

Gel mevc-i acayib gör, deryâ-yi nihân gözle
Zî bahr-i nihayet katrede olur pinhân

Okumadı mevzûn Leylî adını Mecnûn
Hem Leylî idim anda hem Mecnûn idim hayrân

Bu âlem-i kesrette sen Yûsuf'-u ben Yâkub
Ol âlem-i vahdette ne Yûsuf-u ne Ken'an

Dem vurmaz idi Mansûr tevhid-i enel-Hak'atan
Aşk dârına dost zülfü asmıştı beni uryân

Adım YUNUS olduğu bu cism belâsıdır
Adım sorar olursan sultana benim sultan

Ömür bahçesinin gülü solmadan
Uyan gel gözlerim, gafletten uyan (1)
Ecel bir gün erip devran dolmadan (2)
Uyan gel gözlerim, gafletten uyan

Niçin gaflet ile mağrur olursun
Kervan göçer gider, yolda kalırsın
Be vallahi sonra pişman olursun
Uyan gel gözlerim, gafletten uyan

Kaba döşekte yatma döne döne
Mağrur olup uyuma kana kana
İletirler seni karanlık sine (3)
Uyan gel gözlerim, gafletten uyan

YUNUS yeter, söyler sözü tutulmaz
Senin kumaşların burda satılmaz
Böyle yatmak ile dosta gidilmez
Uyan gel gözlerim, gafletten uyan

(6+5=11)

Bu ömrüm yok yere harcamışam ben
Canımı gör ne oda atmışam ben

---

(1) Gaflet: Gafillik, dalgınlık, çevresinde olup bitenlerden habersizlik, mânevi uyku.
(2) Devran: Zaman.
(3) Sin: Mezar.

Kimesne kimseye etmemiş ola
Onu ki kendime ben etmişem ben

Amelim rahtını derdim, götürdüm
Kamu assın ziyana satmışam ben

Cihanda bir sanık saksıdan ötrü
Günahlarım yabana atmışam ben

Amelim ne ki varsa hep riyâdır
Aceptür ihlâsı unutmuşam ben

Geceye eresini kimse bilmez
Tûl-i emel başın uzatmışam ben

Dükeli ömrümü harcına sürdüm
Ziyandan bellidir ne ütmüşam ben

Biçare *YUNUS*'un çoktur günahı
Onun dergâhına yüz tutmuşam ben

(6+5=11)

— 215 —

Ey dost seni sevelden aklım gitti, kaldım ben
Irmakları seyredip denizlere daldım ben

Bir zerre aşkın odu kaynatır denizleri
Düştüm aşkın oduna tutuşuban yandım ben

O canda ki aşk ola, onda gussa olmaya
Bu aşk bana gel elden gussam gitti, güldüm ben

Bülbül de âşık olmuş kızıl gülün yüzüne
Gördüm erenler yüzün, hezâr destan oldum ben

Bu aşkı bana verdin, ben niderim kendözüm
İçim dışım nûr doldu, dosta âşık oldum ben

Bir kuru ağaç idim, yol üzre düşmüş idim
Er bana nazar kıldı, tâze civân oldum ben

YUNUS gerçek âşık isen adını miskin kogıl
Cümlesinden ihtiyar miskinliği buldum ben

— 216 —

Giderem aklım başımdan şaşuban
Yanaram aşkın oduna düşüben

Od bıraktım canıma, dün gün yanar
Yanaram yalap yalap tutuşuban

Aşktan ne var eğer sındım ise
Aşk ile kim sınmadı uğraşuban

Âşık olgıl ma'şukun dîdârına
Ma'şuk olgıl aşk ile sarmaşuban

YUNUS canın aşka ver şükrâneye
Kimseler bulmaz yarın isteşüben (1)

— 217 —

Gönül hayran oluptur aşk elinden
Ciğer büryan oluptur aşk elinden

_____

(1) Vezni: 11 heceli bu nefesin durakları düzgün değil.

Niceler tac-ü tahtı, mal-ü mülkü
Koyup uryan oluptur aşk elinden

Özümün kalmadı sabr-u kararı
Gözüm giryan oluptur aşk elinden

Eridi karlı dağlar zerre zerre
Deniz umman oluptur aşk elinden

Koyup İbrahim Edhem tac-u tahtı
Yeri külhan oluptur aşk elinden

Zehî, Mansur ki mâşukun yolunda (1)
Başı berdâr oluptur aşk elinden

Ne gördü Leylî'nin yüzünde Mecnûn
Ki sergerdan oluptur aşk elinden (2)

Ne gördü Zeliha Yusuf yüzünden
İşi efgan oluptur aşk elinden

Muhabbet derdine düşeli bülbül
Dili handân oluptur aşk elinden (3)

YUNUS EMRE de bu hasretle zârî (4)
Acep mihman oluptur aşk elinden (5)

---

(1) Zehî: Ne hoş, ne güzel.
(2) Sergerdan: Şaşkın.
(3) Dil: Gönül. Handân: Sevinçli, neşeli.
(4) Zârî: Ağlayan, inleyen.
(5) Acep: Şaşılası, tuhaf. Mihman: Misafir, konuk.

Acep oldu halim bu aşk elinden
Göremezem yolum bu aşk elinden

Bu kamu âlemin tâci iken uş
Ayaklarda kilim bu aşk elinden

Garip bülbülleyin zârı kılaram
Akar gözden selim bu aşk elinden

Gazel yapraklayın benzim sarardı
Kararıban ölem bu aşk elinden

Yarın mahşerde ben yırtam yakamı
Nice zâra gelem bu aşk elinden

Niderem ben yârin vaslından artuk
Büküldü kad-bâlâm bu aşk elinden

YUNUS sen Taptug'una kıl dualar
Deme ki ne kılam bu aşk elinden

$$(6+5=11)$$

Anıcak korkar canım
Vay vay ölüm elinden
Titrer sünük-ü tenim
Vay vay ölüm elinden

Ev komadı girmedik
Yer komadı yarmadık
Bunculayın görmedik
Vay vay ölüm elinden

Ey atalar, analar
Ağusuna kanalar
Oğul diye yanalar
Vay vay ölüm elinden

Anca analar buzular (1)
Göğüsleri sızılar
Gider körpe kuzular
Vay vay ölüm elinden

Gel *YUNUS*'um gel imdi
Gözün yaşın sil imdi (2)
Benim bağrım del imdi
Vay vay ölüm elinden

— 220 —

Bilmem nideyim
Kanda gideyim
Aşkın elinden
Aşkın elinden

---

(1) Bu mısrada bir hece fazla olduğundan «anc'analar» gibi okunmalıdır.
(2) İmdi: Şimdi.

Meskenim dağlar
Durmaz kan ağlar
Göz yaşım çağlar
Aşkın elinden

Kaddim yay oldu
İşim vay oldu
Bağrım nay oldu
Aşkın elinden

Dinle zârımı
Verdim serimi
Kodum ârımı
Aşkın elinden

Varım vereyim
Uryan olayım
Zevke ereyim
Aşkın elinden

*YUNUS'*un sözü
Kan ağlar gözü
Doğrudur özü
Aşkın elinden

— 221 —

Dünyanın mekrine gönlünü verme (1)
Sen de kurtulmazsın mevtin elinden (2)
Ben filânım deyü göğsünü germe
Sen de kurtulmazsın mevtin elinden

---

(1) Mekr: Hile.
(2) Mevt: Ölüm.

Hani Meryem, hani oğlu ya İsâ
Ejderha olurdu elinde asâ
Firavn'un kavmiyle cenk eder Mûsâ
O da kurtulmadı mevtin elinden

Yunus balık ile deryada yüzdü
İskender seyredip âlemi gezdi
İndi Süleyman'ın tahtını bozdu
Sen de kurtulmazsın mevtin elinden

Nemrut İbrahim'le çok cenk eyledi
Semaya çıkmaya hem kasdeyledi
Son-ucu bir sinek helâk eyledi
Sen de kurtulmazsın mevtin elinden

Gökten Kur'an âyet âyet inerdi
Dertli olanlara derman olurdu
Dünyada kalsa Muhammed kalırdı
Sen de kurtulmazsın mevtin elinden

YUNUS EMRE ister dünyada iman
Hani tahtın yel götüren Süleyman
Lokman da bulmadı derdine derman
O da kurtulmadı mevtin elinden

(6+5=11)

— 222 —

Hak bir gevher yarattı kendinin kudretinden
Nazar kıldı gevhere eridi heybetinden

Yedi kat yer yarattı o gevherin tozundan
Yedi kat gök yarattı o gevherin buğundan

Yedi deniz yarattı o gevher damlasından
Dağları muhkem kıldı o deniz köpüğünden

Muhammed'i yarattı mahlûka şefkatinden
Hem Ali'yi yarattı müminlere fazlından

Kayıp işi kim bilir meğer Kur'an ilminden
YUNUS içti esridi o gevher denizinden
(7+7=14)

— 223 —

Çarh-ı felek yok idi
Canlarımız var iken
Biz o vakit dost idik
Azrâil ağyâr iken

Nice yıllar biz anda
Cem idik can kânında
Hakikat âleminde
Mârifet söyler iken

Çalap aşkı candaydı
Bu bilişlik andaydı
Âdem Havvâ kandaydı
Biz onunla yâr iken

Dün geldi Sâfi Âdem
Dünyaya bastı kadem
İblis aldadı ol dem
Uçmakta gezer iken

Canlar orda bilişti
O dem gönül ilişti
Âlem halkı karıştı
Denizler kaynar iken

Ne gök vardı ne yer
Ne zeber vardı ne zîr
Komşu idik cümlemiz
Nûr dağın yaylar iken

Ne oğul vardı ne kız
Ervâh idik orda biz
YUNUS dosttan haber ver
Aşk ile göyner iken

— 224 —

Ey bana eyi diyen
Adımı sôfî koyan
Acep sôfî mi olur
Hırka ile taç geyen

Başıma taç vurundum
Halka sôfî göründüm
Dışıma hırka geydim
İçim bir kuru kovan

Bu dilim zikir söyler
Gönlüm fesat fikreyler
Hiç böyle mi zikreyler
Hakk'ı aşk ile seven

Gözüm yolun gözetmez
Kulak işitir, tutmaz
Dilim yerinde yatmaz
Dâvâlar kılar yalan

YUNUS gümansız bilir
Yalancı yolda kalır
Bir gün maksûdun bulur
Gerçeklik ile yalan

Kanda bulam isteyiben, ey gönül seni, kandasın
Kanda vîrâne var ise vallahi gönül andasın

Ey gönül sana uyaldan kalmadı yüzümün suyu
Rahmet gele tâ ki sana kanda isen dîvânesin

Bir lâhza olursun rûşen, bir dem yürürsün perişân
Âlemlere nâm-u nişân, derde esir, dermândasın

Bir dem âbit, bir dem zâhit, bir dem âsî, bir dem mûtî
Bir dem gelir ki ey gönül, ne dinde ne îmândasın

Aşk başımdan aşıcağız, mevc vuruban taşıcağız
Bir dem gelir ki ey gönül, mescit ile Kur'andasın

Kayseri, Tabriz-ü Sıvas, Nahcıvan, Maraş-u Şîrâz
Gönül sana Bağdat yakın, âlemlere dîvânesin

YUNUS imdi tap dur hemin, akıtma gözünün nemin
Eğer bu gün, eğer yarın çün Hak içün kurbandasın

(8+8=16)

Eğriliğin koyasın, doğru yola gelesin
Kibr-ü kini çıkargıl, erden nasib alasın

Ne versen eli ile şol varır senin ile
Ben desem inanmazsın, varıcağız göresin

Gönülde pas oturur, anda seni yitirir
İçeri şah oturur, giremezsin göresin

On ikidir hücresi, yedi dervâzesi vardır
Orda iki dilber var, bilmezsin ki sarasın

Var kardaşını öldür, dahi avratın boşa
Anana nikâh kıydır, Hakk'ı ayan göresin

Bîçâre miskin *YUNUS* aşktan dâvâ kılarsın
Dosttan haber gelicek yüz sürüryü varasın

$$(7+7=14)$$

— 227 —

Sûretten gel sıfata, onda mânâ bulasın
Hayallerde kalmagıl, erden mahrum kalasın

Bu yolda açâyip çok, sen acebe aldanma
Acayip anda ola dost yüzünü göresin

Aşk kuşağın kuşangıl, dostun yolunu vargıl
Mücahede çekersen müşahede göresin

Bundan aşkın şehrine üçyüz deniz geçerler
Üçyüz deniz geçüben yedi tamu bulasın

Yedi tamuda yangıl, herbirinde kül olgıl
Vücudun orda kogıl, ayrık vücut bulasın

Hakikattır Hak şarı, yedidir kapıları
Dergâhında yazılıdır, girip kudret göresin

Evvelki kapısında bir kişi olur orda
Sana eydür, beri gel, olmaya ki varasın

İkinci kapısında iki arslan vardır orda
Niceleri korkutmuş, olmasın ki korkasın

Üçüncü kapısında üç evren vardır orda
Sana hamle ederler, olmasın ki dönesin

Dördüncü kapısında dört pîrler vardır orda
Bu söz sana rumuzdur, gör ki delil bulasın

Beşinci kapısında beş ruhbân vardır orda
Türlü metâ satarlar, olmasın ki alasın

Altıncı kapısında bir hûri oturur orda
Sana eydür, gel beri, olmaya ki varasın

Çün sen anda varasın, o hûriyi alasın
Bir vayadan ötürü yolda mahrum kalasın

Yedinci kapısında yediler oturur orda
Sana derler kurtuldun, gir dost yüzün göresin

Çün içeri giresin, dost yüzünü göresin
Enel Hak şerbetini dost elinden içesin

Şu dediğim sözlerim vücuttan taşra değil
Tefekkür kılar isen cümle sende bulasın

YUNUS işbu sözleri Hak varlığından söyler
İster isen kânını miskinlikte bulasın

— 228 —

Eğer aşkı seversen can olasın
Kamu derdine hem derman olasın

Eğer dünya seversen mübtelâsın
Maânî sırrına nerde eresin

Cihan köhne saraydır, sen beyisin
Nice bir eskiye hasretlenesin

Ağudur, bal değil dünya muradı
Nice bir ağuya parmak banasın

Kanatsız kuşlayın kaldın yabanda
Kanatlı kuşlara nerde eresin

Sana erden asâ gerek bu yola
Dayanırsan asâya dayanasın

Sözü bu *YUNUS*'un gözlüleredir
Eğer âşık olursan uyanasın (1)

— 229 —

O can haçan ölüser
Sen ona can olasın
Ölmüş gönül dirile
Orda ki sen olasın

Ölmeklik dirlik ola
Ölümsüz dirlik bula
Ölmüş gönül dirile
Dermanı sen olasın

Sen olduğun gönüller
Her dem canın yeniler
Bunlardır ölmeyenler
Hâkimi sen olasın

---

(1) Vezni: 6+5=11.

Sen olduğun makamda
Adil, dâd olur anda
Güç olmaz o dîvanda
Sultanı sen olasın

Can bedenden uçucak
Menzilinden göçücek
O cihana geçicek
Göze ayan olasın

Tozunu yel almaya
Bir zerre ırılmaya
Âşık canı ölmeye
Mâşuku sen olasın

YUNUS sen âşık isen
Aşka muvafık isen
Korkma ulaşık isen
Ne olursan olasın

— 230 —

O vakit bir olasın
Ayrılıktan kalasın
Cansız gel bu kapıya
Bâki dirlik bulasın

Can tutagelir isen
Ya canım var der isen
Canı şumâr eder isen
Külli sağıncılasın

Bunda ne sağınç şumâr
Ya burda kim kalır var
Çün böyle düştü sefer
Gerek yoldan kalasın

Dert ile gelmeyince
Dermana erişilmez
Bir can yolda kor isen
Binbir canlar bulasın

Kalma fânî sağınca
Kasdile bakma gence
Yüzbin iki cihanda
O denli sen olasın

Tatarsan aşk tadından
Geçersin zâhir dinden
Ayrılığın adından
O vakit kurtulasın

Ey *YUNUS* hani aklın
Keksizin söyler dilin
Pâyânı yok bu yolun
Yazıda dolanasın

— 231 —

Eğer aşkı seversen can olasın
Gönüller tahtına sultan olasın

Seversen dünyayı mihnet bulasın
Erenler sırrını nerden duyasın

Diken olma, gül ol eren yolunda
Diken olur isen oda yanasın

Niyaz için buyurdu Hak namazı
Niyazdan vay sana gafil olasın

Erenler nefesin asa idin sen
Eğer nefsine uyarsan fenâsın

İbadetler başıdır terk-i dünya
Eğer müminsen ona inanasın

Anan, atan hakkın yetirdin ise
Yeşil donlar giyesin donanasın

Eğer komşu hakkı boynunda ise
Cehennemde yarın bâkî kalasın

Gönüle gireni gönendi derler
Gönüle sen de gir ki gönenesin

YUNUS bu sözleri erenden aldı
Sana dahi gerek ise alasın (1)

— 232 —

Bunca gönül aldayıp
Cihana sultan mısın
Hükmün canlara geçer
Can içinde can mısın

_____

(1) Vezni: Kimi 6+5, kimi 7+4 duraklı 11 hecedir.

Bakışın bin can alır
Derdin yürekte kalır
Gören kendiden varır
Uşşaka kıran mısın

Uçan kuşlar uçunur
Seni yel görse durur
Devler, hükmüne girür
Belkis, Süleyman mısın

Yüzünden gün tutulur
Ay doğmaya utanır
Gören heybete kalır
Yusuf-ı Ken'an mısın

Ölü görse dirilir
Kalıbına can gelir
Topraktan âvaz gelir
İsâ bin Meryem misin

Aşkın dine şûr eyler
Aslana zencir eyler
Katı taşı mum eyler
Yoksa Ferhat sen misin

Aşkın Hakk'a irgörür
O gözler dîdâr görür
Görenler baş indirir
İbrahim Edhem misin

Yüzün dîdâr nûrudur
Saçın Miraç dünüdür
Gören canın unutur
Fahr-ı âlem sen misin

YUNUS sevdiğin gözle
Aşk yolunu key izle
Râzı gönülde gizle
Söze hâkim sen misin

— 233 —

Taşdın yine deli gönül
Sular gibi çağlar mısın
Akdın yine kanlı yaşım
Yollarımı bağlar mısın

Nidem elim ermez yâre
Bulunmaz derdime çâre
Oldum ilimden âvâre
Beni bunda eğler misin

Yavı kıldım ben yoldaşı
Onulmaz bağrımın başı
Gözlerimin kanlı yaşı
Irmak olup çağlar mısın

Ben toprak oldum yoluna
Sen aşırı gözedirsin
Şu karşıma göğüs gerip
Taş bağırlı dağlar mısın

Harâmi gibi yoluma
Arkuru inen karlı dağ
Ben yârimden ayrı düştüm
Sen yolumu bağlar mısın

Karlı dağların başında
Salkım salkım olan bulut
Saçın çözüp benim içün
Yaşın yaşın ağlar mısın

Esridi *YUNUS*'un canı
Yoldayım, illerim hanı
YUNUS düşte gördü seni
Sayru musun, sağlar mısın

— 234 —

Sen canından geçmeden cânân arzu kılarsın
Belden zünnâr kesmeden îman arzu kılarsın

«Men arife nefsehu» dersin, illâ değilsin
Melâikten yukarı cevlân arzu kılarsın

Tıfl-ı nâreste gibi eteğin at edinip
Ele çevgân almadan meydan arzu kılarsın

Bilmedin sen seni ki sedefte ne gevhersin
Mısr'a sultan olmadan Ken'an arzu kılarsın

Sen burda işe geldin uş yine varacaksın
Henüz sen kul olmadan sultan arzu kılarsın

Yirmi yedi perde var dostunu arzulama
Yedisinden geçmeden yakın arzu kılarsın

Otuzu gözdedürür, otuzu gönüldedir
Onu dahi bilmeden görmek arzu kılarsın

Balık gibi sudasın, bilmezsin yudasın
Ömrün geçti içmedin, umman arzu kılarsın

YUNUS düştün bu derde, Eyyup gibi sabreyle
Her derde katlanmazsın, derman arzu kılarsın (1)

— 235 —

Lâ şerikten okursun, yine şerik katarsın
Bire iki demeyi kimden fetvâ tutarsın

Din-ü imân bünyadı doğrulukla gerçeklik
O tamam olmayıcak ne ile din çatarsın

Çün Kur'an gökten indi, onu Allah buyurdu
Ondan haber versene, ha kitaptan okursun

Okursun tasnif, kitap; çekersin bunca azap
Havf-u rica sende yok, öyle ki bir Tatar'sın

İlm okumaktan gerek, kişi kendin bilmektir
Pes kendini bilmezsen, bir hayvandan betersin

İlm okumak hâsılı, ibret almaktır ancak
Çün ibrette değilsin, görmeden taş atarsın

Dört kitabın mânâsın Mustafâ cem eyledi
Onu unuttun benzer, şerh ile söz atarsın

Kılarsın riyâ namaz, yazığın çok, hayrın az
Dinle neye varır söz, cehennemde yatarsın

Halka fetvâ verirsin, ya sen niçin tutmazsın
İlmin var, amelin yok, günahlara batarsın

---

(1) Vezni: 7+7=14.

Sen fakısın, biz fakir; seni tanımaz yoktur
İhlâs ile gelirsen bizden nesne ütersin

Bu düzülen tertibi ayrıksadı der isen
Başaramazsın hoca, endişeden yitersin

YUNUS miskin bu sözü, aşk âleminden söyler
Deme bilmeden ona, kendözünden katarsın

(7+7=14)

— 236 —

Dervişlik der ki bana
Sen derviş olamazsın
Gel, ne diyeyim sana
Sen derviş olamazsın

Derviş bağrı baş gerek
Gözü dolu yaş gerek
Koyundan yavaş gerek
Sen derviş olamazsın

Dövene elsiz gerek
Sövene dilsiz gerek
Derviş gönülsüz gerek
Sen derviş olamazsın

Dilin ile şakırsın
Çok mâniler okursun
Vara yoğa kakırsın
Sen derviş olamazsın

Kakımak varmışsa ger
Muhammed de kakıdı
Bu kakımak sende var
Sen derviş olamazsın

Doğruya varmayınca
Mürşide yetmeyince
Hak nasip etmeyince
Sen derviş olamazsın

Derviş *YUNUS* gel imdi
Ummanlara dal imdi
Ummana dalmayınca
Sen derviş olamazsın

— 237 —

Yarattın ay-u günü, gökte nişan eyledin
Emrini veribidin gövdede can eyledin

Yarattın bu kuşları, birisi bulmaz diri
Birisi ete bakmaz, adın doğan eyledin

Bir nice kullarına kemha donlar geydirdin
Birisi bulmaz gömlek, ciğerin kan eyledin

Yazın akan suları buzlar ile bağladın
Kızın kara yerleri çayır çimen eyledin

Bu kamu ferişteler senin emrin içinde
Birisin emreyledin, cana kıyan eyledin

Düz ettin bu yerleri, âkıbet yıkacaksın
Andın Kur'an içinde «Men aleyha fan» ettin

YUNUS senin derdini niçin gizleyemedin
Can diliyle söyleyip halka ayan eyledin

/ (7+7=14)

— 238 —

Gerçek âşık oldun ise
Cihan nakşı nendir senin
Dost aynasın baktın ise
Sûret nakşı nendir senin

Meyhâne ile puthâne
Mercit olmuş gerçek cana
Gel işin verme ziyana
Yalancık nendir senin

Sen dünyanın terkin vergil
Gelip aşk oduna girgil
İlerki menzile ergil
Geri kalmak nendir senin

Çünkü ahrete kavisin
Ko bu yalancı dâ'visin
Mal ve hazine sevisin
Âşık isen nendir senin

Yeyip yedirgil fakire
Eksilirse Tanrı vere
Bir gün tenin yere gire
Geri kalan nendir senin

Benimdir diye derersin
Hak'tan dâvâ mı edersin
Padişah suçuna bakmaz
Gümrâh olmak nendir senin

Dün-ü gün kaygılar yersin
Nideyim yoksulum dersin
Kogıl bu fâni sevisin
Kaygı yemek nendir senin

Gel gidelim dosttan yana
Nedir cevabın çün bana
Ne verirsin bu dünyaya
Söyle cihan nendir senin

YUNUS o aşk bâdesinden
Sen katı esrik olmuşsun
Bîhod iken erdin Hakk'a
Ayık olmak nendir senin

— 239 —

Bir köprü yaratmışsın, kıldan incedir dersin
Kamuyu salâ ettin, mahlûkat cümle geçsin

Geç dediğin kulların biri benim, eksikli
İzzin hakkı geçmezem, hazzı olanlar geçsin

Meğer inâyet Hak'tan yardım ola Allah'tan
Hak'tan yardım olursa, kim gerek ise geçsin

Bir tahta yaratmışsın, halim onda yazmışsın (1)
Ne yazdınsa meçhuldür, bir kul onu ne bilsin

Eğer avrat, eğer er, eğer hayır, eğer şer
O yazıda ağlayan başka ne yerde gülsün

_____

(1) Bu mısra için «levh-i mahfuz»a bakınız.

320

Var, yazından ağlama, kendi canın dağlama
Madem yazın yazıldı, dahi seven ne kılsın

Yedi tamu yarattın âsilere arzettin
İzzin hakkı girmezem, eksiği olan girsin

Sekiz uçmak yarattın, müminlere arzettin
Kâfirler ona girmez, ben kuluna ne dersin

Benim onda derdim yok, girmekliğe fikrim yok
Kulağıma yapışma, ko onu onda kalsın

Yüzüm kara, elim boş, bağrım, gözüm yaş
İnâyet eyle Allah, *YUNUS* dîdârın görsün

— 240 —

Aşk ilinin haberin desem işide misin
Yoldaş olup o yola sen bile gide misin

O ilin bağı olur, şerbeti ağu olur
Kadeh tutmaz o ağu nûş edip yuda mısın

O ilin zavadası cefâ tuta gidesi
Şeker ayruğa sunup sen ağı yuda mısın

O ilde dün olmaz, ay gün doğup dolunmaz
Cümle yağış terkedip şümar unuda mısın

Senlik benlik terkedip yokluk iline gidip
Aşktan içip eriyip varlık terkede misin

İşbu tenin tertibi od-u yel, toprak, sudur
YUNUS sen cevap eyle, suda, toprakta mısın

Bu gün sohbet bizim oldu, bize bizim diyen gelsin
Bu aşk zehrin seve seve içübeni yutan gelsin

Kanaat hırkası içre selâmet başımı çektim
Melâmet gömleğin biçtim, ârif olup giyen gelsin

Bu aşk meydanı içinde çağırdım bir âvaz ettim
Müezzinlik bizim oldu, imâm oldum, uyan gelsin

Bu ummanda delim türlü güher vardır, elim ermez
Akar rahmet suyu çağlar, gönül kirin yuyan gelsin

A dostlar işitin sözüm, dün etmişim bu gündüzüm
Yavı kılmışım kendözüm, bu hak yola giren gelsin

YUNUS miskin onu görmüş, eline bir dîvan almış
Âlimler okuyamamış, bu mânâdan duyan gelsin

(8+8=16)

Bu dervişlik yoluna aşk ile gelen gelsin
Ya dervişlik ne idüğün bir zerre duyan gelsin

Hele biz işbu yola gelmedik riyâ ile
Bu melâmetlik tonun bizimle geyen gelsin

Göziyle gördüğünü örte eteyile
Bu yol pek ince yoldur, yüreği doyan gelsin

Ulu kişi erenler demiş bizi sevenler
Kayıkmasın geriye ol şaha gelen gelsin

Her kim sever Allah'ı, rahmet kılar vallahi
Dil sevgisiyle olmaz, aşk ile göyen gelsin

İşbu sözü eydenden bize nişan gerektir
Söz muhtasarı budur, canına kıyan gelsin

YUNUS söz ile kimse kabliyete geçmedi (1)
Bûd-u vücut der-miyan ortaya koyan gelsin

— 243 —

Dervişlerin yoluna sıdk ile gelen gelsin
Hak'tan özge nesneyi gönülden süren gelsin

Dervişlik dedikleri bir tükenmez kân olur
Hâs-u âm, kul-u sultan, bu kândan alan gelsin

Derviş dolunur, doğar, her nefes göğe ağar
Ben diyeyim doğruyu, canına kıyan gelsin

Dervişlik bir lokmadır, yer ile gökten ulu
Bu azamet lokmayı yutup sindiren gelsin

Dervişler gözü açık, dünü günü uyanık
Bu söze Tanrı'm tanık, bakmadan gören gelsin

Dervişin duyduğu Hak, Hak'tan işitir sebak
Teprenmeden dil dudak, sözü işiten gelsin

Dervişin eli uzun, çıkarır münkir gözün
Şarka garba düpdüzün, sunmadan eren gelsin

Dervişler Hakk'ın dostu, canlarıdır Hak mesti
Aşk şem'ini yaktılar, pervane olan gelsin

Bu miskin YUNUS'u gör, dervişlik ile geldi
Nefsindendir şikâyet, nefsin öldüren gelsin

_____
(1) Kabliyet: Kabiliyet (vezin için böyle).

Acep şu yerde var m'ola
Şöyle garip bencileyin
Bağrı başlı, gözü yaşlı
Şöyle garip bencileyin

Gezerim Rum ile Şam'ı
Yukarı illeri kamu
Çok istedim bulamadım
Şöyle garip bencileyin

Kimseler garip olmasın
Hasret oduna yanmasın
Hocam kimseler olmasın
Şöyle garip bencileyin

Söyler dilim, ağlar gözüm
Gariplere göynür özüm
Meğer ki gökte yıldızım
Şöyle garip bencileyin

Nice bu dert ile yanam
Ecel ere bir gün ölem
Meğer ki sinimde bulam
Şöyle garip bencileyin

Bir garip ölmüş diyeler
Üç günden sonra duyalar
Soğuk su ile yuyalar
Şöyle garip bencileyin

Hey *EMREM YUNUS* bîçâre
Bulunmaz derdine çâre
Var imdi gez şardan şara
Şöyle garip bencileyin

Canlar canını buldum
Bu canım yağma olsun
Assı ziyandan geçtim
Dükkânım yağma olsun

Ben benliğimden geçtim
Gözüm hicabın açtım
Dost vaslına eriştim
Gümânım yağma olsun

İkilikten usandım
Birlik hânına kandım
Derd şarabını içtim
Dermanım yağma olsun

Varlık çün sefer kıldı
Dost ordan bize geldi
Vîran gönül nûr doldu
Cihanım yağma olsun

Geçtim bitmez sağınçtan
Usandım yaz-u kıştan
Bostanlar başın buldum
Bostanım yağma olsun

Taalluktan üzüştüm
O dosttan yana uçtum
Aşk dîvanına düştüm
Dîvanım yağma olsun

Benden benliğim gitti
Hep mülkümü dost tuttu
Alan veren dost oldu
Lisanım yağma olsun

YUNUS ne hoş demişsin
Bal-u şeker yemişsin
Ballar balını buldum
Kovanım yağma olsun

— 246 —

Bu dünyadan gider olduk
Kalanlara selâm olsun
Bizim için hayır dua
Kılanlara, selâm olsun

Ecel büke belimizi
Söyletmeye dilimizi
Hasta iken halimizi
Soranlara, selâm olsun

Tenim ortaya açıla
Yakasız gömlek biçile
Bizi bir âsan veçh-ile
Yuyanlara, selâm olsun

Azrâil alır canımız
Kurur damarda kanımız
Yuyacağın, kefenimiz [1]
Saranlara, selâm olsun

Salâ verile kasdımıza [2]
Gider olduk dostumuza
Namaz için üstümüze
Duranlara, selâm olsun

---

(1) Yuyacağın: Yıkayınca, yıkanınca.
(2) Kasdımıza: Bizim için. Salâ: Cenaze namazına çağırma duası (minare-den).

Dünyaya gelenler gider
Hergiz gelmez yola gider
Bizim halimizden haber
Soranlara, selâm olsun

Miskin YUNUS söyler sözün
Yaş doldurmuş iki gözün
Bizi bilmeyen ne bilsin
Bilenlere, selâm olsun

— 247 —

Ey yârenler, ey kardaşlar
Ecel ere ölem bir gün
İşlerime pişman olup
Kendözüme gelem bir gün

Yanlarıma kona elim
Söz söylemez ola dilim
Karşıma gele amelim
Nettim ise görem bir gün

Oğlan gider danışmana
Salâdır dosta düşmana
Şol dört tekbir namaz ile
Dahi tamam kılam bir gün

Beş karış bezdürür donum
Yılan çiyan yiye tenim
Yıl geçe obrula sinim
Unutulup kalam bir gün

Başıma dikeler hece
Ne erte bilem ne gece
Âlemler umudu hoca
Sana ferman olam bir gün

YUNUS EMRE sen bu sözü
Dahi tamam etmemişsin
Tek yürüyeyim neyleyim
Üstadıma gelem bir gün

— 248 —

Vaktınıza hazır olun
Ecel varır, gelir bir gün
Emanettir kuşça canın
Issı vardır, alır bir gün

Nice bin kerre kaçarsın
Yedi deryalar geçersin
Pervaz vuruban uçarsın
Ecel seni bulur bir gün

İşbu meclise gelmeyen
Anıp nasihat almayan
Elif'ten ba'yı bilmeyen (1)
Okur kişi olur bir gün

Tutmaz olur tutan eller
Çürür şu söyleyen diller
Sevip kazandığın mallar
Vârislere kalır bir gün

YUNUS EMREM bunu söyler
Aşkın deryasını boylar
Şu yüce köşkler, saraylar
Viran olur kalır bir gün

---

(1) Elif, ba: Arap alfabesinin adı ve ilk iki harfi.

Bu dünyaya gönül veren sonucu pişman olusar
Dünya benim dedikleri hep ona düşman olusar

Ey dostunu düşman tutan, gıybet yalan söz söyleme
Burda gammazlık eyleyen orda yeri dar olusar

Çünkü olusar yeri dar, kazançlı kazancı kadar
Müminlere geldi haber, âşıklar dîdâr görüser

Maksûdumuz dîdâr idi, şeyhimiz gerçek er idi
Evvel dahi ol var idi, ahır dahi var olusar

Evvel âhır oldur ebed hem dillerde «küfven ahad»
Evliyâ geçti dünyadan, bir saat kime kalısar

Alın evliyâ elini, doğru varın Hak yolunu
Mânâ budur belli beyan, bildim diyen bilmeyiser

YUNUS imdi bildim deme, miskinliği elden koma
Kimde miskinlik var ise Hak dîdârın ol göriser

(8+8=16)

Padişahlık senindir, heybetin var
Yarattın yeri göğü, kudretin var

Bî-nişansın, nişanın kimse bilmez
Eğerçi bî-nihayet âyetin var

Cümle ins-ü melek, vuhûş-u tuyur
Kamunun üstüne ehliyyetin var

Ne dünya âhıret, ne kaf-u ne kâf
Bular katre derya melekûtun var

Ne reng-ü ne şekil, ne kad, ne kamet
Ne cevher, ne araz, ne sûretin var

Senindir arş-ü kürsî vü kalem levh
Döner çarh, yer durur, hoş hikmetin var

Bu yüz yiğirmi vü dört bin Nebîye
Gece mirac, gündüz münâcatın var

Dört yüz kırk dört tabakat evliyâya
Verilmiş onlara kerâmetin var

Altı bin altı yüz altmış-ü altı
Okunur halk üzerine âyetin var

Musahhardır kamu emrin içinde
Cemi' kullarına mürüvvetin var

Bu amele *YUNUS* nîce geçîser
Rayegân cümleye çok rahmetin var (1)

— 251 —

Yar yüreğim yar, gör ki neler var
Bu halk içinde bize güler var

Ko gülen gülsün, Hak bizim olsun
Gafil ne bilsin, Hakk'ı sever var

Bu yol uzaktır, menzili çoktur
Geçidi yoktur, derin sular var

Girdik bu yola aşk ile bile
Gurbetlik ile bizi salar var

Her kim merdâne, gelsin meydane
Kalmasın câne, kimde hüner var

YUNUS sen bunda meydan isteme
Meydan içinde merdâneler var

— 252 —

Ey beni ayıplayan, gel beni aşktan kurtar
Elinden gelmez ise söyleme fâsit haber

Hiç kimesne kendinden halden hâle gelmedi
Cümlemizin hâlini mâşuk eder mukarrer

----
(1) Vezni: Mefâîlün mefâîlün feûlün.

Âşıkların her hâli mâşuk katında biter
Sözün var ona söyle, benim arada nem var

Her kim aşk kadehinden içti ise bir cur'a
Ona ne yad ne biliş, ona ne esrik ne humar

Dost yüzünden nikabı her kim giderdi ise
Hicap kalmadı ona ayrık ne hayr-ü ne şer

Şeriat edebinden korkarım söylemeye
Yok ise aydayım dahi ayrıksı haber

Dost kılıcından YUNUS ölür ise gam değil
Dost göğünden uyanan, mâşuk burcundan doğar

— 253 —

Ey aşk eri aç gözünü
Yer yüzüne eyle nazar
Gör bu lâtif çiçekleri
Bezenüben geldi geçer

Bunlar böyle bezenüben
Dosttan yana uzanuban
Bir sor ahi bunlara sen
Nereyedir azm-i sefer

Her bir çiçek bin naz ile
Över Hakk'ı niyâz ile
Bu kuşlar hoş âvâz ile
O padişahı zikr-eder

Över onun kadirliğin
Her bir işe hazırlığın
Evet ömrü kasırlığın
Anıcağız benzi solar

Rengi döner günden güne
Toprağa dökülür gine
İbretdürür anlayana
Bu ibreti ârif duyar

Ne gelmeğin gelmekdürür
Ne gülmeğin gülmekdürür
Son menzilin ölmekdürür
Duymadınsa aşktan eser

Her bir sözü duya idin
Ya bu gamı yuya idin
Yürürken oynaya idin
Gideydi senden kâr-u bâr

Bildin gelen geçer imiş
Bildin konan göçer imiş
Aşk şarabın içer imiş
Bu mânâdan her kim doyar

YUNUS bu sözleri kogıl
Kendözünden elin yugıl
Senden ne gele bir degil
Çün Hak'tan gelir hayr-u şer

— 254 —

Aşkın odu ciğerimi
Yaka geldi, yaka gider
Garip başım bu sevdayı
Çeke geldi, çeke gider

Kâr etti firak canıma
Âşık oldum cânânıma
Aşk zencirin dost boynuma
Taka geldi, taka gider

Sâdıklar durur sözüne
Gayrı görünmez gözüne
Bu gözlerim dost yüzüne
Baka geldi, baka gider

Bülbül eder âh-u figan
Hasret ile yandı bu can
Benim gönülcüğüm ey can
Hakk'a geldi, Hakk'a gider

Arada olmasın nâşi
Onulmaz bağrımın başı
Gözlerimin kanlı yaşı
Aka geldi, aka gider

Miskin YUNUS'un sözleri
Efgan eder bülbülleri
Dost bahçesinin gülleri
Koka geldi, koka gider

— 255 —

Ben bu yolu bilmez idim
Aşk gönlüme düştü gider
Aşk elinden dertli yürek
Kaynayuban taştı gider

Hani bizden öğdün alan
Kalmadı dünyaya gelen
Dün gün arı tâat kılan
O Sırat'ı geçti gider

Hep bunlar Sırat'ı geçti
Varıp dost iline düştü
Gönül maksûda ulaştu
Hazrete buluştu gider

Nefsi doyunca yiyenler
Kana kana uyuyanlar
Dili gıybet söyleyenler
Cehenneme düştü gider

Cehenneme düşen kişi
Zârılıktır onun işi
Onulmaz bağrının başı
Büryan olup pişti gider

Aşk od'una yanmayanlar
Öleceğin saymayanlar
Göz açıp uyanmayanlar
Şöyle gaflet bastı gider

Bu aşk bana bir düş idi
Hak müyesser kılmış idi
Derviş *YUNUS* bir kuş idi
Halk içinden uçtu gider

— 256 —

Seni Hak'tan yığanı
Her ne ise ver gider
Ne beslersin bu teni
Sinde kurt kuş yer gider

Ölene bak gözün aç
Dökülür sakal ve saç
Yılan çıyan gelir aç
Yiyip içip sîr gider

Bize bizden ulular
İgen iyi huylular
Şu iyi amelliler
Haber şöyle der gider

Kesgil haramdan elin
Çekgil gıybetten dilin
Azrâil eli ermeden (1)
Bu dükkânı der gider

Ecel erer kurur baş
Tez tükenir uzun yaş
Düpdüz olur dağ-u taş
Gök dürülür, yer gider

Çün can ağdı hazrete
Yarağ et âhirete
Tanla duran tâate
Tanrı evine er gider (2)

Miskin *YUNUS* ölücek
Sini nurla dolucak
İman yoldaş olucak
Âhirete şîr gider

— 257 —

Hakikat erenlerin şer' ile bilmediler
Hakikat dirliğini riyâ derilmediler

---

(1) Bir hece fazladır «el'ermeden» okunursa düzelir.
(2) Bunda da bir hece fazla. «Tanr'evine» okunursa düzelir.

Hakikat bir denizdir, şeriat onun gemisi
Çoklar girdi gemiye, denize dalmadılar

Çoklar geldi kapıya, kapıyı tuttu durur
İçeriye giriben ne varın bilmediler

Şeriat oğlanları bahsedip dâvâ kılar
Hakikat erenleri dâvâya kalmadılar

Dört kitabı şerheden hakikatta âsidir
Zira tefsir okuyup mânâsın bilmediler

YUNUS nefsin öldür bu yola geldin ise
Nefsin öldürmeyenler bu demi bulmadılar

— 258 —

İnilerim dün-ü günü dertli olan iniler
Bu iniltim işiten sayrı vü, sağlar iniler

Gösterir kendözünü, pinhana çekmiş özünü
Gören ol dost yüzünü, dertli olanlar iniler

Gösterir kendözünü perdeden ol sahib cemâl
Kaynatır âşıkların bağrın, doğrar iniler

Görme misin suyu kim dost dîdârın gördü geçer
Gece gündüz durmaz akar, nice çağlar iniler

Bülbülüm gül hasretinden zârı kıldığım için
İşitip efganımı bağçe vü bağlar iniler

YUNUS EMREM yaralıdır aşk elinden, Hak bilir
Marifet yağıyla yağlar, yur yarasını, iniler

Yalancı dünyaya konup göçenler
Ne söylerler ne bir haber verirler
Üzerinde türlü otlar bitenler
Ne söylerler ne bir haber verirler

Kiminin başında biter ağaçlar
Kiminin başında sararır otlar
Kimi mâsum, kimi güzel yiğitler
Ne söylerler ne bir haber verirler

Toprağa gark olmuş nazik tenleri
Söylemeden kalmış tatlı dilleri
Gelin, duâdan unutman bunları
Ne söylerler ne bir haber verirler

Kimisi dördünde, kimi beşinde
Kimisinin tacı yoktur başında
Kimi altı, kimi yedi yaşında
Ne söylerler ne bir haber verirler

Kimisi bezirgân, kimisi hoca
Ecel şerbetini içmek de güce (1)
Kimi ak sakallı, kimi pir koca
Ne söylerler ne bir haber verirler

YUNUS der ki, gör takdirin işleri
Dökülmüştür kirpikleri, kaşları
Başları ucunda hece taşları (2)
Ne söylerler ne bir haber verirler

_____

(1) Güce: Güçtür, zordur.
(2) Hece taşı: Mezar taşı.

Bu dünyanın meseli bir ulu şara benzer
Velî bizim ömrümüz bir tez pazara benzer

Her kim bu şara geldi, bir lâhza karar kıldı
Geri dönüp gitmeği gelmez sefere benzer

Bu şarın evvel tadı şehd-ü şekerden şirin
Âhır acısını gör, şol zehr-i mâra benzer

Evvel gönül almağı hublara nisbet eder
Âhır yüz döndürmeği acuz mekkâre benzer

Bu şarda hayallerin haddi vü şümârı yok
Bu hayale aldanan otlar davara benzer

Bu şarın sultanı var, cümleye ihsanı var
Sultan ile bilişen yoğ iken vara benzer

Kendi miktarın bilen, bildi kendi hâlini
Velî dahi aşk ile evvel-bahara benzer

Biçâre YUNUS'u gör dert ile hayrân olmuş
Onın her bir nefesi şehd-ü şekere benzer

İşidin ey yârenler, aşk bir güneşe benzer
Aşkı olmayan gönül misâl-i taşa benzer

Taş gönülden ne biter, dilinde ağı tüter
Nice yumşak söylese sözü savaşa benzer

Aşkı var gönül yanar, yumşanır muma döner
Taş gönüller kararmış, sarp katı kışa benzer

Ol sultan kapısında, hazreti tapısında
Âşıkların yıldızı her dem çavuşa benzer

Geç *YUNUS* endişeden, gerekse bu pîşeden
Ere aşk gerek önden, andan dervişe benzer

(7+7=14)

— 262 —

Ne bakarsın dış kapıdan
Gir içeri, neler gezer
Tamâ artırmış daima
Saf bağlamış fitne düzer

Gel imdi gel kanaata
Gafil olma tezyinata
Olmaya ki ecel yete
Fâsit ola satı pazar

Sen kanda isen teslim ol
Kamulardan aşağı dur
Edep tacın başına vur
Gör müfsidi nice kızar

Yaramazdır buhl-u haset
Kibar mübârizdir gayet
Kökünü kaz yabana at
Fâriğ otur ey gamgüzâr

Kogıl bu dünya bâbını
Öğren dostluk edebini
Aydursan sor iste beni
Bana gelen kalden bezer

Kibr-ü menîdir subaşı
Tellim kişidir yoldaşı
Sen olmagıl onun eşi
Ona uyan yoldan azar

Var dediğim yerlerde dur
Hıkd-u hasedi oda vur
İhlâs gelir cümleyi yur
YUNUS yolu yavlak sezer

Ben dert ile ah ederdim
Derdim bana derman imiş
İster idim hasret ile
Dost yanımda pinhan imiş

Nerde deyi fikrederdim
Göğe bakıp şükrederdim
Dost benim gönlüm evinde
Tenim içinde can imiş

Sanırdım kendim ayrıyım
Dost ayrıdır, ben gayrıyım
Beni bu hayale salan
Bu sıfat-ı hayvan imiş

İnsan sıfatı, kendi Hak
İnsandurur Hak, doğru bak
Bu insanın suretine
Cümle âlem hayran imiş

Her kim o insanı bile
Hayvan ise insan ola
Cümle yaratılmış kula
İnsan dahi sultan imiş

Tevhit imiş cümle âlem
Tevhidi bilendir âdem
Bu tevhidi inkâr eden
Öz canına düşman imiş

İnsan olan buldu Hakk'ı
Meclis onun, odur sâkî
Hemen bu biçare *YUNUS*
Aşk ile bil ayan imiş

— 264 —

Bu dünyaya gelenlerin
Hiç birisi kalmaz imiş
Fena imiş dünya işi
Giden geri gelmez imiş

O bizden önden gelenler
O yer altına girenler
Halleri nedir onların
Burda kalan bilmez imiş

Vara, ben sinlere vardım
Ben onlara haber sordum
Cevap vermez, onu gördüm
Bu dil orda olmaz imiş

Kamusu uru durdular (1)
Ellerini kuşattılar
Bize mümin ol dediler
Mümin olan ölmez imiş

Münkir münafıkın hali
Vardım gördüm orda katı
Cehennemde yatar kalı (2)
Hiç uçmağa girmez imiş

Dili dilince söyledi
Hallerini arzeyledi
Varın mümin olun dedi
Mümin olan ölmez imiş

Can sermaye elinizde
Kayim durun yolunuzda
Şimdi bizim ilimizde
Hergiz kazanç olmaz imiş

Ameldir seninle gelen
Gayrısı yalandır yalan
Bu dünyada gafil olan
Orda azat olmaz imiş

YUNUS EMREM der bunlara
Okudukların tutsunlar
Okuduğun tutmayana
Hiç de rahmet olmaz imiş

---

(1) Uru durmak: Kalkmak, ayağa kalkmak.
(2) Yatar kalı: Yatar kalır.

Dîn-ü millet sorar isen, âşıklara din ne hâcet
Âşık kişi harab olur, bilmez ne din ne diyanet

Âşıkların gönlü gözü, mâşuk depe gitmiş olur
Ayruk surette ne kalır, kim kılısar zühd-ü tâat

Tâat kılan uçmak için, din tutmayan tamu için
Ol ikiden fârığ olur, neye benzer bu işâret

Her kim dost sever ise, dosttan yana gitmek gerek
İşi gücü dost olıcak, cümle işten olur âzat

Anın gibi mâşûkanın haberin kim getirir
Cebrâil-ü mürsel sığmaz, şöyle olundu işaret

Soru hesap olmayısar dünya âhiret koyana
Münkir-ü Nekir ne sorar, terk olucak cümle murat

Hevf-u reca gelmez anda, varlık yokluk bırakana
İlm-ü amel sığmaz anda, ne terazi ne sırat

Ol kıyamet bazarında her kula başı kaygısı
YUNUS sen âşıklar ile hiç görmeyesin kıyâmet

(8+8=16)

— 266 —

Aşk imamdır bize, gönül cemâat
Dost yüzü kıbledir, dâimdir salât

Dost yüzün görücek şirk yağmalandı
Anınçün kapıda kaldı şeriat

Can secdeye vardı dost mihrabında
Yüz yere uruban eder münâcât

Derildi beşimiz bir vakte geldi
Beş bölük oluban kim kıla tâat

Münâcât gibi vakt olmaz arada
Ne güzindir bize dost ile halvet

Kimse dinine biz hilâf demeziz
Din tamam olıcak doğar muhabbet

Yârenler der bize, şartı bırakman
Şart ol kişiyedir eder hıyanet

Belâ kavlin dedik evvelki demde
Henüz bir demir ol vakt-ü bu sâat

Erenler nefesidir devletimiz
Anınla fitneden olduk selâmet

Doğruluk bekleyen dost kapısında
Gümansız ol bulur ilâhî devlet

YUNUS öyle esirdir ol kapıda
Diler ki olmaya ebedî âzât

(6+5=11)

İster idim Allah'ı, buldum ise ne oldu
Ağlar idim dün-ü gün, güldüm ise ne oldu

Erenler meydanında yuvarlanır top idim
Padişah çevgânında kaldım ise ne oldu

Erenler sohbetinde deste kızıl gül idim
Açıldım ele geldim, soldum ise ne oldu

Âlimler, ulemâlar medresede buldusa
Ben harâbat içinde buldum ise ne oldu

İşit *YUNUS*'u işit, yine deli oldu hoş
Erenler ma'nîsine daldım ise ne oldu

$$(7+7=14)$$

— 268 —

Ondan beri ki aşkın
Benimle yoldaş oldu
Rahman yoluna beni
Göstermeğe baş oldu

Canım üzere durdu
Rahman çerisin derdi
Şeytan elini vurdu
Key yağma taraş oldu

Aşk nefs iline aktı
Ne buldu ise yaktı
Kibir kalasın yıktı
Orda çok savaş oldu

Dost yüzün ayan gördüm
Sır haberlerin sordum
Dedi gizli bilmezsin
Uş söyledim fâş oldu

Aşk aldı elim benim
Gösterdi doğru yolum
Hakk'a şükür ki hâlim
Bayağıdan hoş oldu

Onlar ki göz açtılar
Bu dünyadan geçtiler
Ahrete ulaştılar
Menzilleri arş oldu

Bunlar burda kaldılar
Dünyaya aldandılar
Yalancılar aldılar
Hep bunlar kolmaş oldu

Ölenler hâlin bilmez
Göz açıp önün görmez
Miskin *YUNUS EMRE*'nin
Meğer bağrı baş oldu

Nasihat kandilinden bir işaret göründü
Tenim içinde canım ondan yana süründü

Nefsimin ejderhası döndü bana hamle etti (1)
Kanâat hay demezse yer ü göğü yer imdi

Kanâati yâr edin, uyma nefs dileğine
Eresin hakikate, yerin buldun dur şimdi

Kanâat dediğini eğer sen tutmaz isen
Nefsine uyar isen ser-gerdan ol, yor imdi

YUNUS Hak tecellîsin şiir dilinden söyler
Canda gevher var ise Hak'tan yana yür imdi

---

(1) Hecenin 7+7=14 ölçüsünde olan bu nefesin bu mısraında bir hece fazla-
dır. Son iki kelime «haml'etti» biçiminde okunursa düzelir.

Bencileyin gören kişi ben sevdiğimin yüzünü
Deli ola dağa düşe yavu kıla kendözünü

Ben nicesi diyebilem cemâli tertibin onun
Ki can dudağıdır tatan onun keleci tuzunu

Her nereye varır ise ol şirin hulu dilberim
Yetmiş iki millete ol geçirir türlü nazını

Kişi neyi sever ise dilinde sözü o olur
Keksiz söyleyesim gelir dayima onun sözünü

Kişi kendiliğiyle dosta lâyık olmaz imiş
Muhabbet burcunda ol kor âşıkların yıldızını

Dertsizlere benim sözüm benzer kaya yankısına
Haldaşı bilir kişinin gönlünde gizli râzını

Bu *YUNUS*'un gördüğünü eğer zühre göreyidi
Çengini elden bırakıp unuta idi sazını

Sen bunda garip mi geldin
Niçin ağlarsın bülbül hey
Yorulup iz mi yanıldın
Niçin ağlarsın bülbül hey

Karlı dağlardan mı aştın
Derin ırmaklar mı geçtin
Yârinden ayrı mı düştün
Niçin ağlarsın bülbül hey

Hey, ne yavuz inilersin
Benim derdim yenilersin
Dostu görmek mi dilersin
Niçin ağlarsın bülbül hey

Kal'alı şehrin mi yıkıldı
Ya nâm-u ârın mı kaldı
Gurbette yârin mi kaldı
Niçin ağlarsın bülbül hey

Gülistanlarda yaylarsın
Taze gülleri yıylarsın
Yavlak zârılık eylersin
Niçin ağlarsın bülbül hey

Uykudan gözüm uyandı
Uyandı kana boyandı
Yandı şol yüreğim yandı
Niçin ağlarsın bülbül hey

Noldu şu *YUNUS*'a noldu
Aşkın deryasına daldı
Yine baharistan oldu
Niçin ağlarsın bülbül hey

— 272 —

Bu akl-u fikir ile yâr bulunmaz
Bu nasıl yaradır, derman bulunmaz

Kamunun derdine derman bulundu
Bu benim derdime derman bulunmaz

Nice deryaları içime çeksem
Beni kandıracak umman bulunmaz

Yitirdim Yusuf'u, Ken'an ilinde
Yusuf'um bulundu, Ken'an bulunmaz

YUNUS öldü derler, salâ verirler
Ölenler hayvandır, âşıklar ölmez

— 273 —

Hak cihana doludur
Kimseler Hakk'ı bilmez
Onu sen senden iste
O senden ayrı olmaz

Dünyaya inanırsın
Rızka benimdir dersin
Niçin yalan söylersin
Çün sen dediğin olmaz

Ahret yavlak ıraktır
Doğruluk key yaraktır
Ayrılık sarp firaktır
Hiç varan geri gelmez

Dünyaya gelen göçer
Bir bir şerbetin içer
Bu bir köprüdür geçer
Cahiller onu bilmez

Gelin tanşık edelim (1)
İşin kolayın tutalım (2)
Sevelim sevilelim
Dünyaya kimse kalmaz

YUNUS sözün anlarsan
Mânâsını dinlersen
Sana bir dirlik gerek
Burda kimesne kalmaz

_____

(1) Tanşık: Tanışık.
(2) Bir hece fazla.

SÖZLÜK

A

âbâd olmak: bayındır olmak, yapmak.

Abdürrezzak: ünlü bir şeyh. Rum diyarında gördüğü bir Hıristiyan kıza âşık olur. Kızın teklifi ile dinini değiştirir, puta tapar, zünnar kuşanır, domuz çobanlığı da yapar. Sonunda şeyh eskiye döner, kız da Müslüman olur. Abdürrezzak'a Şeyh-i San'an da denir. Tasavvuf ve aşk edebiyatına girmiştir.

abes: kötü, saçma, gereksiz.

âb-ı hayat: içene ölmezlik veren su.

âb-ı hayvan: âb-ı hayatın başka adı.

âbit: çok ibadet eden, dindar.

acep: şaşılacak şey, şaşma. Acaba.

aceplemek: şaşmak.

acûz: kocakarı, cadı karı.

âdâb: edepler, terbiyeler.

Âdem: ilk insan ve peygamber.

âdemî: insan, adam.

adl: adalette doğru hüküm verme, her şeyi yerli yerine koyma.

âfet: afat, musibet, belâ.

ağaç at: tabut.

ağmak: yukarı çıkmak, yükselmek.

ağı, ağu: zehir

ağyar: yâr'ın karşıtı. Başkalar, gayrılar.

ahbâr: haberler.

ahî: arapçada kardeş, kardeşim. Ortaçağda esnaf teşkilâtı olan ahiliğin yöneticisi.

âhir: son.

Ahmet: Hz. Muhammed'in adlarından.

âkıl: akıllı.

aldamak: aldatmak.

alâyiş: gösteriş, ziynet, debdebe, tantana.

âlem: kâinat, dünya.

âlem-i kesret: çokluk âlemi, dünya.

âlem-i vahdet: birlik âlemi. Tasavvufta Tanrı'dan başka bir varlık tanımamak, bütün varlıkları onun görünüşü olarak tanımak.

aleyhisselâm: peygambere selâm. Muhammed ve soyu için söylenir.

âlî: yüce, yüksek.

âlim-i deyyan: hâkim, bilgin, Tanrı.

âm: halk, genel, toplum.

âmâl: amelin çoğulu; ameller, din kurallarına uygun işler.

amel: din kuralına uygun iş, ibadet.

an: o.

anca: o kadar, onun kadar.

ancılayın: onun gibi, o kadar.

anda: orada, oraya.

andak: o kadar, hemen.

andan: sonra.

Anter: Hz. Ali'nin öldürdüğü söylenen bir yiğit.

ar: utanma.

Arafat: Mekke'de bir dağ adı.

ârâm: rahat, huzur.

arasat: arsalar. Kıyamet günü canlıların toplanacağı meydan.

ârâyiş: süs.

arkuru: aykırı, ters.

arş: gök, tavan. Tanrı'nın kudreti ve rahmeti ile her şeyi kavrayıp kaplaması ve bilgisidir. Tasavvufa göre de; arş; varlık, beden ve bütün cisimdir. Buna bütün görüntüler Tanrı arşıdır.

artık, artuk: fazla, ayrı, başka.

âsân: kolay, rahat.

Ashâb-ı Suffa: yoksul oldukları için Muhammed Peygamberin mescidi sofasında yatıp kalkan yakınları.

âsî: ayaklanan, emre uymayan.

assı: kâr, fayda, kazanç.

aş: yemek.

âşık: seven kişi.

âşıkan: âşıklar, sevenler.

aşk: sôfilere göre, mutlak varlık olan Tanrı'nın zâtî iktizası zuhur etmek, görünmektir. Zuhurun başlangıcı ve sonu yoktur. Zuhur gözle görülebileceği gibi, görünmeyebilir de. Zuhur, zamana da bağlı değildir, ânidir, her zaman zuhur eder. Her şey onun varlığı ile vardır, ondan ayrı varlık yoktur, olamaz. Her şey bu zuhura meyli (isteği) meydana getirdiğinden buna «kalem» denir. Her şey bu istekte var olduğundan buna da «levh» denir. Her şeyin varlığına sebep olduğundan da «ruh» adını alır. Bütün tedbirler ondan zuhur ettiğinden «akıl, akl-ı kül» adı verilir. Her şeyin zuhuru, bu zâtî iktizadan meydana geldiğinden «nefs-i rahmânî» ve «**aşk**» adını alır. Niteliğine göre çeşitli adlar alan Tanrı'nın bu ilk tenezzülü «hakikat-ı Muhammediye» dir. Her çağda bu makamda ancak bir kişi vardır. —Sôfiler aşka büyük önem verirler. Aşk-ı hakiki (gerçek aşk) ve mecâzî aşk (geçici aşk) diye ikiye ayırmışlardır. Gerçek aşk, Tanrı'ya, daha doğrusu Hakikat-i Muhammediye vârisine karşı duyulan ve her türlü istekten beri olan gönül bağlılığıdır. Bu bağlılık, bu yolu tutanın mevhum varlığını yok eden cezbeyi (ruhun hayret ve sevince kapılarak, vücut dışında bulunuyormuş gibi varlığından geçmesi) meydana getirir, gerçeğe ulaştırır.— Geçici aşk, bir şeye, bir kimseye duyulan aşktır. Sôfiler bunu hoş karşılarlar. Bu aşktan olanı, zamanla mürşidin onu gerçek aşka ulaştıracağı da umulur.

atâ, atâyî: bağış, cömertlik et-
me. Cömertlik eden.

ata: baba

avara, âvâre: işten güçten kal-
mış; işsiz, yurtsuz.

âvâz: ses.

âvâze: ses, şöhret, ün.

avrat: kadın.

ayağ: kadeh.

ayan: aşıkâr, açık, belli.

ayan olmak: meydana çıkmak.

ayıkvam: ayığım, ayık halde-
yim.

ayıtmak: söylemek, söz söyle-
mek, hitabetmek.

ayn-el-yakîn: sôfilere göre bil-
gi; bilmek, görmek, olmak
mertebelerine ayrılır. Bir
kimsenin bir şeyi bilmesi
«ilm-el-yakîn»dir. Bilgisini gö-
rüş haline getirmesi «ayn-el-
yakîn»dir.

ayrık, ayruk: başka, ayrı.

ayrıksı: başka, başkası, aykırı.

ayrıksamak: ayrı görmek, ayrı
sanmak.

ayş: yaşayış, zevk.

ayş-u işret: yemek içmek. Toy,
ziyafet.

ayyar: hileci, çok dolaşan, zeki,
çevik.

azık: yiyecek, içecek.

azm-azim: bir işi yapmaya iç-
ten kararlı olmak.

azmak, azıtmak: sapmak, yol-
dan çıkma, sapıtma.

Azrâil: ölüm meleği. Türkçesi
«can alıcı.»

Azâzil: şeytan'ın adı.

B

bâb: kapı, kitap bölümü.

bac: vergi.

bağban: bahçevan.

bağır: göğüs, kalp.

bağrı başı: ciğeri yarası.

baharistan: ilkyaz, ilkbahar.

bahr: deniz.

bahrî: bir çeşit deniz ördeği.

baka (ikinci a uzun okunur):
sonsuz, sonu olmayan, daimî
kalan.

bâki olmak: ölümsüz, sonsuz
olmak, ebedî.

bâl: kasat.

balık: bk. öküz - balık.

balkımak, balkırmak: parıl-
damak, parlamak.

banmak: parmağını sokmak,
yemeğe parmağını batırmak.

bârigâh, bârgâh: büyük ma-
kam, Tanrı tapısı, yük yeri.

bâr: yük.

bar: ağız köpüğü, pas.

bardak: ağaç desti, kadeh.

bâru: hisar, kale.

basa durmak: emri altına al-
mak.

basar: bakmak, görmek, göz.

basîr: her bilgisiyle gören Tan-
rı.

basmak: yenmek, emri altında
tutmak.

baş gözü: insanın gören kendi
gözü.

baş: yara, işleyen yara. Yaranın
ağzı.

baş çatmak: bir araya gelmek,
baş başa vermek, girişmek.

başa varmak; başa gelmek: sona ermek, başarmak.

bâşed ki: ola ki, belki.

bâtın: içyüz, öz, görünmeyen, Tanrı adlarından.

bay, baylık: zengin, zenginlik.

bayık: gerçek, açık, ortada.

bâz: hile, oyun.

becit: acele, kesin olarak.

beka - billâh: Tanrı ile bâki olma hali.

bekrî: ayyaş, gece gündüz içen.

belâ, belî: Tanrı, insanları yaratmadan onların ruhlarını bir araya toplayıp, hepsine birden: «Elest-ü bi-rabbiküm» yani «Ben sizin rabbiniz değil miyim» diye sorduğu toplandıta onların verdiği karşılık Kur'an'da şöyle: «Kalû belâ» yani «Evet, dediler.» Çok eski zamanı da işaret için kullanılan bu toplantıya «elst bezmi» denir. Tasavvufta çok geçer.

Belkıs: bk. Süleyman.

bend: bağ, bağlantı.

benlik: bencillik, egoizm.

berat: bir yere, bir şeye sahip olabilmek için padişah tarafından verilen yazılı belge.

Bercis: Müşteri yıldızı. Eski yıldız bilgisine göre, yıldızı Bercis olan kimseler cesur, talihli, iyi kalpli, alçak gönüllü ve yumuşak huylu olurlar. Güzel konuşurlar. Müşteri, dünyaya ait büyük işleri yoluna koymak için fikir mumunu yakmıştır.

berdâr: darağacında asılma.

berk: sağlam, pek sağlam.

berkimek: yerleşmek, pekişmek, sağlamlaşmak.

berkitmek: bağlamak, pekiştirmek.

berye: yaratıklar, mahluklar. Halk, insanlar.

bes, pes: yeter, kâfi, öyleyse.

beşâret: müjde haberi, muştuluk.

beşe: ulu, reis, baş, mevkii yüksek kişi. Büyük kardeş.

beyan: söylemek, bildirmek, anlatmak.

bezek: ziynet, süs.

bi-basar: kör, gözsüz.

bîdâr: uyanık.

bîhod: kendinden geçmiş.

bî-karar: kararsız, sabırsız, dayanamaz.

bile, birle: ile, birlikte, beraber.

biliş: bildik, tanıdık, yabancı değil.

bilişmek: tanışmak, dost olmak.

bin: iki özel ad arasında «oğul, oğlu» anlamında.

bi-nazir: benzersiz.

bi-nişan: belirsiz, izi olmayan.

bireği: başkası, bir kişi, birisi, biri.

biti: yazılı defter, mektup. Kıyamette herkese verilecek ve içinde sevap ile günahlar yazılı defter.

bitmek: meydana gelmek, kaynaşmak, bitişmek, belirtmek.

bitrişmek: bir olma, birleşme.

bîzâr: bezmiş, usanmış.

bostan: çiçek bahçesi.

boşmak, boşumak: öfkelenmek, kızmak.

bozpusarık: sisli, puslu.

buçuk: yarım, yarı.

buhl, buhul: cimrilik, hasislik.

bun: sıkıntı, bunalım.

bunda: burada, buraya, dünya (mecaz).

Burak; burağ: cennet atı. Mirac'ta Peygamberin bindiği at.

burdbâr, burdubâr: tahammüllü, yumuşak huylu.

burc: yıldız kümesi, kale kulesi.

burhan: sağlam delil, tanık.

bühtan: iftira.

bünyâd eylemek: kurmak, yapmak.

bünyâd olmak: kurulmak, yapılmak.

büryan: kebap, kavurma.

C

Câlinus: ilk çağların, Hipokrat ile birlikte en büyük Grek hekimi (doğ. M. 131, öl. 210).

cânn: cinler topluluğu.

canalıcı: ölüm meleği, Azrâil.

cânâne: sevgili. Tanrı.

Cebrâil, Cebril: Peygamberlere Tanrı'dan haberler getiren melek.

cehdeylemek: gayret etmek, çalışmak, çabalamak.

celle celâl: Tanrı adı ânıldıkça söylemen «ululandıkça ululansın» anlamında arapça söz.

cem', cemi: toplama, öteden beriden bir yere getirme, yığma.

Cercis, Circis: bir peygamber. Bu peygamberi kavmi yetmiş kere öldürmüş, o da yetmiş kere dirilmiştir.

cevelân, cevlân: gezinmek.

cevher: değerli taş, mücevher, inci. Eski bir inanışa göre, Tanrı önce bir inci yaratmış, ona bakınca inci erimiş, incinin dumanından gökleri, terinden denizleri, köpüğünden yerleri yaratmıştır. Bir hadiste de Levh-i mahfuzun ak inciden yaratıldığı bildirilmektedir.

cevşen: savaşlarda giyilen zırh.

cezire: ada, deniz ortasında kara parçası.

cihan: dünya, kâinat.

cin: göze görünmeyen bir cins yaratık.

cinan: cennetler, bahçeler.

cism, cisim: beden, gövde. Boşlukta yer kaplayan her şey.

civan: genç, delikanlı.

cur'a: içilecek şeyden bir yudum.

cümle: hepsi, hep.

cünbüş: oynamak, eğlence, hareket ediş.

cüst-ü cû: arayıp taramak.

cüz'iyyat: değersiz, küçük parçalar.

Ç

çağa: çocuk.
Çalap: Tanrı (eski türkçede).
çabük, çapük: çabuk, çevik.
çabük-bâz: aceleci, çevik (kimse).
çanak: kadeh, her türlü kap.
çarh-ı felek: gök.
çatmak: kurmak, birbirine bağlamak.
çavuş: alayda padişaha yol açan kişi.
çeng: çok telli, kanuna benzeyen bir çalgı, harp.
çerp: yağlı.
çerb-ü şirin: yağlı, tatlı; yağlı ballı.
çeri: asker.
çeşte: altı telli saz.
çevgân: küçük bir topla oynanılan bir oyunda topu çelmek için kullanılan ucu eğri sopa.
çırak, çırağ: ışık, mum, kandil.
çizginmek: dönmek, dolanmak.
çöksü: üste konan şey, çivi.
çulha: bez dokuyan.
çukal: zırh.
çün: mademki.
çünkü: mademki.

D

dâd: adalet, yardım.
dâd almak: yardım almak, yardıma kavuşmak.
dâd ermek: yardım etmek, imdat etmek.
dağ etmek, dağlamak: kızgın demirle yaralar üstüne bastırmak.
dahi, dahı: daha; de, da ekleri.
dak: kusur, eksiklik, alay.
dak tutmak: kusur bulmak, alay etmek, azarlamak, ayıplamak.
dakı: dahi, de.
danış: konuşma, söz söyleme.
danışmak: konuşmak, müşavere etmek, söylemek.
danışman: bilgin.
dânişmend: bilgin.
dâr: darağacı, ev. Yerine göre dünya.
dâvâ, dâ'vî: bir şeyi iddia etmek, dâvâ.
Dâvut: Tanrı'nın kendisine saltanat ve peygamberlik verdiği kişi. Kendisine Zebûr adlı kutsal kitap inmiştir. Dağlarla kuşlar kendi emrine verilmiştir. Sesi güzeldir. Demiri yumuşatmıştır. Oğlu ve vârisi Süleyman Peygamber de kuşlara, kurtlara hükmetmiş, onların dilinden anlarmış.
davar: küçük baş hayvan cinsi.
dâyim: daima, her zaman.
de: söyle, haydi.
degil: söyle.
değme: şöyle böyle kişi, değersiz, rasgele, herkes.
değşirmek: değiştirmek, değiştirilmek. Toplamak.
değzin: oynatmak, hareket ettirmek.
dehr: dünya, zaman, devir.

dek: uslu, terbiyeli, doğru, namuslu.

dekçi: düzenci, hileci.

dek oturmak: uslu, rahat oturmak.

delil: kılavuz.

delim, tellim: çok, pek çok.

dem: zaman, nefes, soluk.

dem-be-dem: zaman zaman, soluk soluğa.

densiz: saygısız, münasebetsiz.

depe: taraf, yön, cihet.

dergâh: huzur, kat, büyük kapı. Şeyhlerin mânevî huzuru, yeri.

dergenmek: toplanmak, birikmek, derlenmek.

derman: sağlık, ilâç, tedavi.

der miyan: arada.

dert: Tanrı aşkı (sôfilere göre).

derviş: yoksul; varlığından, benliğinden geçmiş kişi. Tarikate girmiş kimse.

derviş-i dervişan: dervişler hakkında kullanılan bir terim.

derya: deniz.

destgir: yardım eden, elinden tutan.

destan: kahramanlık hikâyesi, masal, efsane. Dilde dolaşma.

destar: sarık.

dev: dev, şeytan, devanası.

devlengeç: çaylak, toygar kuşu.

devlet: mutluluk, saadet.

devran: zaman, dönmek.

devr etmek: dönmek, gezmek.

devr-i zaman: zamanın geçmesi, geçişi. İçinde bulunulan zaman.

deyr: kilise.

deyyan: mükâfatlandıran ya da cezalandıran hâkim. Tanrı.

dîdâr: sevgilinin yüzü, buluşmak.

dil: gönül.

dilber: gönül alan, güzel, sevgili.

dil-pezir: güzel, güzellik.

din bünyadı: dinin direği, dini ayakta tutan, namaz.

dinilemek: dinlemek.

divân: devlet işlerinin görüldüğü yer. Şiirlerin bulunduğu defter. Huzur, kat.

doksanbin kelime: Muhammed Peygamber'in Miraç'ta Tanrı ile doksan bin kelime ile konuştuğu, bunlardan otuzbinini halka, otuzbinini anlayışta ileri olanlara söylediği, otuzbinini de sakladığı üzerine sôfilerin inanışı vardır.

dokumak: bir işe koyulmak.

dolunmak: batmak.

dost: sevgili. Tanrı.

dört ana: su, toprak, ateş, hava (bk. od, su...)

dört âlet: iki el, iki ayak olabileceği gibi, dört anadaki dört öge de olabilir.

dört kapı, kırk makam: şeriat, tarikat, marifet ve hakikat dört kapıdır. Her kapının usûl ve âdâbı ondur.

Bunların toplamı kırk makamdır.

dört kitap: şeriat sahibi peygamberlere dinin yollarını bildiren kitaplar inmiştir. Bunların küçüklerine «suhuf» denir. Bunlardan dördü büyük kitaptır. Sıra ile şunlardır: 1. Mûsâ Peygambere inen Tevrat. 2. Davut Peygambere inen Zebûr. 3. İsâ Peygambere İncil. 4. Hz. Muhammed'e inen Kur'an.

dört tabiat: dünyada sıcaklık, soğukluk, yaşlık, kuruluk olmak üzere dört tabiat vardır. İnsanda da kan, safra, balgam ve sevda denen dört öge vardır. Tümünün düzenli oluşu mizacı meydana getirir.

dört tekbirli namaz: cenaze namazı.

dörtyüz kırkdört tabaka: erenlerin derece bakımından ayrıldığı 444 makam.

dudu: papağan, tûtikuşu.

dûr: uzak.

durak: makam, durulan, oturulan yer.

durmak: ayağa kalkmak. Vazgeçmek.

duru gelmek: ayağa kalkmak.

durum: durma hali, durmaklık (durmak fiilinden)

duş olmak: rastlamak.

dükeli: bütün, hep, hepsi.

dükkândar: dükkân sahibi

dün: gece.

dünya - ahret: bir hadiste geçer: «Dünya, âhiret ehline haramdır. Âhiret de dünya ehline haramdır. Dünya da, âhiret de Tanrı ehline haramdır.»

dünya - zindan: bk. zindan.

dür: inci.

dürdane: inci tanesi.

dürraç: turaç denilen keklik cinsinden bir kuş.

dürr-i yetim: yüksek değerde, eşsiz iri inci.

düş eylemek: rast getirmek, nâil eylemek.

düşman: bir hadiste geçer: «Düşmanların en büyüğü, en çetini, bedendeki nefsindir.»

düşvar: güç, zor.

düz: doğru, gerçek.

düzülmek: tanzim edilmek, düzene koymak.

E

ebed: sonsuzluk, başlangıcı olmayan.

edeblemek: cezalandırmak.

efgan: çığlık, bağrış, feryat.

efsane: masal, hikâye, mitoloji.

eğin: omuz, sırt.

eğlenmek: vakit geçirmek, beklemek, oyalanmak, kalmak.

eğrilik: doğruluğun karşıtı, doğruluktan sapma.

ejderha: büyük yılan. Masallarda geçer. Öldürülmesi büyük kahramanlar tarafından olur. Melekler de zincire vurup Kafdağı'nın ardına atar ya da şimşekle yakarlar.

eksiklik: kusur, suç, günah. *

eksik: kusur, günah.

eksirmek: eksilmek.

el almak: mürit, mürşidinden, başkalarına yol gösterme iznini almak. Mürşidin elini tutup ona teslim olmak.

elbir eylemek: elbirliği eylemek, birlik olmak.

elest, elest bezmi: bakınız: belâ, belî.

el götürmek: ele geçirmek, yakalamak, kazanmak.

el-hamdü-lillâh: Tanrı'ya hamd ve şükürler olsun.

elif, dal, mim: Arap alfabesinin üç harfi. Bunlarla ilk peygamber Âdem'in adı yazılır.

elif, cim. Elif, mim, dal. Ye, nun, sin: Tasavvufçular harflere büyük önem verirler. Burada onlara işaretler vardır. İnsan madde yönünden dünyaya gelmeden dağınık ve yaygın haldeydi. Yani, dağınık parçaları hayvan, bitki ve cansızlar âleminde dağınık haldeydi. Bu hal harflere benzer. Ana ve baba, yiyip içtikleri şeylerden onun mayasını toplamış, sonra ana rahminde birleşmeye düşerek birleşmiş dünyaya gelmiştir. Bu durum harflerin birleşerek kelime, kelimelerin birleşerek kelâm (söz) oluşuna benzer. Şair,

elif-cim okumadığını söylerken bilginin dışına önem vermediğini söyler. Yoksa okuma yazma bilmediğini söyler değildir. Elif, mim, dal olmayacağını söylemekle de öldükten sonra maddî birleşime düşmeyeceğini söyler. Bununla tenasuh denilen ruhların beden değiştirmesine inanmadığını söyler. Bunun yanlış bir görüş olduğunu söylemek ister. Ye, nun, sin ile de birleşmeden önce de var olduğunu söylerken de ruh olarak, bu âleme gelmeden de var olduğunu söylemiş olur.

em: ilâç, devâ, merhem.

emcek: meme.

emek yemek: emek harcamak, çalışmak.

emr-ü nem: Tanrı'nın buyruğuna uymak, balçık içinde kalmak, gömülüp mezarda kalmak.

endişe: şüphe, kuşku, düşünce.

enel-Hak: Hallac-ı Mansûr'a bak.

er: erkek, yiğit. Erlik makamına yükselenler nefsini ayaklar altına almıştır. Kadınlar da bu makama erişebilirler.

eren, erenler: velî, evliya. Gerçeğe ulaşanlar. Tanrı dostları.

erkân: usuller, kurallar, din kuralları.

erte: öte, ertesi. Sabah, bir gün sonra. Erte namazı: sabah namazı.

eser: nişan, belirti, iz.

eser etmek: etki yapmak, iz bırakmak.

esilmek: dökülmek, eksilmek.

esrik: coşkun, sarhoş, mânevî sarhoşluk.

esrimek: coşmak, sarhoş olmak, köpürmek.

eşkere: aşikâr, meydanda, ortada.

ervah: ruhlar.

evren: büyük yılan, ejderha, felek. Ulu, zaman.

eyâ: ey (hitap).

eyitmek, ayıtmak: söylemek, söz söylemek, hitabetmek.

Eyyup, Eyyub: İsrailoğulları peygamberlerinden. Çok zengin, mal mülk sahibi idi. Oğulları, kızları da vardı. Kendisini denemek için Tanrı, ailesini, malını, mülkünü yok etmiş, vücudunu yaralar kaplamış, o sabretmiş: yarasına kurt düşmüş, her şeye sabretmiş. Sonunda Tanrı'nın affına uğramış, yeniden eski varlığına kavuşmuştur. Sabır ile her cefaya katlanmanın sembolü olmuştur. Edebiyata bu niteliği ile geçmiştir.

ezel, ezelî: öncesi belli olmayan zaman.

F

fahr: övünç, övünme.

Fahr-ı âlem: âlemin övüncü, övündüğü Hz. Muhammed.

fak: tuzak.

fakı: fakıh. İslâm hukuk bilimi.

fânî: geçici, ölümlü, dünya.

fariza: farz olan, din bakımından yapılması gerekli şey.

fârik: vazgeçme, boş verme.

fâsık: suçlu, kötülükte bulunan kişi.

fayız, faiz: feyiz veren, bolluk, yücelik, gelişme ihsan eden.

fazl-ı rahmet: Tanrı bağışı, iyiliği, lütfü.

fehm: anlama, anlayış.

fakir: varlıktan geçen kişi.

felek: gökyüzü, talih.

felek-i atlas: eskilere göre dünyanın çevresinde dokuz kat gök vardır. Yedinci göğe kadar şu yıldızlar vardır: ay, utarit, zühre, güneş, merih, müşteri, zuhal, sekizinci gökte burçlar vardır. Dokuzuncu gökte hiçbir şey yoktur. Bu yüzden «Atlas» diye anılır. Edebiyatta yüceliği, yüceyi belirtmek için kullanılır.

fenâ: yokluk. Varlıktan, benlikten geçiş.

fenâ ender fenâ: yokluk içinde yok olma (mecaz olarak).

fenâ fillah: Tanrının varlığı içinde yok olma hali.

feni: fâni (halk söyleyişi).

feragat: vazgeçmek, bırakmak, salıvermek.

ferah: genişlik, rahatlık.

ferdâ: yarın.

ferişte: melek.

ferrâş: döşeyen. Çadırı kurup döşeyen kişi.

fereci: genişliğe, ferahlığa mensup. Bilginlerin, özellikle şeyhlerin giydikleri önü açık, yakasız, geniş ve enli kollu, uzun giysi. Ferâce.

Ferhad: Ferhad ile Şirin adlı hikâyenin erkek kahramanı. Şirin prensestir. Ferhad, fakir bir ressam yamağıdır. Şirin için yapılan sarayın resimlerini yaparken Şirin'i görüp âşık olur. Kavuşmaları için bir dağı delip sarayın önünden su geçirmesi istenir. Ferhad dağı delerken öğretilmiş bir kadın gelip Şirin'in öldüğünü söyler. Ferhad elindeki büyük kazma külüngü başına vurup kendini öldürür. Bunu duyan Şirin koşarak gelir, üstüne kapanır. Bu sırada Ferhad'ın belindeki hançeri alıp kendi kalbine saplar. Şiirde aşk yüzünden katlanılan zahmet ve fedakârlığın sembolüdür.

ferik: bölük, takım.

Feridun: İran mitoloisinde bir kahraman.

Ferişteh: melek.

ferman olmak: buyruğa uymak.

ferş: yaygı, yeryüzü, döşeme.

fetvâ: bir dini meselenin caiz olup olmadığına dair müftü tarafından verilen belge.

fısk: kötülük, suç.

figan: feryat, inleme, bağırış.

fidi: bağışlamak, vermek.

fikreylemek: düşünmek.

fikret: düşünmek.

Fir'avn: Tanrılık dâvâsına kalkmış Mısır hükümdarı. Peygamber Mûsâ ile uğraşmış, bir çok işkencelerden sonra İsrailoğullarının Mısır'dan çıkmasına izin vermiş. Fakat sonradan pişman olmuş, ordusu ile peşlerine düşmüş. Mûsâ, asasıyla Kızıldeniz'e vurmuş, açılan yoldan kendileri geçmiş aynı yerden geçerken ordusu ile Fir'avun, sular kavuştuğu için boğulup ölmüşler.

firak: ayrılık.

fodul, fodulluk: sıradan, töreden dışarı iş yapan. Lâf eden ham kişi. Münasebetsiz kişi.

Furkan: Kur'an'ın adı.

G

gaafil: gaflette, habersiz, mânevî uykuda olan.

gam-güzar: üzüntü ile vakit geçiren.

gammaz: yalan haber getirip götüren kötü kişi.

gani: zengin, kimseye muhtaç olmayan.

garet: yağma, çapul (a uzun söylenir).

garetli: yağmacı, çapulcu (a uzun söylenir).

gark olmak: batmak. Bir şeyden çok elde etmek.

gazel yaprağı: sararmış, kurumuş yaprak.

gavvas: dalgıç.

gayet: son, nihayet.

gayr, gayrı: başka, başkası.

gedâ: yoksul, dilenci.

gelüğün: gelin (gelmekten emir).

gen: geniş.

genc: hazine.

gencay: yeni ay, hilâl.

gençyaz: ilkbahar.

genez, geniz: mülâyim, yavaş, kolay, uygun, geniş.

ger: eğer (şart eki).

gerçeğin: gerçeklik ile, inanarak.

gerdan: dönen.

gerdûn: kâinat.

geri: sonra.

geşt: gezmek, dolaşmak.

gevher: inci, mücevher. Gevher kânı: mücevher madeni.

geyet: son, uç, nihayet.

gezek: nöbet, sıra, keşik.

-gil: tekit eki. Takıldığı emir çekimini kuvvetlendirir.

giriftar: yakalanmış, tutulmuş.

gök ekin: yeşil ekin.

gökçek: güzel.

gönenmek: kendi kendine yanmak.

gönül eri: gönül ehli, aşk ehli, eren.

gömülmek: yönelmek, tevec-

cüh etmek.

görklü: güzel, gökçek.

göyni, göynü, göynük: yanmak, yanık. Çürük hale gelmiş yara.

göynümek: kendi kendine içten yanmak.

göymek: içten yanmak.

götürmek: kaldırmak, bertaraf etmek.

gözgün: ayna.

gözsebek: köstebek.

gözün: güzel, seçkin.

gulgule: çığlık, gürültü, patırtı.

gussa: tasa, sıkıntı, üzüntü.

gûş tutmak: kulak vermek, dinlemek.

gücün: zor, güç, güçlükle.

güftar: konuşma. Söz, lakırdı.

güher, gevher: inci, mücevher.

gülbenk: yüksek sesle okunan dua.

gül - ter: gül kokusu. Gül, kokusunu Muhammed Peygamber'den almıştır.

güman: şüphe, işkil.

gümana vermek: işkillendirmek, şüphelendirmek.

gümrah: sapık, yolunu kaybetmiş.

gün: gündüz.

günülmek, günelmek: yönelmek. Kıskanmak.

güvah: delil, tanık.

güveç: toprak tencere.

güzaf: boş, asılsız söz, yalan söz.

güzer eylemek: geçmek.

güzide: seçilmiş, seçkin.

H

hac: din kuralı olarak hali
vakti yerinde olanların ömür-
lerinde bir kere Mekke'ye git-
mesi.

hacer: taş.

hâcet: ihtiyaç olan şey. Dilek,
istek.

haçan, kaçan: vakta ki, ne va-
kit ki.

hadd: sınır, miktar. Şeriatta bir
suç karşılığı ceza.

hadis: Hz. Muhammed'in sözle-
ri. Sonradan meydana gelen.

hak: gerçek, doğru "h" büyük
harfle yazıldığında Tanrı.

hakk-el-yakıyn: Allah'ta yok
olarak, oluş yolu ile inanca
erişmek.

haklamak: üstesinden gelmek.

Hak nefesi: erenlerin himmeti,
hayır duası.

hâl: tarikattaki davranışlarda
duyulan ve daima değişen «iç
coşkunluğu»na (neş'e) denir.

halâl: nikâhlı kadın.

halâyık: yaratıklar.

Hâlik: yaratan, Tanrı.

Halil, Halilullah: İbrahim'e
bakınız.

haldaş: hâl arkadaşı.

Hallâc-ı Mansûr: şeriate aykı-
rı sözlerinden dolayı Bağ-
dat'ta asılarak öldürülen bü-
yük sôfî. Sözleri «enel-Hak»
yani «Ben Tanrı'yım» olarak
özetlenmiştir. Bu coşkun sôfî,
vahdet-i vücut (Tanrı birliği)

inanışının en taşkın taraftarı
olduğundan edebiyata da gir-
miştir. Mansûr, Hallâc,
Hallâc-ı Mansûr olarak anılır.
Ölümü 922.

halvet: yalnızlık, tenha yer,
tenhaya çekilme.

hâm: pişmemiş, olmamış, çiğ,
işlenmemiş (mecaz).

Hâman: Fir'avun'un veziri.
Fir'avun kendisine tuğla ya-
parak, onunla göklere tırma-
nan bir kule yapmasını em-
retmiştir. Böylece, Mûsâ'nın
Tanrı'sına erişeceğini san-
maktadır. Sonunda ikisi de
yok edilir.

hamr, hamir: şarap, sarhoş
eden içkiler.

Hamza: Hz. Muhammed'in am-
cası. Hz. Muhammed, kendisi-
ne çok kuvvetli olduğu için
Tanrı'nın aslanı adını verdi.
Halk edebiyatında büyük bir
kahraman olarak sık sık anı-
lır. Devlerle, ejderhalarla sa-
vaştığı, Kafdağı'na kaçırıldığı,
devleri öldürüp döndüğü söy-
lentileri Hamza-nâme adlı ki-
tapta toplanmıştır.

hân: sofra.

hânedân: soy-sop. Asil aile.

Hânûman: mal, mülk, ev
bark.

harâbât: meyhane.

harâbâtî: meyhane ehli, mey-
haneden çıkmayan.

haram: yasak olan şeylerin hü-
kümleri.

harâmî: haram yiyen, yol kesen, hırsız.

harekât: hareketler, kımıldanışlar, iş güç.

harc: vergi, bir iş için kullanılan madde, sarf.

har-du hâm: işe yaramak, ufak tefek.

harif: iş ehli, iş sahibi.

Harût-Mârût: iki melek. İnsanların kötülüklerini Tanrı'ya şikâyet etmişler. Tanrı da onlara şehvet verip Bâbil'e indirmiş. Bunlar kötü işler için isteyenlere büyü öğretirler. Bu arada bir kadına âşık olurlar. Kadın, okuyup göğe çıktıkları ism-i âzam duasını öğretmeleri şartıyla onlara teslim olacağını söylemiş. Kadın, öğrendiği dua ile göğe çıkmış. Tanrı, kadını çarpmış, yıldız yapmış. Zühre bu imiş. İki meleği de dünya ve âhiret azabını seçmekte serbest bırakmış. Onlar da dünya azabına razı olmuşlar. Bâbil kuyusuna baş aşağı asılmışlar. Büyücüler gelip bu kuyu ağzında onlardan büyü öğrenirlermiş. Mitolojiye göre üçüncü gökte bulunan Zühre, kutlu bir yıldız olup müzikçilerle şarkıcıların yıldızıdır.

hâs; hâssül hâs: sôfilere göre, varlığından geçmemiş kişiler «avâm»dır. Gerçeğe ulaşanlar da «havâs»tır. Bunlar mânevî yolda henüz yolculuk edenlerdir. Gerçeğe tam erişenler, mevhum varlıktan kurtulup Tanrı varlığı ile var olanlara «havâssül-havâs» yani seçkinlerin seçkini derler.

hâsıla gelmek: meydana gelmek, elde edilmek, olmak.

hastaya varmak: bir hadise göre «hasta hatırı sormak, fakirlere yiyecek, içecek vermek Tanrı katında ona yaklaşmaktır».

haşer: mahşer, kalabalık, topluluk.

haşir-neşir: bu iki arapça sözün taşıdığı anlam şudur; «ölümden sonra kıyamet kopunca insanlar dirilip mahşer meydanında toplanacak. Herkesin hesapları görülecek, sevap işleyen cennete, günahkârlar cehenneme gireceklerdir.»

hatar: tehlike.

hâtun: hanım, hükümdar karısı.

hava, hevâ: heves, nefse ait şeylerde düşkünlük. Kötülüklere gönül kaptırmak.

havf, reca: korku ve umut. İnsan bu iki duygu arasında olmalıdır. Bunlardan yalnız birisi olursa, insan umutsuzluğa ya da kötülüklere düşebilir. Yalnız, Tanrı dostları, ne korku ne de umutsuzluğa düşmezler.

havsala: anlayış ve tahammül.

Havvâ: İlk kadın. Âdem'in karısı. İkisi de cennette yasak meyveyi yedikleri için kovulmuşlardır.

hayat suyu: içene ölmezlik veren su, âb-ı hayat.

hayr, hayır: toplumun faydasını kendininkinden üstün tutmak, iyilik yapmak müslümanlıkta asıldır. İyilik ve yardım yapmağa hayır işlemek denir.

hayf, hayıf: yazık, yazık olmak.

hayran: şaşkın, şaşırmış.

hayvan: canlı, yaratık.

hayy: her zaman diri, ezelî ve ebedî. Tanrı adlarındandır.

hazan: sonbahar, solma zamanı.

hazret: huzur, kat, makam. Tanrı (yerine göre).

hece: mezar taşı.

helek: helâk, (halk söyleyişi), yok olma.

hemin: çok, tıpkı bu (arapça).

hemin: henüz, şimdi.

hemîşe: daima, hep, sürekli.

hemrâz: sırdaş.

hergiz: asla.

hevl: korku.

heybet: korku vermek.

hezâr, hezâran: bin, binlerce, binler.

hezâr destan: bülbül.

hezen: iri ağaç, odun.

hırka: topuklara kadar uzanan önü açık giysi. Dervişlere

mürşitlere dua ederek hırka giydirirler.

hırka-pûş: hırka giyinmiş, derviş.

hırs: bir isteğin üstüne düşmek, düşkünlük.

hırs-u hava: nefsin isteklerine düşkünlük.

hınzır: domuz.

Hızır-İlyaz: İki peygamber adı. Birincisi karalarda, ikincisi denizlerde yardıma muhtaç olanlara yardım ederler. İskender ile birlikte âb-ı hayat aramışlar, bulmuşlar. İskender'den habersiz bu suyu içmişler, ölmezliğe kavuşmuşlardır. Hıdırellezde, yılda bir kere bir gül fidanı dibinde buluşurlar. Edebiyatta çoğu zaman âb-ı hayatla birlikte anılır Hızır.

hicab: perde, örtü. Tasavvufta maddî ve mânevî yani, dünya ve ahiret bağları, onlara düşkünlük Tanrı hicaplarıdır. Maddî ve mânevî bağlardan geçmek, onlara gönül bağlamamak, hepsinin geçici olduğunu bilmektir.

hidâyet: doğru yolu bulmak.

hikmet: yüksek bilgi, gizli sır, felsefe. Bir işteki sebep.

hired: akıl, us.

hoca: büyük, bilgin. Zengin, tüccar.

horoz: Hz. Muhammed'in dediğine göre, Tanrı arş altına bir horoz koymuştur. Bu horoz, gece sona erdiğinde kanatlarını çırpar, Tanrı'ya hamd eder. Dünyadaki bütün horozlar da bunu işitir, onlar da kanat çırparak ve öterek cevap verirler.

Hû: O, Tanrı adlarından.

hubbul-vatan: vatan sevgisi. «vatan sevgisi imandandır» sözünü Hz. Peygamber'in söylediği rivayet edilir.

hulk: huy, ahlâk.

hulle: cennet elbiseleri.

hûmar: İçkinin verdiği sersemlik, baş ağrısı.

hûri, hûr: cennet kızı, güzel kız.

Hutan, Huten: Doğu Türkistan'da büyük bir şehir olup ahalisi müslümandır. Misk keçileriyle meşhurdur. Edebiyatta bunun için güzel kokudan söz edilmek istendiğinde bu şehrin adı anılır.

hüccet: red edilemeyecek delil, ispat için kullanılan yazılı belge.

hüsn, hüsün: güzellik.

I

ıklim: aynı şartları haiz kara bölgesi. Eskiler, insanların oturduğu bölgeleri yedi iklime bölmüşlerdir.

ıkrar: söylemek, inancını sözle söylemek.

ırılmak: ayrılmak, dağılmak.

ırmak: ayrılmak, uzaklaşmak.

ıs, ıssı: sahip.

ıvaz, ivaz: karşılık, tâviz.

İ

İbrahim: Beş büyük peygamberden biri. Oğlu İsmail'i kurban etmesi Tanrı tarafından buyurulmuş, bıçağı çalacağı sırada gökten bir koç gelerek, İsmail kurtulmuştur.

İbrahim Edhem: büyük mutasavvıflardandır. Belh'te padişah oğlu iken saltanatı bırakıp tasavvuf yoluna girmiştir. Bu feragat yüzünden edebiyata girmiş, örnek kişi olmuştur. 781 yılında Şam'da ölmüştür.

icâzet: bir şeyh tarafından yetişmiş bir kimseye tarikat kurallarını başkalarına öğretme izni veren belge.

İdris Peygamber: Âdem Peygamber'in oğullarından bir peygamberdir. İlk olarak elbise dikmeyi icat etmiştir. Bunun için terzilerin pîri sayılır. Tanrı tarafından yükseklere çıkarılmıştır.

igen, iğen: ziyade, çok, pek, o kadar, o kadar da.

ihlâs: öz temizliği.

ihsan: bağış.

ihtiyar: seçkin, seçilmiş.

ihtiyar etmek: seçmek.

ikilik: birlik karşıtı. Tanrı ile yaratıkları ayrı ayrı görme. Varlıkların birliğine inanmayış. İkilikten geçmek: varlıkların birliğine (vahdet-i vücut) inanmak, kendini bu yola vermek.

il: yerine göre memleket, yerine göre halk.

ilenmek: beddua etmek, küfür etmek.

iltegörmek: iletmek, yapmak.

iltmek: götürmek, yerine ulaştırmak, tebliğ etmek.

iley: çevre, etraf.

ilm, ilim: bilmek, bilim.

ilm-i ledün: Tanrı katından öğrenilen bilgi. Hızır ile Mûsâ peygamber arasında geçen bazı olaylar sonunda Hızr'ın yaptıkları, ilm-i ledün sayesinde olmuştur. O, geleceği bilmiş, kapalıları görmüştür.

İlyas: bk. Hızır-İlyas.

İncil: İsâ Peygambere inmiş olan kutsal kitap.

ins: insan, insan cinsi.

irdemek: araştırmak, incelemek.

irgörmek: ulaştırmak, götürmek.

irfan: ilâhî bir feyz olarak kâinatın sırlarını bilme gücü. Kültür, bilme, anlama.

îsâr: dökme, saçma, ikram, cömertlikle verme, bahşiş.

İsâ Peygamber: hıristiyan dininin peygamberi. Birçok mucizeleri vardır. İncil kutsal kitabıdır.

İskender: erenlerden ya da peygamberlerden olduğu söylenir. Başında boynuz gibi iki çıkıntı olduğundan Zülkarneyn lakabı ile de anılır. Buna büyük İskender diyenler de vardır. Yecüc Mecüc denilen kavme karşı iki dağ arasına set çekmiştir. Hızır ile birlikte âb-ı hayatı aramaya da gittiği söylenir.

İsmail Peygamber: İbrahim'e bakınız.

ism-i âzam: Tanrı'nın en büyük adı. Bu adla dua edilince isteğe kavuşulur. İsm-i âzam duası, duaların en büyüğü.

İsrafil-sûr: büyük dört melekten biri. Sûr denilen boynuzu birinci üfürüşünde bütün canlılar ölecekler, ikincisinde yeniden dirilecekler, böylece mahşer olacak.

issi, ıssı: sahip, sahibi.

isteşüben: isteyerek.

ivmek, evmek: acele etmek.

izz: üstünlük, şeref.

K

Kâbe: Müslümanların kıblesi olan Mekke'deki mescit.

kabiliyet (a uzun söylenir): kabul etmeye istidad.

kabz, kabız: almak, sıkılmak, gönül darlığına düşmek.

kaçan, haçan: vakta ki, ne vakit, o zaman.

kad, kad-bâlâ: boy-bos, uzun boy.

kadem: ayak; kutluluk, hayır ve bereket.

371

kadı: şeriat hükümlerine göre hüküm veren kişi, hâkim.

kadîm: önsüz, ezelî, son bulmayan. Tanrı sıfatı ve Tanrı.

kadir (a uzun söylenir): gücü yeten, güçlü.

kadîr: kudret sahibi. Tanrı.

kadir gecesi: Ramazan ayında bir gece. Kur'an, o gece inmiştir. Bu gecenin ibâdeti pek üstündür. Ramazanın onbeşinden sonraki tek sayılı gecelerden biridir. O gece melekler yere inerler. Sôfîlere göre, sâlikin kendi değerini bildiği, Tanrı tecellisine kavuştuğu gecedir.

kadir-i hay: hayat veren, Tanrı..

kadr: kıymet, değer.

Kaf dağı: eskilere göre, dünyayı çepeçevre saran dağ. Cinler, develer, şeytanlar, ederhalar bu dağın ardında yaşarlar. Ejderhalar, melekler tarafından ateşten zencirlere yakalanıp oraya atılır. Masallarda adı geçen zümrüdü Anka kuşunun yuvası da buradadır. Sôfîlere göre Kaf dağı, insanın kendi vücududur.

kâfir: Tanrı'yı gereği gibi tanımayan, buyruklarını yerine getirmeyen.

Kaftan kafa: bir baştan bir başa, bir uçtan bir uca.

kahıtlık: kıtlık..

kâhil: tembel.

kakımak: kızmak, öfkelenmek.

kal (a uzun): söz, laf.

kalaba: kalabalık.

kalem çalmak, kalem çalınmak: başa geleceği, olacağı yazmak. Takdîr, talih.

kalı: kalır (kafiye için böyle).

kallaş: kalleş, yalancı, düzenci, hileci.

kalmaç: herze söyleyen, saçma sapan söyleyen, asılsız söyleyen.

kalû belâ: bk. Belâ, belî.

kamu: hep, bütün, herkes, hepsi.

kanda, kande: nerde, nereye.

kandak: nere, nerede.

kandelik: nerede olduğu.

kandil: Tanrı bir melek yaratmış, ona «Sen kimsin, ben kimim» diye sormuş. Melek «sen sensin, ben benim» diye karşılık verince, Tanrı onu kahretmiş. Öteki melekler de aynı cevabı vermişler. Son olarak Cebrâil'e sormuş. O cevap vermemiş. Bir hayli uçmuş, gök yüzünde bir kubbe görmüş, açılması için dua etmiş. Kubbe açılınca içinde yarısı yeşil, yarısı ak bir kandil görmüş asılı. Şaşkın şaşkın kandili seyrederken ak nurdan «Ben Ali'yim, yeşil nur da amcam oğlu Muhammed'dir. Tanrı'nın sorusuna, sen yaratansın, ben kulum, diye cevap ver,» sesi gelmiş. Melek böyle yapmış ve azaptan kurtulmuş. Bir gün Cebrâil, Muhammed'in huzurunda Ali'ye büyük saygı gösterince Muhammed sebebini sormuş. O da bu olayı anlatmış.

kan pahası: diyet, ölüm karşılığı.

kâr: iş.

karak: bakış, hayal. Gözbebeği.

karangu: karanlık.

karar etmek: durmak, yerleşmek.

kararmak: canı sıkılmak, kederlenmek.

karavaş: cariye, hizmetçi kız.

karayı aktan seçmek: yazı okumak.

kâr eylemek: işlemek. İçe işlemek, çok etki yapmak.

kargı: ucu sivri uzun savaş aracı.

karımak: kocamak, ihtiyarlamak.

karmak: karıştırmak, birleştirmek.

Karun (a uzun söylenir): Peygamber zamanında yaşamış, çok zengin bir kişi. Mûsâ'ya karşı olmuş ve malının zekâtını vermediği için Tanrı onu yere geçirmiş. Halk söylentisine göre Karun, kıyamete kadar azar azar yere batmakta devam edecektir.

kâr-ı bâr: iş güç.

kasd: kötü düşünce, kötü niyet.

kasır (a uzun okunur): kısa.

kat: huzur, yan.

katı: çok, pek sert.

kav: ağaçlarda olan bir mantardır. Çabuk yandığı için ateş yakmakta kullanılırdı. Yakın zamana kadar çakmakta da kullanılırdı.

kavî: kuvvetli, hazırlıklı.

kavm, kavim: aynı soydan topluluk.

kaygı, kaygu, kayı, kayu: korku, ürküntü, şüphe.

kaygı yemek: korku ve üzüntü çekmek.

kayıd yemek: ilgili olmak, üstüne düşmek.

kayim, kaim (a uzun): namaz kılan. Ayakta duran.

kaykımak, kayıkmak: geri dönmek, meyletmek, temayül göstermek.

kayırmak: düşünmek, bir şeyden kuşkuya düşmek, bir şey kurmak.

kefe: terazinin iki yanında içine tartılacak şey konan tabla.

kefaret: günahtan arınmak günahtan kurtulmak için verilen.

keffesini: hepsini, kâffesini.

kek: dilek, arzu, istek.

kekince: keyfince, dilediği gibi.

keksizin: istemediği halde.

kelâm: söz.

keleci: söz, cümle, anlamı tam söz.

keler: kurbağa.

kem: kötü, az.

kemha: ipek kumaş.

kemin: pusu.

kemine: değersiz, en aşağı.

kemter: değersiz, çok değersiz.

Ken'an: Yakup Peygamberin ülkesi, İsrâil ülkesi.

kendiden: kendiliğinden, kendinden.

kendöz: kendisi, kendi özü.

kendözün: kendin, sen, kendini.

kerâmet: bağışta bulunmak. Erenlerin gösterdikleri olağanüstü işler, gösteriler.

kerem etmek: bağışta bulunmak.

kerîm: ihsan, bağış sahibi. Tanrı.

kesret: çokluk. Vahdet ise birlik. Kesret âlemi bu âlemdir, yani dünyadır. Gerçeğe ermeyenler bu âlemi çokluk âlemi olarak görür, zıtlarla dolu sanar. Vahdet âlemi, mutlak birlik (teklik) âlemidir. O âlemde çokluk ve ayrılık yoktur. Kesret gibi görünenler Tanrı sıfatlarının tezahüründen başka bir şey değildir.

kevser: cennette suyu çok tatlı bir havuz. Sôfîler, kevser'i irfân olarak görürler.

keşik: sıra, nöbet.

key: pek, pek çok, iyice. Sa-
kındırma ve dikkati çekme eki.

kıldan kıldan: inceden inceye.

kıran: yazgın ölüm, öldüren, katil.

kırklar: âlemi idare eden kırk kişi. Hz. Fatma'nın evindeki toplantıda İmam Ali'den feyz alanlar. Geleneğe göre, bir gece Hz. Muhammed Fatma'nın kapısını çalmış, içerden gelen, «kimsin» sorusuna karşı, Muhammed'im, deyince, «burda Muhammed'in yeri yok» karşılığını almış. Biraz sonra yine kapıyı çalmış. Bu sefer, fakirim, karşılığını vermiş, böylece kırklar cemine girebilmiş. Ali, oradakilere üzüm suyu dağıtıyormuş. Muhammed'e de verince o da hakikat sırlarına ermiş, kalp gözü açılmış. Ali'nin eriştiği yüksek mertebeyi takdir ederek, o güne kadar yalnız peygamberlik sırrına ermiş iken, Ali'ye biat edince ermişlik sırrına da sahip olmuş. Bütün Bektaşi ve Alevîlerce bu inanış kabul edilmiştir.

kıyam: ayağa kalkmak. Namazda ayakta durmak.

kıyl-ü kal: dedikodu, boş laf.

kiçi: küçük.

kil: çamur, balıkçı, gil.

kimesne, kimsene: kimse, kişi.

kisb: çalışıp kazanma.

koca: yaşlı, ihtiyar.

koçmak: kucaklamak, sarılmak.

kolmaş, kulmaş: saçma sapan söylenen, asılsız söyleyen, geveze.

kolsuz gömlek: kefen. Yakasız, yensiz gömlek de denir.

koduk: sıpa.

komak: bırakmak, vazgeçmek.

komşu: bir hadiste «Cebrâil, bana komşu üzerine o kadar vasiyette bulundu ki, mirasa girer sandım» deniliyor. Onun için komşuya saygı gösterilir, hakkına riayet edilir, komşu Hakkı Tanrı hakkı, denir.

konuk: misafir.

konukvam: misafirim, konuğum.

kopmak: meydana çıkmak, zuhur etmek, çıkmak.

kopuz: eski bir Türk sazı. Küçük çanaklı, at kıllı, yayla çalınır. Saz şairleri kullanırdı.

kovcu, kovucu: söz getirip götüren, kapı dinleyen.

kovmak: izlemek, takip etmek, kovalamak, isteğini yapmak.

kösup kömürmek: yalayıp yutmak.

kul: köle. Tanrı'ya göre insan.

Kulil hak: gerçeği söyle, anlamında arapça bir söz.

kul huvallah: İhlâs sûresinin ilk âyeti. Bu âyetin anlamı:

«de ki, o tek ve yegâne Tanrı'dır.»

Kur'an: Müslümanların kutsal kitabı. Bir konudaki bölümlerine «sûre», bu bölümlerin sözlerine «âyet» denir.

kusûr: köşkler, saraylar.

Kuş dili: Süleyman'a bakınız.

kuyu kazmak: bir hadis «kardeşi için kuyu kazan kendi düşer» der.

Küfr, küfr: Kâfirlik. Din hükümlerini inkâr, Tanrı'ya eş koşmak. Sôfîlere göre, gerçek küfür, bütün varlıkları yok gördüğü gibi, Tanrı'yı da yok bilmektir. Böylece akıldan, vehimden yüce olan, gerçek ve mutlak varlık olan Tanrı'da yok olmaktır. Küfrün imân oluşu budur.

küfüven ahad: Kur'an'da «O'na hiçbir eşit yoktur» anlamında bir âyettir.

külhan: hamamlarda su ısıtmak için ateş yakılan yer. Hamam ocağı. Fakirler kışı çok zaman burada geçirirler.

küllü yerci: her şey aslına döner, anlamında arapça bir söz.

küllî: hepsi, tümü.

külünk: büyük kazma.

kün: ol (arapça), var ol. Tanrı bir şeyin olmasını dileyince «ol» der, derhal o şey olur, meydana çıkar. Sôfîlere göre, bu kelime akl-ı kül ve nefs-i küll'e işarettir.

kün demi: oluş zamanı. Elestü zamanı. Belâ-belî'ye bakınız.

kürsü: üstüne oturulan şey. Kur'an'da, Tanrı'nın kürsüsünün, gökleri ve yüryüzünü kapladığı bildirilmektedir. Tasavvufa göre kürsü, Tanrı bilgisidir.

küt: kötürüm, eli ayağı tutmayan kimse.

L

lâ: hayır, yok (arapça kelimelerin başına gelerek yokluk bildirir).

lâcerem: şüphesiz, elbette, nâçar.

lâmekân: mekânsız, yersiz; Tanrı sıfatlarındandır.

lâ-şerik: ortağı yok. Tanrı sıfatlarından.

lâ taknatû: umut kesmeyin, anlamında Kur'an'da geçer.

lâyıkvam: lâyıkım (vam, ım ekinin yerini tutuyor).

lâ yezal: ölümsüz, sonsuz.

lamyezel: sonu yok, ölümsüz.

len terânî: Tanrı, Mûsâ Peygamber'e «Beni göremezsin» dediği Kur'an'da geçer (yedinci sure, 143. âyet).

leşker: asker.

levh-kalem: levha, üzerine yazılacak şey. Tanrı'nın insanları yaratmadan önce, onların başına gelecekleri ve her şeyi

yazmış olduğu levha. Talihin yazılı olduğu levha, alınyazısı. Buna levh-i mahfuz da denir.

levh-i mahfuz: bakınız levh-kalem.

levlâk: Tanrı'dan Hz. Muhammed'e hitap sözü. Sen olmasaydın gökleri yaratmazdım, anlamında bir hadis.

leyl: gece.

Leylâ: Mecnûn'a bakınız.

-leyin: gibi (Türkçe sözlerin sonuna gelir).

Lokman: Eyyup Peygamber'in akrabası olduğu ya da Habeş bir köle olduğu söylenir. Peygamber ya da bir eren olduğu da söylenir. Kur'an'da 30. sûre Lokman sûresidir.

M

maânî: mânâlar, anlamlar.

mâbut: kendisine ibâdet olunan. Tanrı.

mağrur: kendini büyük gören ve göstermeye çalışan, böbürlenen.

mâhî: balık.

mahfil: toplantı yapılan yer, toplantı.

mahluk: yaratık, yaratılmış.

mahmur: sarhoş.

mahmut: hamd olunmuş, senâ edilmiş, övülmeye değer. Ebhere'nin Kâbe'yi yıkmak için getirdiği filin adı da Mahmut'tur.

mahrem: gizli, teklifsiz, esrara vakıf olma.

mahşer: kıyamette harkesin dirilip toplanacağı Arasat meydanı.

makam: erişilen maddî, mânevî derece, rütbe, mevki.

maksût: istenen, kasdedilen şey, adam, iş.

mâlik: sahip. Cehennemin kapıcısı ve zebanîlerin başı.

mâlum: bilinen, belli.

mâmure: bakımlı, bayındır yer.

mancınık: eskiden savaşlarda taş atmaya yarayan araç.

ma'nî, mânâ: anlam, iç yüz.

mâr: yılan.

mârifet: tanımak, anlamak. Hakikata erişenlerin sırlarını gizleyip şeriata uymalarına mârifet denir.

mâsiva: Tanrı'dan başka bütün varlıklar.

ma'siyet: suçluluk, suç işlemek.

maslahat: iş, gereken şey.

masûm: günahsız, çocuk.

maşrık: güneşin doğduğu yön, doğu.

mâşuk, ma'şuk: sevgili, sevilen. Tanrı.

mat, mat olmak: yenilmek.

mâzıl: azil edilmiş.

meâb: dönülüp varılacak yer.

mecâl: kuvvet, güc.

Mecnûn: Bir Arap hikâyesinin erkek kahramanı. Mecnûn Leylâ'yı sever, Leylâ'nın ailesi evlenmelerine izin vermez. Mecnûn, sahralara düşer, deli gibi olur. Hayvanlarla dost olur. Artık, Leylâ'nın aşkını gönlünde yaşatmakta, kendisini istememektedir. Tanrı aşkına ulaşmıştır. Leylâ'nın ölümünden sonra o da ölür. Şairler bu konuyu çok işlemişlerdir. Divan şairleri Leylâ'ya Leylî de derler.

medet: yardım.

medrese: ders okunan yer, okul.

meğer: belki, galiba, ancak, olsa olsa.

mekân, bî-mekân: boşlukta varlıkların kapladığı yer. Mekân, varlığa, var olan şeye bağlıdır, ona tâbidir. Var olan şey bulunmadıkça mekân da yoktur. Bunun gibi zaman da olayların, oluşların zihinde karşılaştırılmasından doğar. Bunun için zaman ve mekân birer zihni mefhum olup, gerçekte yoktur. Bî-mekân: Tanrı.

mekkâr: hileci, düzenci.

mekr, mekir: hile, düzen.

mekrümet: kerem, izzet, şeref

melâik: melekler.

melâmet: kınanmak, ayıplanmak.

Ayrı giyim, zikir gibi şeyle gerçeğe erilemeyeceğini, ancak aşk ve cezbe ile ulaşılabileceğini, kendilerini herkesten aşağı gören, halka yararlı olmanın ve varlıktan, benlikten geçmenin, gerçeği bulmanın yolu olduğunu kabul eden tasavvuf yolu. Bu yolu tutanlara da «melâmetî» denir.

melâmet olmak: kınanmak, ayıplanmak. Halk malamat, der.

melek: cinsiyeti olmayan, biçimleri bulunmayan, Tanrı buyruğunu yerine getiren yaratık. Melâike çoğuludur.

melekût (k, ke olarak söylenir): melekler âlemi. Varlık âlemi. Varlık âlemine karşılık, ruhlar, nefisler gibi soyutlar âlemi.

melik: padişah, hükümdar.

melül: üzüntülü, tasalı.

men aleyha fân: Kur'an'da bir âyet. Anlamı «yeryüzünde ne varsa geçicidir, ancak ululuk ve kerem sahibi Tanrının zatıdır kalan».

men arefe nefsehu: «O kimse ki, nefsini bilir» anlamında bir âyet.

menkûr: inkâr olunmuşluk belgesi.

menşûr: ferman. Halka bildirilmiş ferman.

menzil: yolculukta varılıp durulan yer, durak anlamındadır. Tasavvufta, mânevî yolculuk sırasında varılan, uğranılan makam ve mertebeler.

merci': dönülüp gelinecek yer.

mert, merdâne: erkek, erkekcesine. Merdan: erkekler, erler.

merdût: kovulmuş, reddedilmiş, sürülmüş.

mergzâr, mergizâr: yeşillik, çayır çimen.

mest: sarhoş, kendinden geçmiş, âşık.

mestur: örtülmüş.

meşâyih: şeyhler.

meşe: meşelik, orman.

metâ: mal, eşya, sermaye.

mevzun: şiir, ölçülü.

meydan: geniş alan. Âyin yapılan salon.

meyl: istek, arzu, gönül akması.

mezhep: gidilecek, tutulacak yol.

mıktar: değer, sınır, bulunulan yere göre şeref.

mısmıl: iyi, temiz, doğru, dürüst. Helâl ve temiz hayvan eti.

mihman: misafir, konuk.

mihmandâr: konuk ağırlamakla görevlendirilmiş kişi.

mihr: sevgi, aşk.

mihrâb: camilerde imamın durduğu, kıbleyi gösteren oyuk yer.

Mikâil: rızıkları, nimetleri dağıtan melek.

millet: dinin bütün hükümleri. Din ve mezhep de anlaşılır.

mirac: Hz. Muhammed'in bir gece göğe ağarak Tanrı ile görüşmesi olayı. Sôfiler, miracı ruhânî olarak kabul ederler. Onlara göre her olgun eren, kendi değerince bir miraca kavuşur.

misk: güzel bir çeşit koku. Misk keçisinden çıkarılır.

miskal: eskiden birbuçuk dirhem ağırlık.

miskin, miskinlik: yoksul, zavallı kimse. Tasavvufta varlıktan, benlikten geçmiş. Tanrı varlığı ile var olmuş kimse.

mizan: terazi. Mahşer günü yani soru-hesap günü insanların sevapları, günahlarının tartılacağı terazi.

muallak: bir yere dokunmadan havada duran şey.

muhal: imkânsız, olmayacak şey.

muhib: seven. Tasavvufta, tarikate girmiş, fakat daha dervişliğe ikrar vermemiş kişi demektir.

muhkem: sıkı, sağlam, şiddetli.

muhtasar: özetlenmiş, kısaltılmış.

muhteşem: ihtişamlı, tantanalı, görkemli, gösterişli.

muntazır: bekleyen, gözleyen.

Mûsâ: İsrail oğullarını Firavun'un elinden kurtarıp Mısır'dan çıkaran ve Museviliği kuran peygamber.

musalla: namaz kılınmak üzere üstüne cenaze konan taş.

Mustafa: Hz. Muhammed'in adlarından.

muştulamak: müjde vermek. Muştucu: müjdeci, müjde veren.

muvafık: uygun.

mübtelâ: belâya uğramış, bir şeye tutulmuş, düşkün, âşık.

müdbir: talihsiz, düşkün.

müdebbir: tedbirli, tedbir eden.

müderris: ders okutan, hoca.

müfsid: bozan, bozguncu.

müfti, müftü: fetvâ veren. Dinî işlerde bir işin dine uygun olup olmadığına dair yazılı kâğıt veren.

mühür vurulmak: susturulmak.

mülk, mülket, milket: saltanat, memleket.

mülk-ü ezel: başlangıcı ve sonu olmayan saltanat.

münacât: gizlice konuşmak, duâ.

münâfık: iki yüzlü, içi dışı birbirine uymayan kişi. İnanmış görünen kimse, gerçekte inanmamış, işine geldiği için öyle görünen kişi. Peygamber zamanında bunların çoğu Mekke'de bulunan Yahudi'lerdi. Bunların cehenneme atılacağı Kur'an'da bildirilmiştir.

Münker-Nekir: mezarda soru soran iki melek.

münkir: inkâr eden.

müptelâ: mübtelâ'ya bakınız.

mürde: ölmüş.

mürebbi: terbiye eden, yetiştirip geliştiren kimse. Mürşit de bu anlamdadır.

mürşit: uyandıran, irşat eden, mürebbî, doğru yolu gösteren. Şeyh.

müşahede: görmek, görüşmek. Tasavvufta, bütün var olanları Tanrı'nın bir görüntüsü olarak görmek, eşyanın gerçeğine ermektir.

müşkil: çözümlenmesi güç şey.

müşrik: Tanrı'ya ortak koşan.

müzd: iş karşılığı ücret.

N

nâdan: cahil, kaba.

nahcir: av, tutulmuş hayvan.

nakış: sûret, şekil, resim, bezenti.

nakş-u nigâr: süs, put, bezeme

nâm: ad, ün, şöhret.

nâme: kitap, mektup. Burada günah defteri.

nâr-reste: ergenlik çağına gelmemiş, çocuk.

nasûh: suçlunun bir daha bozmamak üzere tövbe etmesi. Böyle tövbe edenin adı.

nâşi: mezhepten dışarı kimse, engel.

nay: ney. Üflenerek çalınan kamış çalgı.

nâz, niyaz: nâz, Tanrı sevgililerinin niteliğidir. Niyaz, âşıkların niteliğidir. Nâz ehli olan kişiler. Tanrı'ya çeşitli sözler söylerler. Hoş görünmeyecek davranışlarda bulunabilirler. «Tanrı, bir kulunu severse, suç ona zarar vermez.» hadisi, bu inancın dayanağı olmuştur.

nazar eylemek: bakmak.

nazar kılmak: bakmak.

nazar, nazar etmek: bakış, bakmak.

nebî: peygamber.

necm: yıldız.

nedürür: nedir.

nefs, nefis: can, ruh, öz, kendi. Nefis, insanın mâneviyetidir. Bu mâneviyet kötülüğe ve dünya isteklerine akarsa «nefs, nefis» denir. Mânâ âlemine dönerse «ruh» denir. Kötülüğe iten nefs'e «nefs-i emmâre» denir.

nefs-i cüz'i: bir insanda nefsin tam olarak belirmesi.

negam: güzel ses, şarkı, nağme.

nelik: ne olmak hali. Neliğim: ne olduğum.

Nemrût: İbrahim Peygamberi putlara tapmadığı için ateşe attıran Keldanî hükümdarı. Büyük ateş yığını üstüne İbrahim'i mancınıkla attırmış, fakat, ateş birden gül bahçesi olmuştur.

nen ola: neyin olur, demek.

nesne: şey, herhangi birşey.

neşr, neşir: dağılmak, yayılmak.

nevaz: okşama, taltif.

neystan, neyistan: kamışlık, sazlık.

ney - şeker: şeker kamışı.

nice: ne kadar, nasıl, ne suretle.

nihan: gizli.

niheng: timsah.

nigâr: güzel, sevgili.

nikab: yüz örtüsü, peçe.

nisâr: saçma, saçıp dökme.

nisâr olmak: dökülüp saçıl-
mak. Bolluk.

nisbet: uygun, münasebet.

nişan: belirti, iz işaret.

nite, nitelik: mahiyet, keyfiyet,
nitelik.

nite: nasıl, ne halde.

niteleme: ne kadar.

nitmeyem: ne etmeyeyim.

niyaz: bakınız: nâz.

nöbet vurmak: eskiden kale-
lerde belli zamanlarda muzi-
ka çalması.

nöker: erkek hizmetçi.

Nuh: Âdem Peygamberin torun-
larından bir ulu peygamber.
İnsanlar azınca Tanrı onları
yola getirsin diye Nuh'u gön-
dermiş. Fakat, azgın insanlar
bir türlü doğru yola gelme-
mişler. Bunun üzerine Tanrı
emriyle bir gemi yapmış, her
cins hayvandan bir erkek, bir
dişi yaratık almış gemiye.
Tanrı, gökten korkunç bir
yağmur yağdırmış, bütün ka-
ra, sular altında kalmış, dı-
şarda kalanlar boğulmuş.

Nûşirevan: İran'ın Kisra'lar ça-
ğında bir hükümdarı.

nûş etmek: içmek.

nufte: meni, erlik suyu.

nüzul: inmek.

O

obrulmak: çukurlaşmak, yerin-
den oynamak, sarsılmak, çök-
mek.

od: ateş.

od, su, toprak, hava: eski ina-
nışa göre, âlem bu dört öge-
den meydana gelmiştir. İnsa-
nın maddî varlığı da bu dört
ögeden meydana gelmiştir.

oğlan: erkek çocuk.

okumak: çağırmak, dâvet et-
mek.

ol: o, o kimse.

olven: oyum, o'yum ben.

onsekiz bin âlem: bütün âlem.
Eskilere göre âlem onsekiz
bölümdür. Bunlar: 1. Akl-ı
kül (Tanrının aktif zuhuru),
2. Nefs-i kül (akl-ı külden
meydana gelen pasif kabili-
yet), 3. Dokuz gök (atlas,
Burçlar, Zühal, Müşteri, Me-
rih, Güneş, Zühre, Utarit, Ay
gökleridir.), 4. Dört unsur (su,
ateş, hava, toprak), 5. Üç
Mevlit (üç çocuk: mâden,
bitki, hayvan). Hepsi onse-
kiz eder. Araplarda son sayı
bin olduğu için, onsekizi ge-
nişletip âlemi böyle anmışlar-
dır.

Ö

öd: edep. Safra kesesi.

ödağacı: din törenlerinde kıy-
mıkları ateşe atılan ve güzel
koku veren bir ağaç.

öğün: bir kerede yenilen ye-
mek.

öküz - balık: eski inanışa göre,
dünya bir öküzün boynuzun-

da, öküz de bir balığın sırtında, balık da denizde, deniz de Tanrı kudretinin üstünde durduğu yolunda bir söylenti vardır.

ölmeden ölme: bir hadise dayanan bu görüşten maksat şudur: nefsi öldürmek, bencillikten kurtulmak, başkalarına zarar verecek isteklerden kurtulmak, nefsi tam terbiye etmek.

öndün: önce, önden.

ötrü, ötürü: için, dolayı.

ötürmek: geçirmek.

özge: başka.

P

pâdişah: tasavvufta Tanrı yerinde kullanılır. «Kul kadîm, pâdişah kadîm» sözünden maksat, mutlak varlığın yani Tanrı'nın zâtı, her an bütün bağlardan, bütün nitelikten arınmış olmakla birlikte, onun zâtının gereği, kendini yani zatını bilmesidir. Bu bilgide her an bütün varlıklar sâbit olur ve bu sâbit oluş, âlemi meydana getirir. Böyle olunca, Tanrı varken zuhuru da vardır. Âlemin kudreti (Tanrı), en eski ortaya çıkıştır. Bu bakımdan kul'a göre Tanrı Padişah'tır.

palas: keçe, eski püskü şeylerden yapılmış giysi. Değersiz elbise.

palheng: dizgin, kemend. Dervişlerin bellerine bağladıkları avuç içi kadar, necef, akik gibi değerli taşa denir. Erenler yoluna kendini vermiş olmaya işarettir.

pâre: parça.

pâyân: son, nihayet.

pâymal: ayaklar altında kalış.

payvend: köstek, atın ayağına vurulan bağ, bukağı.

pehlevan: pehlivan, iri yapılı adam.

pelheng: bakınız: palheng.

pend: nasihat.

perakende: dağınık, darmadağın.

perde: örtü, peçe, engel.

perrân: uçan.

pertev: ışık.

peymânesi dolmak: eceli gelmek, ömrü bitmek (peymâne = kadeh).

pinhan: gizli.

pîr: ihtiyar.

pîş - kadem: önde giden, kendisine uyulan, ulu kişi.

pîş - rev: şef, önder.

piyâle: kadeh.

pul: para, değersiz küçük para.

pür: başına eklendiği kelimelere dolu, çok anlamını katan ek.

R

râh: yol.

rahîm: merhametli. Tanrı.

rahmân: bütün yaratıklara acıyan. Tanrı.

rahmet: yağmur.

raht: mal, mülk, eşya.

râyegân: ucuz, bedava.

râz: gizli şey, sır.

refikvam: arkadaşım, -vam, eki, -ım yerine kullanılır.

resm, resim: gelenek, töre.

resûl: peygamber.

revzen: pencere.

Rıdvan: cennetin kapıcısı. Tanrı razılığı.

riyâ: gösteriş. İnanmadan yapılan şey.

riyâzât: az yemek, az içmek, az uyumak yoluyla nefsi terbiye etmek. Nefsi yenmek için bunlara katlanma.

Rûm: Anadolu. Diyâr-ı Rûm: Anadolu.

rumûm: anlamı gizli sözler. Simge.

rûzî: rızık, insanı besleyen şeyler.

rühban: rahipler, hıristiyan papazları.

rükû: eğilmek. Namazda eller dizde eğilmek.

Rüstem: İran mitolojisinde çok kuvvetli bir kahraman.

S

sâat: zamanın ölçülemeyecek kadar kısa ânı, bir an. Vakit.

sabak: ders.

sabûr: sabırlı, sabreden.

saç: üzerinde yufka pişirilen saç levha.

sa'd: kutlu, uğurlu.

saddak: doğrulama sözü; doğrudur, demek.

sâdık: gerçek, doğru.

safâ: temizlik. Zevk ve neşe.

safâ nazar: temiz bakış. Feyiz veren, her şeyi yerinde gören bakış. Mürşidin bakışından mânevî yolcuya feyiz gelir.

sâfi: saf, temiz yürekli (kimse). Âdem Peygamberin lâkabı.

sağ: gerçek, saf.

sağ esen: sıhhatli, selâmette.

sagınç, sıgınç: istek, hülya, düşünce, kazanç, keder.

sagir: küçük (çocuk).

sait: mutlu, uğurlu, ahiretini hazırlamış kimse.

sahib - kıran: iki uğurlu yıldızın, uğurlu bir burçta birleştikleri saatte doğan mutlu, talihli, yüksek mevki sahibi.

sâim: uruçlu, oruç tutan.

sakala gülmek: alay etmek, aldatmak, oyalamak.

saka: su veren, su dağıtan.

sâki: su ve içecek veren kimse.

salâ: çağırmak, seslenmek. Cenaze namazı için verilen salâ.

salaca: üstünde ölü götürülen dört kollu düz tahta.

salât: namaz.

salâtin: sultanlar.

salavât: Hz. Muhammed'e ve soyuna rahmet okuma.

salığ: sağlık, esenlik. Haber. Çomak.

saltanat: padişahlık. Kudret, ululuk.

Saltuğ, Saltuk: Sarı Saltuk diye şöhret bulan büyük eren.

sâlûs, sâlûsluk, sâlûslanmak: hileci, düzenci, gösterişçi. Suret hırsızı. Bu sıfatla sıfatlanmak.

sanı: zan, öyle sanma. Şüphe.

sarmaşuban: sarmaşarak, sarılarak.

sarp: güç, aşılmaz.

sataşmak: hoşlanılmayan bir şeyle karşılaşmak. Duçar olmak.

saymak: bedel tutmak, addetmek, tutmak, bir şeyi başkasının yerine tutmak.

sayrı, sayru: hasta.

sayyad: avcu.

saz: halk şairlerinin çaldıkları telli çalgı.

saz: bataklıkta biten kamış cinsinden bitki.

sebükbar: yükü hafif, gailesiz.

secde, sücud: namazda yere kapanma durumu.

sefer: yolculuk.

sehel, sehl: kolay.

sekiz uçmak: uçmak, türkçede cennet demektir. Hadislerde sekiz cennetten bahsedilir. Bunlar birbirlerini kuşatmışlardır ve her biri ötekinden yücedir.

sema': müzik ve sözlü söylemelerle dinî raks, dönme.

seng: taş.

senlik: karşıdakine «benlik» isnadı.

ser: baş.

-ser: türkçe gelecek zaman eki, -cek, -cak yerini tutar.

serap: çöllerde güneş ışınlarıyla görülen hayaller.

serbeser: baştan başa.

serencam: baştan geçen, ibret veren şey.

sergerdan: başı dönmüş, şaşkın.

sergüzeşt: mâcera, baştan geçen olay.

serheng: çavuş, kavas, kapı bekçisi.

sermest: sarhoşluktan başı dönen.

server: başkan, reis, başbuğ.

serzeniş: başa kakma, tekdir, çıkışma.

sevdikli: sevgili olan.

Seydi Balım: Germiyanoğullarından bir prens. Geyikli Baba'nın arkadaşlarından olup Geyikli Baba ile birlikte Bursa yakınında Baba Sultan köyünde yatmaktadır.

seyran: gezip dolaşma, görüp seyretme.

seyrangâh, seyrengeh: gezip dolaşma yeri, seyran yeri.

sıdk: doğruluk, gerçeklik.

sıddık: gerçek, çok gerçek.

sıfat: hal, keyfiyet, şekil, varlık. Yüz, kılık. Bir kişinin veya şeyin hâli.

sıfât: sıfatlar, vasıflar. Sôfilere göre işler, görüntülerin istidatlarına bağlıdır. İstidatlar Tanrı sıfatlarıdır. Sıfatlar Tanrı zuhurudur. Bütün sıfatlar Tanrı sıfatlarıdır. Sıfat, zattan ayrılmaz, zuhur görünüşe bağlıdır.

sığısar: sığacak.

sımak: kırmak, bozmak.

sınamak: denemek.

sınık: kırık.

sınıkmak: kırılmak, yenilmek, bozguna uğramak.

sınır: hudut.

sınmak: kırılmak.

sırat: yol.

Sırat-ı müstakim: âhirette üzerinden geçilecek kıldan ince, kılıçtan keskin olduğuna inanılan köprü. Tasavvufta, doğru yol, müslümanlık. İfrat ve tefriti olmayan islâm dini. Kur'anda birinci sûrede geçer.

Sırat köprüsü: Sırat-ı müstakim'e bakınız.

sırça: cam.

sırr: gizli.

sıymak: yenmek, bozguna uğratmak, öldürmek.

sin: mezar.

sinirmek: hazm etmek.

sinlik: mezarlık.

sinmek: hazm olmak, suyun toprak tarafından emilmesi.

sîr: tok.

sivâ: Tanrı'dan başka her şey.

siyaset: ceza vermek, asmak, öldürmek.

siyaset meydanı: ölüm cezalarının uygulandığı yer.

sôfî: tasavvuf yolunu tutan kimse. İslâm felsefecisi.

sohbet: konuşmak, sôfiler toplanıp konuşmaya, görüşmeye büyük önem verirler.

sonuç: son, netice.

soru hesap: kıyamet günü dünyada yapılan işlerin sorulması.

sorucu: soru meleği.

sorucular: soru melekleri. Bk. Münker, Nekir.

soylamak: soyuna uymak, soyunu övmek.

sual: istemek, sormak.

subaşı: komutan, şehirlerin disiplinini yönetenlerin başı.

Subhan: Tanrı.

sûk: çarşı, pazar yeri.

sun': yapış, iş. Sanat, kudret. Yaratış.

sûr: kıyamette İsrâfil'in çalacağı boru. İsrâfil'e bakınız.

sûre: Kur'andaki her bir bölüm.

sûret: dış görünüş. Yüz, çehre. Güzellik, güzel.

susalık: susamak, susuzluk.

sûz: yanış.

sücü: şarap.

sücût: secde.

sükker: şeker.

Süleyman: peygamber ve padişah. Dâvut Peygamber'in oğludur. Kuş dilini bilir, cinler onun emrindedir. Sabâ Melikesi Belkıs'ı yanına getirtmiş ve müslüman olmuştur. Bir gün Süleyman, ordusu ile karıncalar ovasından geçerken bir karınca ötekilere, yuvalarınıza girin, Süleyman sizi çiğnemesin, demiş. Bu sözü duyan Süleyman, ona niçin böyle söyledin, demiş. O da, senin ordunun azametini seyre dalıp Tanrı'yı anmayı unutmasınlar diye, demiş. Yine bir karınca Süleyman'a bir karınca budu vermiş. Bununla ordusu doymuş. Süleyman'ın elinde, üstünde «İsm-i âzam» yani Tanrı'nın en büyük adı yazılı bir mühür vardır. Bu mühür sayesinde cinler, şeytanlar, devler, kurtlar, kuşlar onun emrine uyarlar. Kuşlar, yan yana gelerek taht gibi bir biçim alırlar, Süleyman bu tahtın üzerine oturup havalarda uçar. Onun akıllı vezirinin adı Âsaf'tır. Belkıs, Süleyman'a âşık olmuş, aralarında aşk mâceraları geçmiştir.

Süleyman ve zenbil: büyük bir servet ve ihtişamı olan Süleyman Peygamber, yine de zenbil örerek satıp onun parası ile geçinir.

sünük; süngük, süngek: kemik.

süsmek: boynuz vurmak.

Ş

şâd: sevinçli.
şâdilik: sevinç.
şahne: vali, polis müdürü, subaşı. Bir bölgenin yöneticisi.
şâhenşah: padişahlar padişahı.
şakir: şükredici.

şar: şehir.
şefaat: suçunu affettirmek için yalvarmak.
şehd: bal.
şek: şüphe, işkil.
şekerleb: şeker dudaklı.
şerabun tahur; şarabun tahur: temiz içilecek şey.
şem': mum, kandil, Şema'a mum.
şems: güneş.
şer: kötülük, günah.
şer': dine dair tutulacak işlerin tümü.
şerhetmek: açıklamak, anlatmak.
şeriat: dinde Tanrı'ya inanışın bedenî, mâlî kullukta bulunuşun ve dünya işlerine dair Tanrı buyruklarının tümü.
şeriat, tarikat, mârifet, hakikat: sôfilere göre şeriat, dinin dış yüzüdür. Tarikat, dinin iç yüzüne giden mânevî yoldur. Mârifet, insanın Tanrı'yı ve kendisini tanımasıdır. Hakikat dinin iç yüzüdür. Tasavvuf yolunu tutan kişi, bu dört durağı aştıktan sonra ancak olgunluğa erişir. Adı geçen bu dört durağa «dört kapı» da denir.
şerik: ortak. Şerik koşmak: Tanrı'ya ortak koşmak.
şermsâr: utanan, utanmış.
şeş cihet: altı yön. Sağ, sol, ön, arka, aşağı, yukarı. Her varlığın bu yönleri vardır.

Bununla varlık anlatılmak istenir.

şeşirmek: atmak, boşaltmak.

şeşmek: çözmek, çıkarmak.

şeş olmak: rastlamak.

şeybet: yaşlılık, sakalına ak düşmek.

şeydâ: çılgın, âşık, deli.

şeyh: tarikata derviş yetiştiren kimse. Yaşlı kimse.

Şeyh-i San'an: Abdürrezzak'a bakınız.

şey'ullah, şey'en lillah: anlamı «Allah için bir şey». Dervişler, bir şey isterken böyle söylerler.

Şit: Âdem Peygamberin oğullarından. Bez dokumayı icat etmiştir. Onun için dokumacıların pîri sayılır.

şikâr: av.

şîr: aslan.

şirgir: aslan avcısı. Cesur, mert, kuvvetli, bahadır.

şirin: sevimli, tatlı.

şirk: ortak tanımak. Tanrı'ya ortak koşmak.

şive: tarz, edâ. Güzellerin cilveli hali.

şol: şu.

şûr eylemek: coşmak.

şümâr: sayı.

T

taalluk: ilgili olma.

tâat: ibadet etmek, emre uymak.

tabaka: halk sınıfı, zümre, sınıf.

tabılbâz: davulcu.

tâc: başlık. Dervişlerin başlarına giydikleri başlık.

tâcil tutmak, tâcillemek: acele etmek.

tahtes serâ: yerin altı.

takaza: giderek, gereklik, icabetmek.

takdir: Tanrı'nın olacak şeyleri, olmadan olmasını istemesi. Alınyazısı.

takvâ: günahtan sakınma.

tamâ: açgözlülük, bir şeyin üstüne düşmek.

tammak: damlamak.

tamu: cehennem.

tana: şaşma, şaşa kalmak.

ta'na vurmak: kınamak, yermek.

tan, tanla: sabahleyin çok erken, tanyeri ağarırken.

tanık: şahit.

tap: yeter, yeter gelmek. Boyun eğmek, uymak.

Tapduğ, Tapduk: Taptuk Baba. Yunus Emre'nin şeyhi.

tapı: huzur, makam.

tapı kılmak: ululamak, hizmet etmek.

taraş etmek: kökünü kazımak, yok etmek.

tarik: yol.

tarikvam: yolum, tuttuğum yolum.

târ-u mâr: darmadağın, harap.

tasrif: çekim, fiil çekimi.

tasnif: düzenlenmiş, eser, kitap.

taşra: dışarı, dış taraf.

tatar: yağmacı, vurucu kırıcı, postacı. Mogol.

tay: ağ.

teberra: yüz çevirmek, beri olmak.

tecellî: görünmek, meydana çıkmak.

tedbir: işin sonunu düşünme, ona göre davranma.

tefekkür: düşünme, düşünce.

teferrüc: gezme, eğlenme, ferahlama.

teferrücgâh: gezinti yeri.

tefrid: tekliğe ermek.

tefrik: ayırmak.

tefrikvam: ayrıyım.

tefsir: anlamı açıklamak, sebebini, gizli anlamını açmak.

tehî: boş.

tek: ancak, yeter ki.

tekbir getirmek: Allahu ekber, Tanrı uludur, demek.

tekebbür: kibirlenmek, büyüklük satmak.

tekye kılmak: dayanma, inanma, itimat.

tellim, telim: çok, pek çok, hayli.

temenna, temenna eylemek: istemek, dilemek.

temren: okun sivri uç demiri.

terbiyet: yetiştirmek, geliştirmek.

terazi: kıyamet günü günahların tartılacağı terazi.

teraziye altın vurmak: Yusuf (buna bakınız), Mısır'da esir olarak satılırken, terazinin, bir gözüne kendisi oturtul-

muş, öbür göze ağırlığınca altın konmuştur.

terk, terkini vurmak: vazgeçmek, bırakmak.

tersâ: hıristiyan.

tertip: sıralamak, düzen.

tesbih: Tanrı'yı anmak, noksanlıklardan uzak bilmek.

teşviş: kargaşalık, işkillenmek, karıştırmak.

tetik: tez canlı, çabuk hareket, dikkatli.

tevfik: başarı vermek.

tevhit: Tanrı'yı bir bilme. Müslümanlığın, bu inanış temelidir. Tavhit karşılığı şiirlerde birlik olarak da geçer. Sôfîlere göre tavhit, Tanrı'dan başka varlık tanımamak, bütün varlıkları, bütün işleri Tanrı'nın sıfatlarının görünüşü saymak, var görünen şeyleri kendi varlıkları ile değil, Tanrı varlığı ile var tanımaktır.

tezvir: müzevirlik, yalan, hile, kötülük.

tıfl: çocuk.

tılsım, tılısım: bir çeşit gizli ve mevhum kuvvet. Onu bilmedikçe define gibi şeyleri bulmak olamazmış. Mecaz olarak, olağanüstü bir kuvvet ve etkili şey.

tımar, tımar etmek: hastaya bakmak, tedavi etmek, iyi bakım.

tiryek, tiryak: zehirlere karşı kurtarıcı, panzehir.

tolunmak: batmak, ay, güneş gibilerin batması.

ton, don: elbise. Ceset, beden.

top, çevgân: at üstünde, uzun sopalarla ve yerde topla oynanan eski bir Türk oyunu. Oyunda amaç, topu kale direklerinden içeri sokmaktır. Çevgân; değnek, ucu eğri değnek, baston, çevgen demektir. Tasavvufta, Tanrı'nın ezeldeki takdiri, anlamında kullanılır. Edebiyatta âşıkın başı topa, aşk da çevgene benzetilir.

toy, toylamak: şölen, ziyafet vermek. Doyurmak.

tövbe: bak: nasûh.

tozulu: tozlu, toz kaplamış.

tunç: tunç.

tutaş olmak: rastlamak, âşık olmak.

Tufan: bak: Nuh.

tûl-i emel: olmayacak ya da pek güç olacak istek.

tup: hep, tüm, birden.

Tûr: Tûr dağı. Hz. Mûsâ'ya peygamberlik verilen dağ. Bu dağda Mûsâ'ya Tanrı hitabı gelmiştir.

turfanda: yeni, taze (şeyler).

turmak, durmak: ayağa kalkmak. Durmak.

turu gelmek, duru gelmek: ayağa kalkmak.

tutmak: saymak, addetmek, farz etmek, kabul etmek.

tutaş olmak, tutaş: rastlamak, yaklaşmak.

türap: toprak.

tüş: denk, eş, akran, aynı derecedeki.

tütün: duman.

U

uc, ucu: son, sonu, sebep, sebebi.

uçmak; uçmağ: cennet (türkçe).

uğru: hırsız.

umu: ümit, umut (ummaktan).

ummân: ucu bucağı ve derinliği bulunmayan deniz. Deniz ortası.

uru: kalkık, dik.

uru gelmek: kalkmak, dik durmak.

uryan: çıplak, meydanda, âşikâr.

us: akıl.

uslu: akıllı.

usan: ahmak, akılsız, tembel, gafil.

usûl: metot demektir. Tefsir, hadis, fıkıh gibi dinsel bilgilerin incelenmesi yolu yani usûlü ve bu usûlden bahseden bilgileri vardır.

uş: işte, şimdi.

uşanmak: kırılmak, parçalanmak.

uşatmak: kırıp dökmek, parçalamak.

uşşâk: âşıklar.

ut: utanç.

utlu: utanır, utanç duyan, kimsenin yüzüne bakamaz olmak.

uya: herşeye, her söze uyan, akılsız, ahmak.

uyakmak: batmak, gurup etmek.

Ü

üleşgen: paylaşmayı huy edinen, paylaştırıcı.

ümmet: bir peygamberin dinine uyanlar.

ümmî: okuma yazma bilmeyen. Ana yerinde olan dört unsura bağlı olan. Yunus Emre'nin söylediği, anasının dört olduğunu söylemesi dört unsurdur (dört unsur'a bak.)

üşmek: toplanmak.

üşürmek: üşüştürmek.

ütmek, ütülmek: kumar ve benzeri oyunlarda kazanmak; yitirmek.

Üveys: Veyselkaranî de denilen ve Hz. Muhammed'in yakınlarından. Yaşantısı üzerine birçok hikâyeler vardır. Örneğin, Mirac'ta Hz. Muhammed'in nalınlarını çevirmiştir. Hz. Ali zamanında ona ulaşıp Sıffîn savaşına girmiş, şehit olmuştur.

üzülmek: incelmek, kopmak.

üzüşmek: bir şeyi kendi aralarında bozmak.

V

vâcib, vâcip: gerekli olan şey.

vâde: bir iş ve benzeri işler için zaman bildirme. Ecel. Ölümün geldiği vakit.

vaf: havlama taklidi gibi bir şey. Vafvaf: havhav.

vahdet: birlik, tevhid (buna bakınız).

vasf: tarif etmek, anlatmak.

vasfetmek: övmek, anlatmak.

vasf-ı hâl: durumunu anlatmak.

vâsıl, vasl: kavuşma, varma.

vâsıl olmak: erişmek, kavuşmak.

vaya: yarar, fayda, kâr, sermaye.

vay olmak: ağlayıp inleme hali. Vay eylemek: ağlayıp inlemek.

vebâl: günah, suç.

vefâ: sözde durma, gerçeklik gösterme.

velâyet: ermişlik katına ulaşmış olmak. Mânevî yetki, erenlik.

velî: lâkin, ancak, fakat.

veri gelmek: vermek.

vettekun: çekinin, sakının. Kur'an'da geçen «Dünya, âhiretin tarlasıdır» anlamında bir hadise işaret.

virâne: yıkık, harap, viran yer.

viribimek: yollamak, göndermek.

visâl: ulaşmak, buluşmak, kavuşmak.

vuhuş: vahşi hayvanlar.

vuslat: buluşma, kavuşma.

vücut: varlık, beden.

Y

yaban: yabancı, el.

yâd: yabancı, tanımadık.

yağı: düşman.

yâhûd: veya, isterseniz, iyisi.

yakmak: sürmek, yaraya ilâç sürmek.

Yâkûb: Yusuf Peygamber'in babası. Peygamberdir. Yusuf'a bak.

yalap yalap: parça parça, parıl parıl.

yalvarıcı: şefaat edici, af isteyici.

yalı: keskin, sivri.

yap: yapı, bina.

yâr: dost, sevgili.

yar, bar: ağız köpüğü, ağız pası.

yarağ olmak: yarağ etmek: ihtiyaç olmak, gerekmek.

yarak, yarağ: âlet, araç, silâh, işe yarayan.

yaramaz: kötü, yaramaz.

yâren: yârlar, dostlar.

yargı, yargu: mahkeme.

yârî kılmak: yardım etmek.

yarlıgamak: affetmek, suçundan geçmek, bağışlamak.

yâ sin: ey sen, ey insan, ey Muhammed. Kur'an'da Yâ Sin sûresi.

yasmak: kurulu yayın kirişini gevşetmek.

yastamak: arka vermek, yaslanmak, güvenerek tabi olmak.

yaşın yaşın: gizli gizli.

yat, yatlı: utanmak. Utanan kimse. Kötü. Kötülük sahibi. Güç.

yavı: kaybolma, yitik.

yavuk: sevgili, güzel, yakın, aşk. Yavuklu: sevgili.

yay: yaz.

yay: ok atan araç.

yaylamak: yaylaya çıkmak.

yazı: ova, düz yer, sahra.

yazı: alın yazısı, talih. Günah defteri.

yazık: suç, günah.

yazmak: yaymak, yufka yazmak deyiminde bugün de geçer.

yedi deniz: eski coğrafyacılar dünyayı çevreleyen yedi deniz tanıyorlar: 1. Mağrip denizi (Atlantik Okyanusu), 2. Çin denizi (Okyanus), 3. Cürcan denizi (Hazer), 4. Hârezm denizi (Fars denizi), 5. Rûm denizi (Akdeniz), 6. Tabariye denizi (Şap denizi) (Bahr-i Kulzum), 7. Bahr-i Siyah (Karadeniz) Kur'an'da, ağaçlar kalem yedi deniz mürekkep olsa. Tanrı kelimelerini yazmaya yetmeyeceği bildirilmektedir.

yedi, dokuz, onsekiz, dört: bk. onsekiz bin âlem.

yedi hücre: insan vücudundaki yedi delik.

yedi iklim: eskilere göre insanların ve hayvanların yaşadığı dünyanın dörtte biri yedi iklime yani yedi bölgeye ayrılmıştır. Bu güne göre Avrupa, Asya ve Afrika'nın bir kısmıdır.

Yediler: sôfilere göre âlemi yöneten bir kişidir. Buna «kutb» denir. Bu kişi «Hakikat-i Muhammediyye»ye mazhardır, yani onun gerçek görünüşüdür. Kâinat bu kişinin çevresinde döner. Onun gönlüne gelen, bu âlemde meydana çıkar. Ona en yakın iki kişi daha vardır. Bunlar sağ ve sol imâmı, yani yöneticisidir.

Bunlardan sonra âlemi yöneten dört ermiş gelir. Bunlardan sonra yedi, kırk ve üçyüz gelir.

yedi mushaf: bazı hadislere göre, Kur'anın yedi türlü okunuşu olduğu bildirilmektedir. Bu okunuşlar kabilelerin lehçelerine göredir. Okunuş değişse de anlam değişmez. Sôfîlere göre, bu yedi okuyuş, yedi anlamdır.

yedi veyl: veyl cehennemde bir vâdi adıdır. Bunun yedi katı azaba işaret etmiş olabilir. Veyl, vah, yazık ve helâk olma anlamına da gelir, arapça bir sözdür.

yedi yer, yedi gök: eski bilgiye göre gökler yedidir, bunlara Atlas ve Burçlar gökleri de katılınca dokuz olur. Kur'an'da birçok sûrelerde göğün ve yerin yedi olduğu bildirilir.

yeğrek: daha iyi.

yehdillâhu limen yeşâ: Kur'an'da «dilediğine doğru yolu gösterir» anlamında birçok âyetlerde geçer.

yele vermek: boş yere harcamak.

yel: rüzgâr, hava. Dört basit ögeden biri.

yelmek: koşmak, bir şeyi elde etmek için hevesle, telaşla koşmak çaba göstermek.

yeltemek: meyletmek.

yen, yeğn: elbise kollarının eller üstüne gelen bölümü.

yeni bahar: ilkbahar.

yenile: yenice, şimdi, henüz.

yeni yaz: ilkbahar.

yensiz gömlek: kefen.

yesir: esir, tutsak.

yetirmek: olgunlaştırmak, yerine getirmek.

yetmek: ermek, ulaşmak.

yezdân: yaratıcı, Tanrı.

yığmak: menetmek, esirgemek.

yırak: ırak, uzak.

yiğit: delikanlı.

yokluğan: yokluk, yokluğuna.

yokvam: yokum, yoğum.

yol: kere, defa.

yol: edep, erkân, yol-yordam. tarz.

yol eri: tarika giren kişi. Mânevî yolda yürüyen.

yormak: düş yormak, geleceğe dair hüküm çıkarmak.

yortmak: koşmak, hızlı koşmak.

yukarı iller: Azerbaycan, İran yöreleri. Yukarı cânip de denir.

yumak: yıkamak.

yumuş: hizmet, emir.

Yunus: büyük peygamberlerden. Bindiği gemiden denize atılmış, bir balık Yunus'u yutmuş. Balığın karnında duaya başlayınca balık kendisini kıyıya bırakmış. Kur'an'da «balık sahibi» anlamında «Zünûr» olarak anılır.

Yusuf; Yusuf Peygamber: İsrail oğullarından Yâkup Peygamberin oğludur. Çok güzel ve akıllı olan Yusuf, kıskandıkları için, kardeşleri tarafından bir kuyuya atılmış, oradan geçen kervancılar Yusuf'u kuyudan çıkarıp kardeşlerinden satın alarak Mısır'a götürmüşler. Orada bir terazinin kefesine koyarak ağırlığınca altına satmışlardır. Mısır hazine bakanı Yusuf'u satın almıştır. Bakanın karısı Zeliha, Yusuf'a âşık olur, fakat Yusuf bu aşkı kabul etmez. Kadın iftira eder. Yusuf zindana atılır. Yusuf zindanda yedi yıl yatar. Bir gün Firavun'un gördüğü düşü kimse yorumlayamayınca Yusuf çağrılır. Yusuf, yedi yıl bolluk, yedi yıl kıtlık olacağı yolunda yorumlar. Firavun kendisini mâliye işlerinin başına getirir. Yusuf, bolluk yıllarında zahire biriktirir. Kıtlık yılları gelince halka dağıtır. Kardeşleri de gelir. Onların çuvalına gizlice bir altın tas koydurur. Aramada, çaldılar, diye küçük kardeşini alıkor. Babaları Yakub ikinci acı ile ağlamaktan gözlerini kaybeder, kör olur. Kardeşler yine geldiklerinde Yusuf kendini tanıtır. Babasına gömleğini gönderir. Gömleği gözlerine süren Yakub'un gözleri açılır. Mısır'a gelirler. Yusuf'tan af dilerler. Bir rivayete göre, Zeliha kendini Nil bataklıklarına atarak öldür-

müştür. Bir rivayete göre de, kocasının ölümünden sonra Yusuf'la evlenmiştir. Yusuf'un satılması sırasında altın az gelince Zeliha elini terazinin altın tarafına bastırmış, böylece satın alınmasını sağlamıştır. Yine bu sırada bir yaşlı kadın Yusuf'u sevmiş, fakir kadın dünyada sahip olduğu tek yumak ipliği terazinin altın tarafına atarak dengeyi sağlamak istemiştir. Zeliha kendisini kınayan kadınları çağırarak, ellerine birer elma vermiş, o sırada Yusuf'u odaya almış kadınlar onun güzelliği karşısında bıçakla elma yerine ellerini kesmişlerdir. En güzel peygamber hikâyelerinden olan «Yusuf ile Zeliha», edebiyatta Yâkub, güzellik, kuyu, kova, ip, satılmak, kurt, gömlek, Mısır, Zeliha gibi birbirine bağlı olay ve adlarla birlikte anılır.

yüz suyu: haysiyet, şeref, namus.

yüzyirmi dört bin: Hz. Muhammed'e gelinceye kadar bu sayıda peygamber gelmiş olduğuna inanılır.

Z

zâhid: sofu, yobaz.
zâhir, bâtın: zâhir, görünen dış anlamında; bâtın, görünme-

yen iç anlamındadır. Kur'an'ın 58. sûresinin 3. âyetinde «O'dur evvel, O'dur âhir. O'dur görünen, O'dur görünmeyen ve O'dur her şeyi bilen» denilmektedir. Sôfiler, her şeyin önü ve sonu Tanrı olduğu, her şeyde onun göründüğü, iç yüzü itibariyle her şeyde bâtın bulunduğu yolunda tefsir ve tevil ederek «vahdet-i vücut» (varlıkta birlik) görüşünü ispat ederler.

zâr: ağlayan, inleyen.

zâra gelmek: ağlayıp inlemeye başlamak.

zârılık: ağlayıp inleyiş.

zârı kılmak: ağlayıp inlemek.

zavada: zât, azık.

zat: asıl, öz, cevher, kendi, saygıdeğer kişi.

zavya: zâviye, küçük tekke.

zebpane: yalım, alev.

zebânî: azap melekleri.

zeber: üst. Gök.

zehre, zöhre: öz, yürek, cesaret, kudret.

zehr-i mâr: yılan zehiri.

zekât: malından bir kısmını fakirlere yılda bir kere vermek.

Zekeriÿya: İsrâil oğulları peygamberlerinden biri. İhtiyarken bir çocuğu olmuştur. Meryem'e de kefil olmuştur. Kavminden kaçıp bir ağacın içine girmiş, kendisine inanmayan kavmi ağaçla birlikte kendisini biçmiştir.

Zelihâ, Zelha: Yusuf'a bakınız.

zemheri: kışın en soğuk günleri.

zemzeme: güzel ses, nağme.

zere: zira.

zerre: bir şeyin bölünmeyecek kadar en küçük parçası.

zeyrek: zeki, anlayışlı, akıllı, aklı tez eren.

zikr, zikir: Tanrı adlarını anmak.

zindan: karanlık ve havasız cezaevi, hapishane. Hz. Muhammed'in «Dünya insanın zindanı, kâfirin cennetidir.» «Dünya mümine safâ vermez; nasıl verebilir ki, onun zindanıdır.» Yolunda hadisleri vardır. Sôfîlere göre buradaki dünya benliğe, bencilliğe, servete tapmaktır.

zîr: alt, yeraltı.

zulümât: karanlıklar.

zühd: dinde şüpheli şeylerden sakınmak. Dünya şeylerini aşağı görme, tahkir. Dünya nimetlerinde ılımlılık.

Zühre: büyük yıldızlardan. Çoban Yıldızı. Venüs Yıldızı. Eski bilgilere göre Zühre Yıldızı, müzikçilerle şarkıcıların yıldızıdır. Edebiyatta saz ve çeşitleri ile birlikte anılır (Harut-Marut'a bakınız).

Zülkarneyn: bakınız «İskender».

zümre: cemaat, toplum, sınıf.

BİBLİYOĞRAFYA

Bu bibliyoğrafyada Yunus'la ilgili ikinci, üçüncü derecedeki eserler ve yazılar alınmadı. Daha geniş ve ayrıntılı bibliyoğrafya için Merhum Dr. Fethi Erden'in hazırladığı «Türk Yurdu — Yunus Emre Özel sayısı, sayı 319, Ocak 1966» ile Milli Kütüphaneye Yardım Derneği yayımlarından olan ve İsmet Binark - Nejat Sefercioğlu'nun ortaklaşa hazırladıkları «Yunus Emre Hakkında Bir Bibliyoğrafya Denemesi, Ankara 1970» adlı esere bakılmalıdır.

1 — **Açıkgöz, Saim:** Yunus Emre'nin Dili, Karaman — Türk Dili, 7 Haziran 1969.

2 — **Açıkgöz, Saim:** Yunus Emre, Karaman — Dil Bayramı Özel Sayısı, yıl 1, Sayı 2, Mayıs 1969.

3 — **Araz, Nezihe:** Anadolu Evliyaları, 2. Baskı, İstanbul 1966.

4 — **Ayverdi, Sâmiha:** Yunus Emre ve İlâhileri, Milliyetçiler Derneği Neşriyatı: 21, İstanbul 1969.

5 — **Barkan, ömer:** Kolonizatör Türk Dervişleri, Vakıflar Dergisi, sayı: 2, Ankara 1942.

6 — **Bavbek, Osman:** Yunus Emre'nin Mezarı Karaman'da mı, Eskişehir'de mi? Adalet, 27/12/1964 Ankara.

7 — **Binark, İsmet - Sefercioğlu, Nejat:** Yunus Emre Hakkında Bir Bibliyografya Denemesi, Milli Kütüphaneye Yardım Derneği Yayınları: 2, Ankara 1970.

8 — **Binatlı, Prof. Yusuf Ziya:** Yunus Emre ve Mutluluk, Emre, sayı: 15, Eskişehir 1965.

9 — **Bolel, M. Aziz:** Türk Edebiyatı ve Türk Musikisinde Yunus Emre'nin Yeri, Emre, sayı: 15, Eskişehir 1965.

10 — **Cunbur, Dr. Müjgân:** Yunus Emre'nin Gönlü, Ankara 1959.

11 — **Demircioğlu, Faiz:** Yunus Emre'nin Mezarı Hakkında Notlar, Türk Folklor Araştırmaları, C. 4, sayı: 95, İstanbul 1957. **(Sarıköy'deki Yunus Emre değil, Yunus Emir Bey olduğu hakkındaki Hazine-i Evrak Belgesi).**

12 — **Erdoğan, Muzaffer:** Yunus Emre ve Karaman, Türk Folklor Araştırmaları, sayı: 156, İstanbul 1962. **(Yunus'un Karaman'la ilgisi üzerine resmî ve tarihî bir belge.)**

13 — **Es, Selçuk:** Yunus Emre'nin Mezarı Üzerine, Türk Folklor Araştırmaları, C. 10, sayı: 204, Temmuz 1966.

14 — **Evliya Çelebi:** Seyahatnâmesi. C. 9, s. 315.

15 — **Gölpınarlı Abdülbâkî:** Yunus Emre ve Tasavvuf, Remzi Kitabevi, İstanbul 1961.

16 — **Gölpınarlı, Abdülbâkî:** Yunus Emre Divanı, C. 1, Ahmet Halit Kitabevi, İstanbul 1943. 2-3. C. 1948.

17 — **Gölpınarlı, Abdülbâkî:** Yunus Emre — Hayatı, İkbal Kitabevi, İstanbul 1936.

18 — **Gülcan, Ali:** XVIII. yüzyılda yazılan Hülâsa-i Ahval-i Büldan adındaki coğrafya kitabında KARAMAN, Yunus Emre dergisi, sayı: 2, Karaman 1964. **(Bu kitapta Yunus'un mezarının Karaman'da olduğu bildirilmektedir. Önemlidir.)**

19 — **Gürer, Salahattin:** Yunus Emre'nin Bestelenmiş Şiirleri, İstanbul, 1961. İkinci baskı, Yunus'un 70 Güfte ve Notası, adıyla 1963.

20 — **İstanbul Konservatuvarı** Neşriyatı, Bektaşi Nefesleri 1, 1933.

21 — **Karakoç, Sezai:** Yunus Emre — Hayatı, Sanatı, Şiirleri, Bedir Yayınları: 32, İstanbul 1965. Küçük boy 78 sayfa.

22 — **Kocatürk, Vasfi Mahir:** Tekke Şiiri Antolojisi, Buluş Kitabevi. Ankara 1955.

23 — **Konyalı, İbrahim Hakkı:** Yunus Emre'nin Mezarı Karaman'da mı, Eskişehir'de mi? Adalet, 19 Haziran 1965, Ankara. **(Belgelere dayanarak Karaman'da olduğunu ispat etmiştir.)**

24 — **Konyalı, İbrahim Hakkı:** Âbideleri ve Kitabeleri ile KARAMAN TARİHİ, Baha Matbaası, İstanbul 1967. S. 364 - 398. **(Bu eserde hiçbir işkile yer vermeyecek şekilde belgeler ve belgelerde geçen yerleri de bularak Yunus'un Karamanlı olduğunu, soyunun Horasan'dan geldiğini ve mezarının da Karaman'da olduğunu ispat etmiştir. Bu konuda en geniş belge, bilgi bu eserdedir. Araştırıcılara ışık tutar.)**

25 — **Köprülü, Fuat:** Türk Edebiyatında İlk Mutasavvıflar, İstanbul 1337/1819. İkinci baskısı, Diyanet İşleri Başkanlığı tarafından 1966.

26 — **Köprülü, Prof. Dr. M. Fuat:** Anadolu Selçukluları Tarihinin Yerli Kaynakları 1. Türk Tarih Kurumu, Belleten, sayı: 27'den ayrıbasım, 1943. **(Şikârî Tarihi'nin değeri hakkında sağlam bilgi verilmiş.)**

27 — **Kunter, Halim Bakî:** Yunus Emre — Bilgiler, Belgeler, Eskişehir Turizm ve Tanıtma Derneği Yayınları: 3. 1966.

28 — **Mengi, Erdoğan:** Büyük Türk Ozanı Yunus Emre'nin Yaşadığı ve Öldüğü Yer Karaman'dır. Yunus Emre Dergisi, s. 1, 1964.

29 — Öztelli, Cahit: Yunus Emre Divanı, Türk Dili, sayı: 37, Ankara 1954. (Burhan Toprak'ın bir cilt halinde topladığı divanının eleştirisi.)

30 — Öztelli, Cahit: Yunus Emre'nin Mezarı ile İlgili Yeni Belgeler, Türk Dili, sayı: 38, Ankara 1954. (Bu yazıda verilen bilgiler, daha Karaman ile ilgili belgeler çıkmamış olduğundan yazar Sarıköy üzerinde durmuş idi.)

31 — Öztelli, Cahit: Yunus Emre Dolayısıyla Bir Cevap, Türk Dili, sayı: 42, Ankara 1955.

32 — Öztelli, Cahit: Son Yunus Emre, Hisar dergisi, sayı: 68, Ankara 1956. (İsmail Habib Sevük'ün bastırdığı divanın eleştirisidir.)

33 — Öztelli, Cahit: Yunus Emre ve Karamanoğulları, Vatan, 31 Temmuz 1961.

34 — Öztelli, Cahit: Yunus Emre ve Karamanoğulları, Vatan, 26 Temmuz 1961.

35 — Öztelli, Cahit: Yunus Emre Üzerine Son Belgeler, Ilgaz dergisi, sayı: 24, Ankara 1963.

36 — Öztelli, Cahit: Yunus Destanı, Emre sayı: 8, Eskişehir 1964. (Gökhan Evliyaoğlu'nun Yunus Emre'si üzerine yazılmıştır.)

37 — Öztelli, Cahit: Yunus Emre ve Ötesi, Emre, sayı: 14, Eskişehir 1965.

38 — Öztelli, Cahit: Yunus'un Yeni Divanı Üzerine, Emre, sayı: 15, Eskişehir 1965. (Eskişehir Turizm ve Tanıtma Derneği'nin çıkardığı Fatih Nushasının Tıpkıbasımı ve çeviryasının eleştiris.)

39 — Öztelli, Cahit: Yunus Emre Üzerine Bazı Halk Söylentileri, Emre, C. 2, sayı: 18, Eskişehir 1965.

40 — Öztelli, Cahit: Şeyhülislâm Ebussuut Efendinin Fetvalarında Yunus İlâhileri, Emre, C. 2, s. 16. 1965.

41 — Öztelli, Cahit: Yunus Emre'nin Soyu Sopu, Türk Dili, C. 14, sayı: 169, Ankara 1965.

42 — Öztelli, Cahit: Yunus Emre ve Şikârî Tarihi, Türk Dili, C. 14, sayı: 165, 1965.

43 — Öztelli, Cahit: Yunus Emre Dolayısıyla Barak Baba — Taptuk Emre, Türk Dili, Temmuz 1965.

44 — Öztelli, Cahit: Halkta Yaşayan Yunus Efsaneleri, Defne dergisi, sayı: 14, Ankara 1966.

45 — Öztelli, Cahit: Yunus'un Yayımlanmamış Şiirleri, Emre, sayı, 33, Eskişehir 1967. Dokuz şiir.

46 — Öztelli, Cahit: Molla Murad'ın Yunus Emre'ye Methiyesi, Emre, sayı: 40, Eskişehir 1967.

397

47 — **Öztelli, Cahit:** Yunus'un Yayımlanmamış Şiirleri, Emre, sayı: 56, Eskişehir 1968. Yedi şiir.

48 — **Öztelli, Cahit:** Yunus Emre'nin Bestelenmiş İlâhileri, Türk Folklor Araştırmaları, C. 11, sayı: 223, 1968.

49 — **Öztelli, Cahit:** Yunus'un Yayımlanmamış Şiirleri, Emre, sayı: 57, Eskişehir 1968. Dört şiir.

50 — **Öztelli, Cahit:** Yunus Emre İçin Neler Yapmalıyız, Karaman — Türk Dili, 7 Haziran 1969.

51 — **Öztelli, Cahit:** Gölpınarlı ve Yunus Emre, Türk Folklor Araştırmaları, C. 12, sayı: 251. Haziran 1970. (**Abdülbâkî Gölpınarlı'nın tutumunu eleştiri.**)

52 — **Saygun, Ahmed Adnan:** Yunus Emre — Oratoryo, İstanbul 1953.

53 — **Sevük, İsmail Habib:** Yunus Emre, İstanbul 1953.

54 — **Seyhan, Özcan:** Karaman'da Yunus Emre İlâhileri, Türk Folklor Araştırmaları, C. 9, sayı: 194, 1965.

55 — **Soylu, Sıtkı:** Yunus Emre — Hayatı ve Mezarı Hakkında İncelemeler, Lârende Basımevi, Karaman 1965.

56 — **Soylu, Sıtkı:** Yunus Emre'nin Mezarı Eskişehir'de Olamaz, Adalet, 8/2/1965.

57 — **Şikârî:** Karaosmanoğulları Tarihi, Yenikonya Basımevi, Konya Halkevi Yayını, 1946.

58 — Tam ve Tekmil Yunus Emre Divanı, İstanbul Maarif Kitaphanesi, 1954.

59 — **Tekindağ, Prof. Şehabeddin:** Karamanlılar, İslâm Ansiklopedisi, cüz 59, C. 6.

60 — **Tekindağ, Prof. Şehabeddin:** Yunus Emre'nin Yattığı Yer Konusunda Düşünceler, Meydan dergisi, 15 Haziran 1965.

61 — **Tekindağ, Prof. Dr. M. C. Şehabeddin:** Büyük Türk Mutasavvıfı Yunus Emre Hakkında Araştırmalar, Belleten, Türk Tarih Kurumu, 1966. S. 59-90.

62 — **(Toprak) Burhan Ümit:** Yunus Emre Divanı, Muallim Ahmet Halit Kitaphanesi, İstanbul 1933. Üç cilt.

63 — **Toprak, Burhan:** Yunus Emre Divanı, İnkilâp Kitabevi, üçüncü baskı 1953. (**Eleştirisi için, 29 sayılı yazıya bakınız.**) Dördüncü baskı 1960.

64 — **TÜRK YURDU,** Yunus Emre Özel Sayısı, sayı: 319, Ocak 1966. Hazırlayan: **Dr. Fethi Erden** merhum. Büyük boy 200 s., 71 imza ile değerli yazılar var. En geniş ve ayrıntılı bibliyoğrafya burada verilmiştir. Bazı yazıları aşağıda gösterdik: **Dr. Fethi Erden** (Yunus Emre Bibliyoğrafyası), **Sıt-**

kı Soylu (Yeni Vesikaların Işığı Altında Yunus Emre'nin Yaşadığı Bölge), **Prof. Dr. M.C. Şehabeddin Tekindağ** (Büyük Türk Mutasavvıfı Yunus Emre Hakkında Araştırmalar), **Cahit Öztelli** (Yunus Emre Üzerine Son Araştırmalar), **İ.H. Konyalı** (Karaman'daki Yunus Emre - İddiaları - Vesikaları), **Prof. İsmail Hakkı Baltacıoğlu** (Yunus Emre - Estetik Sırları), **C. Server Ravnakoğlu** (Yunus'un Bestelenmiş İlâhileri Nerede ve Nasıl Okunurdu), **Av. Cemalettin Saner** Yunus Emre, Tasavvufta ve Millî Ruhtaki Önemi), **Ali Öztürk** (Yunus'ta Tasavvuf), **Dr. Sırrı Alıçlı** (Yunus Emre'de İnsanlık), **F.A. Tansel** (Milli Edebiyat Devrinde Yunus Emre Hakkında Yazılan Şiirler), **Doç. Dr. Bedri Noyan** (Yunus Emre Üzerine), **Sofi Huri** (Garbın Gözüyle Yunus Emre), **Etem Üngör** (Türk Musikisinde Yunus Emre), **Nureddin Topçu** (Yunus Emre'de Vahdet-i Vücut), **Enver Behnan Şapolyo** (Yunus Emre ve Tasavvuf), **Cemil Sena** (Yunus Emre'nin Felsefesi), **Nihat Sami Banarlı** (Yunus'un Türkçesi), **Dr. Mügân Cunbur** (Yunus Emre'nin Gözüyle Yurt ve Tabiat), **Nejdet Sançar** (Yunus Emre'de İki Mesele - Hayat ve Ölüm), **Dr. Fethi Erden** (Yunus Emre - Özel Sayı), **Dr. Veli Behçet Kurdoğlu** (Yunus Emre'de Cinsel Semboller), **H. Z. Koşay** (Macarca Türk Şiiri Antolojisi ve Yunus Emre), **Prof. Mümtaz Turhan** (Yunus Emre'den Kalma En Büyük Miras).

65 — **Ulunay:** Yunus Karaman'dadır, Milliyet, 23 Mayıs 1965.

66 — **Yesirgil, Navzat:** Yunus Emre, Yeditepe Türk Klâsikleri, İstanbul 1958. Küçük boy 90 sayfa.

67 — **Yunus Emre Divanı:** Taşbasması 1302, 1320, 1327/1909. (İçinde **338 şiir var. Kapakta «Meşayih-i İzamdan Mevlâna Âşık Yunus Emre Hazretlerinin Divan-ı Lâtifleriyle Halifesi Âşık Yunus Hazretlerinin Divan-ı Pür Kemalleri» kaydı var. Ayrıca Erzincanlı Şeyh Hayyat Vehbi'nin «Kent-ül Miftah» eser ve Niyazi Mısrî'nin «Çıktım erik dalına» şiirinin şerhi, 1327 baskısında sayfa 132'dedir. Bu şerhin burada bulunuşunu kimse bibliyoğrafyasında kaydetmemiştir.)**

68 — **Yunus Emre:** Türk Halkbilgisi Derneği Neşriyatı, sayı: 6. İstanbul 1929.

69 — **Yunus Emre - Risâlat al-Nushiyye ve Divanı:** Eskişehir Turizm ve Tanıtma Derneği Yayını: I. (Abdülbâki: Önsöz - Lügat - Açıklama), Fatih Nushası tıpkıbasımı ve çeviryazısı, İstanbul 1965. **(Eleştirisi için bu bibliyoğrafyadaki 38 sayılı yazımıza bakınız.)**

ÖZGÜR YAYIN-DAĞITIM

TÜRK KLASİKLERİ DİZİSİ

CAHİT ÖZTELLİ
- HALK TÜRKÜLERİ
  Evlerinin Önü
- PİR SULTAN ABDAL
  Yaşamı ve Bütün Şiirleri
- KARACAOĞLAN
  Yaşamı ve Bütün Şiirleri
- YUNUS EMRE
  Yaşamı ve Bütün Şiirleri
- PİR SULTAN'IN DOSTLARI
- KÖROĞLU, DADALOĞLU, KULOĞLU
- BEKTAŞİ GÜLLERİ

NEJAT BİRDOĞAN
- NOTALARIYLA HALK TÜRKÜLERİMİZ

ALPAY KABACALI
- NEYZEN TEVFİK
  Çeşitli Yönleriyle
- ŞAİR EŞREF
  Çeşitli Yönleriyle
- FIKRALAR SEÇKİSİ
- AŞK ŞİİRLERİ ANTOLOJİSİ
- NASREDDİN HOCA
  Hayatı, Kişiliği, Fıkraları

İSMET ZEKİ EYUBDĞLU
- MEVLANA CELALEDDİN
  Yaşamı, Felsefesi, Düşünceleri, Şiirleri
- HACI BEKTAŞ VELİ
  Yaşamı, Düşünceleri, Çevresi, Etkisi
- SÖMÜRÜLEN ALEVİLİK

ORHAN URAL
- ERZURUMLU EMRAH
  Yaşamı ve Bütün Şiirleri

ÂŞIK VEYSEL
- DOSTLAR BENİ HATIRLASIN
  Derleyen: Ümit Yaşar Oğuzcan

DÜNYA KLASİKLERİ DİZİSİ

RÜŞTÜ ŞARDAĞ
- BÜTÜN YÖNLERİYLE HAYYAM
  Rubaileri